无人足迹（顾正仪）
序1 （清江）

　　我小时候曾看到很多《尚兵过世界。这在我们鱼尾镇总是一件大事，也造成了我的节日。鱼尾镇有坐落在仲向洞庭湖心狭长陆地的尾巴上。只有一条泥土小路通向华源县城。非常的穷，每一点响动都是大事。比如两位婆吵架，更何况谁家有《老去。

　　得到了消息的那些会奔这相告，将崖子和尚会变忌怪了，有热闹了。

　　最令人关着的丧出殡。邻里们丧事是被告知时，我会在自家的奇楼放一挂鞭炮。在出殡队伍过去时点起来，炸得震天地响。这是对死者最大的敬意。孝子捧着遗像哩哩地些，守灵家的鞭炮越长，越响。他心里希有数，那挂鞭炮的后有限多意味。人情薄，走亲一辈放，亲友里有了。

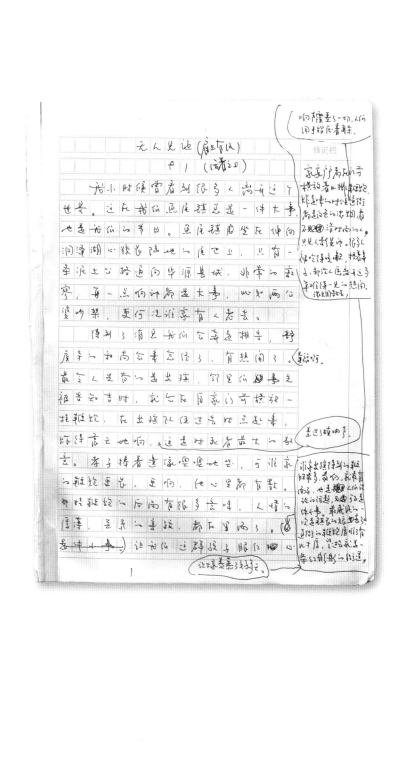

说：我是那些鞭炮，孝子你没有走远，
大家都盯着，我把你，这是地雷。有
孝子走远了，棺材也走远了，吹喇叭
的也走远了，在烟雾缭绕中，就有大
胆的孩子冲到烟雾里棺材下，沖向寺
去，一脸勇出的表达，他很起跳起来
去，一手捂着耳，捂着，向别人辞之
外，这鞭炮我是他了。这时鞭炮的
火花会弹起来，看清了还会捂着名字
里，他们人情相欢新了。捡到鞭炮的
孩子洋洋得去，口袋里装满圆圆
的人说："装着烟炝脱手，让你放的
气！"烟炝脱手了。于是，轻轻地着
轻轻地着，把鞭炮引燃着上去，一枝
一枝甩向空中，一根根把捂着飞去小
方向这："听，听！"我小时候说你小时
样着气去吸烟。就为了挑挑烟儿。你
于有小烟他们小爱圆装饰了挑激去
了我的野心，终于有一回，我也明白
把柱地以烟雾中捂去一枝鞭炮，胆本

往有人在身后喊："净华侄子，你把四姐家小许昏昏挑断你的脚筋！"那是特别生气的一种事，我找了根竹竿挑起来，吆喝着："庙、庙！"大姑子丛中冲出冲进，大家谁来认这都和自己有关系，没人上去打那。我估着平时大家小这边自行他的儿粗糙，总是半分谎媪地为笔误，很有那些难，他就忽然就着麻烦。

其实那一次我特别因为，接脉邦娃哭了。将泪连奔出来，俄妈好北哭一阵还有那家的女人居然找上门来控诉我的罪行，反复叮嘱我爸，赶好好教育。

爸爸当时肥下将轻我来教育我，若不是爸爸把枝搓着，我于少说了一餐教打。

这就是我对生气高兴小事初记忆，也是我的懵懂岁月，单让我有点超恼的是，再对待些高大人。给力有人再挨过，包括他们的亲人。这些年但

（圈内）你永远也净华室

那年，交好的同窗邻居乐乐也搬走了。那是一个和蔼的老人，陪伴着陪我们每一块搪瓷送来一桶把。这让我有空跟乐乐玩时想起了她，搬到了她，没人陪我，他妈妈也不做事。我觉得有点难处。好像自己在流连那块搪瓷。事后我又有点恍惚。一个人活了七八十年，那么多年活有活一遍痕迹也有，那么多年没有活呢？这些慢也一样一向，流过去了。

　　直到我爸爸离去，我才懂得了，离去是每个人都得面对的事情，包括我自己。意识到这一点，我有怅然若失的感觉。这么简单的事实，以前怎么我没想到，总是拼命地逃脱，我逃逃脱吗？看着爸爸的遗体在灯光下安静地躺着，我感到有一片黑暗的阴影向我靠来，像一个没有双翼的神。

　　爸爸去世时请了静座午的和尚来念经。淡定了我排好四股在床上。

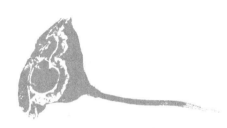

活着之上

阎真 著

湖南文艺出版社

1

　　小时候曾看到很多人离开这个世界，这在鱼尾镇总是一件大事，也是我们的节日。鱼尾镇坐在伸入流泽湖狭长陆地的尾巴上，只有一条泥土公路通向华源县城，非常地寂寥。镇上每一点响动都是大事，比如谁谁两公婆吵架了，比如谁过生日请了多少桌，更何况谁家有人老去。

　　得到了消息我们会奔走相告，谁家死人了！静虚寺的和尚会来念经了！会放鞭炮了！最令我们兴奋的是出殡。邻里们事先被告知吉时，就会在自家门前横卧一挂鞭炮，在出殡队伍过去时点起来，炸得震天地响，盖过了唢呐声。这是对逝者最大的敬意。孝子捧着遗像走在队伍前面，呜呜地哭，可谁家的鞭炮更长、更响，他心里都有数。那鞭炮声后面有很多意味，人情的厚薄，关系的亲疏，都在里面了。谁家出殡得到的鞭炮最多、最响，就最有面子。这是人们议论的话题，不是小事。小镇上的人们除了穿衣吃饭，最最重要的事情就是人情和面子了，这几乎就是活着的理由。

　　最威风的一次是镇长的妈妈去了，家家户户都在门前横卧几排鞭炮，炸起来惊天动地。人们用手捂着耳朵，通街都是白色的浓烟，看不清对面的人，只见人影晃动。许多小孩的身影在烟雾中跳来跳去。很多人被呛得咳嗽，捂着鼻子，却没人愿离开这多年难得一见的热闹。浓烟散去，通街的鞭炮屑堆了有几寸厚，望过去就是一条红彤彤的街道，走在街上隔着鞋也会感到热烘烘的。这让大家羡慕了好多天，镇长到底是镇长啊！

让我们这群孩子眼红心动的就是那些鞭炮，孝子没有过去，大家都盯着，不能动，这是规矩。当孝子过去了，棺材过去了，吹唢呐的也过去了，就有大胆的孩子在烟雾的掩护下猫着腰冲上前去，一脚将鞭炮踢出几米远，想逃离主家的视线，准确地踏灭火头，一手捞起来，拖着，跑到人群之外，这鞭炮就是他的了。这时鞭炮的主人会骂起来，看清了还会提着名字骂，因为他的人情被截断了。抢到鞭炮的孩子扬扬得意，以英雄的豪迈对周围的孩子说："捡几个烟屁股来，让你放几个，让你也放几个！"烟屁股找来了，点燃，轻轻吸着，把鞭炮引线凑上去，一颗一颗甩向空中，一根指头指着飞出的方向说："听，听！"我的几个玩伴就这样学会了吸烟，成为了铁杆烟民。他们的英雄气概激发了我的野心。终于有一回，我也明火执仗地从烟雾中抢出一挂鞭炮，顾不得有人在身后喊："致远伢子，你不怕我叫你爸爸挑断你的脚筋！"那是特别长的一串，我找了根竹竿挑起来，吆喝着："看，看！"在孩子丛中冲出冲进。大家都承认这是我的私有财产，没人上来打劫。我依着平时关系的远近分给他们几颗十几颗，很是得意。有几个更小的小孩抬头望着那一挂鞭炮，很是羡慕。我把竹竿放下去，在他们伸手刚够得着的时候又猛地弹上来，反复几次，哈哈大笑。其实那一次我特别倒霉，裤脚被炸开了，棉花裸露着卷了上来，被妈妈死骂一顿；还有李家的女人居然找上门来控诉我的罪行，反复叮嘱我爸，你家聂致远要好好管教。爸爸当时就脱下棉鞋来教育我，若不是爷爷横过拐杖拦着，我就得饱餐一顿死打。

这就是我对生命离去的最初记忆。让我有点疑惑的是，对那些离去的人，很少有人再提及，包括他们的亲人。读三年级那年，要好的同学邓长乐的外婆去世了。那是一个和蔼的老人，经常塞给我们每人一块烤得焦黄的糍粑。这让我再去邓长乐家时想起了她，提到了她，可没人应我，他妈妈也不做声。我觉得有点惭愧，好像自己在催促那块糍粑。事后我又有点恐慌，一个人活了七八十年，一点痕迹没有，那不等于没活吗？这恐慌像电一样，一闪就过去了。

直到我爷爷离去，我才懂得了，离去是每个人都得面对的事情，包括我自己。意识到这一点，我有恍然大悟的感觉，这么简单的事实，以前怎么就没想到？毛主席都不能逃脱，爷爷他一个乡村教师能逃脱吗？我能逃脱吗？在我刚懂事的时候，就看见爷爷的棺材放在他住的那间房子里，跟他睡的床只隔着一条过道。有几次我看见他把棺材抬到前坪，上下抹得干干净净。上个月是最后一次，他笑眯眯地对我说："这是最后一次了。"望着爷爷在灯光下安静地躺着，我感到了幽深的黑暗，中间有一片更黑的阴影向我飘来，像一个张开双翼的神。

爸爸去县城请了静虚寺的和尚来念经。夜深了，我张开四肢趴在床上，听到清脆的木鱼声在黑暗中浮动，像从另一个世界传来，心中激起了震颤。那些前来帮忙的叔叔阿姨们在外面打麻将，欢笑声混着洗牌声从木鱼敲击声的缝隙中传了进来。我睡不着，从床上溜下来，灵堂里只剩下两个和尚在烛光中念经。我问老和尚说："伯伯，我爷爷还会醒来吗？"老和尚说："会的。人死了只是肉身死了，他会在轮回中重新托生为人。"我想象着爷爷会变成一个婴儿重新来到这个世上，又想着自己以前也是一个老人，想来想去想不清楚。我说："伯伯，每个人都会重新生出来吗？"他说："那要看他是不是一个好人，好人才有下世。"这让我很放心，爷爷他是一个好人；又让我很不放心，抢过人家的鞭炮还算不算个好人呢？

爷爷在棺材里躺了三天。出殡那天早上，我看见爸爸在数钱给那个和尚伯伯，心里非常惊讶，和尚怎么还会要钱呢？心中有怪怪的感觉。鞭炮响了起来，我看见爷爷躺在石灰上，神态安详，好像睡着了一样。爸爸把爷爷的头扶起来，将几本厚厚的书塞在他的头下，我看清了是《石头记》，黑色的封面上就是这三个泛白的字。爸爸说，这是爷爷唯一的遗嘱。好多次我看见爷爷在出太阳的时候搬了椅子坐在门前，把这书摊在膝上，老花眼镜夹在鼻间，手指点着书慢慢移动，晃着头在读。这景象持续了好多年。

爷爷就这样在鞭炮声中离去了。这让我知道了，这是每个人最后的归宿。那是1982年，我十岁。

2

再一次看到《石头记》是十七年后。

那一年我考上京华大学历史学博士，乘火车去北京上学。天气很热，我把车窗打开，让风吹进来。在我对面的是一位头发花白的长者。他说："我们把铺位换一下行吗？年龄有这么一把了，禁不起风。"能换到迎风的那一边去，这正合我的心意。他把东西搬过来的时候，我发现他的枕头边有两本《石头记》，跟我当年看到过的版本不一样，要大很多。换好了我说："小时候我家里也有几本《石头记》，没这么大。"他说："这是影印本。"我说："《石头记》就是《红楼梦》，这我知道。这本书为什么会有两个名字？"他说："《红楼梦》在曹雪芹手中就叫《石头记》，《红楼梦》这个书名是曹雪芹身后由别人改的，大家都接受了。"

长者姓赵，是美国威斯康星大学研究精密仪器的教授，台湾人。他一辈子最大的兴趣，不是精密仪器，而是《红楼梦》。他业余研究《红楼梦》已经三十多年，七年前退休后，就成为专业研究者了。谈起《红楼梦》，他连声说："伟大，真的伟大呢！"一次次把拇指跷起来。我不敢接话，因为自己才看过一遍，也就记得宝玉黛玉几个人。他见我不接话，就不说了。

第二天中午到了北京。下车前他送我一本书，是他写的《红楼梦新探》。我翻了一下目录，似乎是一本考据学著作。

我到学校的时间比较早，离报到还有好几天。早来几天我是想先占一个位置好的床位。在麓城师大读研时，我的床位挨着宿舍门，靠窗的同学蚊帐一支起，光线就差了。更难受的是当宿舍门开着，谁在楼道经过都可以瞭见，干啥都得收敛一点。这让我别扭了三年。

　　京华大学的博士宿舍每间房只安排两个人，都靠窗，我早来是白早来了。闲得无聊，我买了辆旧单车去故宫颐和园玩了，这天早上又上了西山。

　　下午六点多钟我从西山下来，口渴得很，在山门想买瓶娃哈哈，一问价要四块，比超市贵了一倍不止，就没有买。下了山觉得口渴难忍，前面是看不到尽头的大路，就左拐上了一条小路，进了一个村庄，在小卖部买了瓶水，仰头一口气喝了。喝完水我看见旁边一个人也在买水，侧影有点面熟，原来是赵教授。我叫他一声，他认出了我，惊讶地说："你也来这里了！"我说："我从西山下来，找口水喝。"他的情绪收回去一点，说："我以为你也是来这里拜谒呢。""拜谒"这个词让我感到意外。他看出我的疑惑，说："这就是曹雪芹当年写《石头记》的地方啊，门头村。曹雪芹仙逝以后也葬在这里，就在这附近。"

　　曹雪芹以前在我心里只是个名字，现在猛地鲜活起来。我说："您是来看墓的吗？有故居吗？有墓吗？我想去磕三个头。"赵教授叹气说："墓？没有。故居？也没有。连身世都可以说没有。他在西山脚下生活了几年？有说四年的，也有说十年的，所以说连身世都没有。离你我不到三百年啊，都飘逝了。"沉默一会又说："他当年写作的那间茅草房，山村柴扉，满径蓬蒿，离这里应该不会超过五百米。"他踩一踩脚下的地："葬身之地应该也不会超过一千米。我也没有依据，没有任何线索考证，我就这样觉得。我每次回国都要到这里来，这已经是第七次了。什么时候能发掘出一块小小的墓碑，那就是圣地了。"他连连叹气："唉，唉，他太穷了，死时连一块碑也打不起。祥林嫂是穷死的，曹雪芹瓦灶绳床，举家喝粥，也是穷死的。康乾盛世的一代天才，就是这样穷死的。"我心中有些沉重，说："如果曹雪芹确实葬在这里，没有墓碑那也是圣地。"又说："这么伟大的人，怎么就没有人给他打块碑？"赵教授说："由此可知他当年贫窭到什么地步。"

赵教授把我带到村头一棵槐树下，抚着树干，像抚摸一个孩子，说："这棵老槐树，四年前我专门从植物园请了专家来，看了说有三百多年的树龄了，我相信曹雪芹是看见过它的。现在到处搞开发，北京城就要建到这里来了。这棵老槐树，我想保住，去海淀区园林局说了，人家说，可以啊，它跟曹雪芹有关，证据呢？曹雪芹一辈子怎么活过来的都没有证据，我怎么拿得出这槐树的证据？这也许就是曹雪芹当年留下的最后一个遗迹，也保不住了。"

赵教授突然不说话了，抬头望着远处。我顺着他的视线望过去，前面就是墨绿的西山，太阳已经落下，山的后面浮起一片橙红，往上渐渐地颜色深了，是无边的淡紫。我说："那是西山。"他仍望了前方说："西山依旧在。"又说："日望西山餐暮霞，这是曹雪芹的朋友送给他的诗。他们那一群人很有点阿Q精神，都穷到只能喝粥了，还有心情感受碧水青山曲径遐、结庐西郊别样幽。没有这精神，就没有今天的《红楼梦》了。圣人跟一般人是不同的，他生活在别处，伟大呢！对曹雪芹来说，伟大这个词实在是太苍白了。"我被他的情绪感染了，想象着当年曹雪芹和他的朋友在这暮色中行走，身影蒙眬。我说："到了现场，感受是不一样的呢。"

他请我在村边小店吃饭。坐下了他对店主说："拿瓶二锅头。"又望着我说："曹雪芹当年也是爱喝酒的，嗜酒如狂。"我说："陪您喝一杯。"喝着酒他说："我一辈子的愿望就是想搞清几个问题，曹雪芹到底出生在哪年？有说1715年的，那是康熙五十四年；也有说1724年的，那是雍正二年。他家1728年正月被抄，那是有历史记载的。1724年？那抄家时他才三四岁，大观园里的锦衣玉食他怎么可能经历？没经历能写得出吗？能虚构一个贾宝玉，还能虚构那一大群女孩子？多么鲜活，天才也不行啊！1715年？那抄家时他最多只有十三岁，也不可能有那么丰富细致的爱情体验吧！除了天才，真的就没有别的解释了。还有，他的亲生父亲到底是谁？是曹寅的亲生儿子曹颙呢，还是过继给曹寅当儿子的曹頫？他是不是曹寅的嫡亲孙子？也许是，也许不是。再就是，曹雪芹是哪年来到西山脚下，哪年去世的？《石头记》的大评家脂砚斋是男是女，跟曹雪芹是什么关系？八十回以后还有多少回，曹雪芹到底写完没有？这些问题困扰我几十年了，可能永远不会有答案了。"

他跟我碰一碰杯说："与尔同销万古愁。"我说："实在搞不清就算了，搞清了又有什么用呢？"他说："搞清有什么用？你是历史博士，你懂的。"我有点惭愧说："是的，是的。"他说："曹雪芹写出了人生的痛，特别是对那一群女孩子的心痛。他的心里是有痛的。那个痛啊！他是一个伟大的人道主义者。我这心里除了感受了他的心痛，还为他自己心痛。曹雪芹，如果人们对他的身世一无所知，他就成了一个符号。这太对不起他了，这是天大的委屈。我一辈子的努力就是想让他鲜活起来，落空了，太对不起他了。看苏东坡一生多么鲜活啊！一个人，他写了这么一部伟大著作，为什么就不愿在人间留下一份简历？这让我有点抱怨他，还有他身边的那几个朋友，为什么在他仙逝以后也不为他留下一份简历？为了这个我心痛几十年了。我一辈子的理想就是能成为一个见证者，一个圣人不能无人见证。如果能找到一页残稿，或者他画过的一张画，那情况就不同了。他生前曾卖画为生的。"我说："现在名家的画很值钱，一张都卖几十万了。"他说："几十万？那看是谁的画，雪芹的画，那是无价之宝！"我叹一声气说："唉，我这人还是俗。"

从小店出来，我问赵教授怎么回去。他说："我是不是在这里待一晚？我来这么多次了从没待过一晚。这是我的一个心愿，也感受一下雪芹当年在这月光下的心情。老了，身体慢慢不行了。这个愿望以后怕实现不了。"又说："雪芹当年到底是不是生活在这里，那也是落实不了的。四十年前有个叫张永海的老人，说自己祖上在这里住了有三百年了，曾跟雪芹有过交往。谁知道呢？这个圣人，离我们不到三百年，身世几乎没有一点是落实的，可以想想他生前是多么卑微。"我说："太遗憾了，太遗憾了！"他说："也太委屈了。"交换了联系方式，我跟他握手道别，黑暗中我发现他眼角有泪，在微光中闪动。

在村口我跨着车，回头看见赵教授还站在老槐树下，一只手扶着那棵树，黑黑的一个身影一动不动。老槐树在深蓝的天空下撑开着清晰的轮廓。远处是西山，在天空之下静静地躺着，沉默着，显出千年的淡定。知了在夜中声嘶力竭地鸣唱。这是曹雪芹当年也听到过的声音。

回到学校已经十一点多钟。我直接上床，把《红楼梦新探》拿来翻看。赵教授漂洋越海来寻访一个逝去作家的踪迹，那一定是有理由的。书不厚，我把版本考据的部分忽略了，专看与曹雪芹家世生平有关的部分。天刚亮的时候我看完了，突然感到自己不知什么时候流下了眼泪，痒痒地、涩涩地停在腮边，渐渐有了一点凉意。古人的苦难在后人心中总是非常淡漠，可对经历者来说，却是日积月累寸寸血泪的承受。就在这一瞬间，通过那蛛丝马迹般毫不连贯的行迹，我似乎触摸到了曹雪芹生命的温热，感受到历史的雪山融解之时那似有似无的簌簌之声。像他这样一位千年一遇的天才，风华襟抱浩渺无涯，才情学识深不可测，他的无限情怀，无限感叹，都使人对其人其事无限向往。这样一个曾经存在的生命，在某个历史瞬间，在某个寂寞的角落，过着贫窘的日子，却干着一件伟大而不求回报的事情。他生前是那么渺小，卑微，凄清，贫窘，不能不令人对天道的公正怀有极深的怀疑；他又生活得那样从容，淡定，优雅，自信，好像是来自另一个星球的人。

这样想着我有了一种久违的熟悉而陌生的感动，一种曾经体验过的力量让自己从世俗生存之中超拔出来。我也曾认为这是一个知识分子理所当然的境界，但世俗生存的巨大压力将它掩埋了。经过一百次的思考，我觉得那种理所当然并非理所当然，并没有一种比现实更强大的力量予以证明。既然不能证明，哪怕是一个博士，那我也只是一个活着的人罢了，如此而已。既然如此，自己也就有了以现世的自我的眼光去选择一切的权利。现世的自我，在时间和空间上确定了价值和意义的边界。这是一个聪明人经过一百次思考后得出的坚如磐石的人生哲学。可是，曹雪芹不为名不为利他为了啥？他比我傻？我想到的问题他没有想过吗？他真的是令人迷醉而迷惑，昭示着对世界的另外一种理解。在这个阳光明媚的清晨，我那坚如磐石的信念被震开了一道细微的裂痕。

3

想起来也有点惭愧，我一个文科博士，坚如磐石的信念却是现世的自我。有这样的信念我是伪君子，可没这信念我就是傻瓜了。唉，谁不知道自己的一生是无限时空之中如电光石火的一瞬？这个事实，我在爷爷去世那年就知道了。

其实，我以前并不是这样的。读中学的时候我对历史很有感觉，特别是课本上司马迁的那几篇文章:《陈涉世家》《项羽本纪》《报任安书》，我读得烂熟，如醉如痴，而对教历史的彭老师，感情上也有着不由自主的亲近。我觉得历史中藏着世界上几乎所有的秘密，关于时间，关于人生，关于价值和意义。这样，在九年前，我考上了麓城师范大学历史学院。填报这个志愿的时候爸爸坚决反对，理由就是"学这个专业没有饭吃"，要我报商学院。这样的理由我恨不得像摔一个破碗一样地摔到地上，一声脆响，再几脚踏得粉碎。我考大学难道是为了吃饭吗？他越反对，我就越是执着。有点意外的是，当我去征求彭老师的意见时，他也没有立即表态，好一会才说:"看你自己想要的是什么。"我想要的就是成为一个历史学家，把前人的事迹和思想整理得清清楚楚，告诉后来的人。这是我的使命，别人越是不做，我就越是要做。

后来我意识到，这种青春的执着与反叛也许是一个错误。那是读大三的时候，一夜之间，市场进入了学校，香樟路上全是学生当老板的小摊位，卖梳子发夹、盗版书籍、卤蛋酱菜……学生需要什么就有什么。我们班的女同学也沉不住气，在团支书许小花的带领下，在寝室成立了熨烫公司，贴在香樟路上的广告是"给你一条青春的直线"。最让我意外的是历史学院成立了文化开发公司，由几个年轻老师运作，第一个动作就是跑到河北什么县买了上千个塑料呼啦圈回来，堆在资料室向外发卖。那段时间我简直失去了对世界的理解。钱，而且是一点可怜的小钱，真的有那么大的魅力？难道每个人都是生活舞台上的提线木偶，钱倒是幕后的提线者？

这股风潮很快就过去了，因为每家公司都在亏本。女生宿舍的烫衣架被塞在床下，不久就因为太劣质，锈迹斑斑，被当垃圾扔掉了。那一大堆呼啦圈在资料室堆了很久，有的已经开始老化、脆裂，最后不知所终。回想起来，大家都疯了，连老师都疯了，找不着北。这一阵风让我看到了大家都在想什么，安安静静的校园下，其实潜藏着一座随时会喷发的火山。后来看到那几个办公司的老师在资料室查阅图书，把厚厚的一摞书借回去。这情景我以前看了是很崇敬的，认为他们是司马迁的传人，现在这崇敬却打了折扣。

风潮过去了，市场展开着。风潮的平息是大家看清了自己不适应市场，而不是市场没有感召力。院里有两个年轻老师辞职去了深圳，其中一个上过我们的课，课讲得超级好，是女生的偶像。他走了有几个女生很是失落。学问说放弃就放弃了，这让我也感到失落。原来，神圣的事情也不见得真有那么神圣，这神圣像一个遥远的传说，你说真它就是真，你说假它就是假。历史学院又办起了自考班，公关班、电算会计班都办起来了。这让我不理解，可也不得不去理解。市场，说得直露一点，庸俗一点，钱，这其中包含了人生的本质，你真的没有办法。而知识分子，哪怕是个大学老师吧，也不是功利世界的局外人。他们智慧，对人生有更透彻的理解，因而对自己的利益有更高的敏感。

我没有加入风潮，没来得及。在风潮的高峰期，我再也坐不住，刚考虑自己应扮演什么角色，风潮就平息了。这让我有一种幸灾乐祸的快意。见到熨烫公司的许小花，我很关切地问："许总，公司业务怎么样？"她说："总你个头！再总总总的，我叫公司全体员工把你架到总部给熨平了！"我说："人家关心你嘛，盼着你发达了提供一个岗位！我们本来把希望寄托在蒙总那里，谁知道他不是那料，中国图书总公司办了两个月，经营不善，吹灯了，那些盗版书都还堆在我的床下呢！"许小花说："聂致远，你今天是赢了，舌鞭子抽痛我的心了，再过十年你会看到我是谁。"我嘻嘻笑说："许总是谁？"大拇指一跷："这个，这个！她显山露水还要十年？她能这么低估自己，我可不敢这么低估她！我知道许总是谦虚，谦虚，大人物永远是谦虚的。"她咬牙切齿笑着说："大卸你八块，再提到公司给熨平了！"又说："你不要以为自己考试好点，看不起蒙总，他那块料不是你随便拿个人，比如我许总就能比的，那更不是你……不是你，你那自尊心比玻璃还脆，不是他……"她往宿舍那边指了一下："不是他们那些人能比的。我们这种人你门缝里瞧瞧，那行的，有些人那你要打开门看。"

我们说的蒙总，就是蒙天舒，我的室友，就睡在我的上铺。这是一个人精。说他是人精，就是他凡事都经过周密计算，大小好处都要捞。这种功利主义我有点瞧不起，可又经常回过头来理解他：把自己的空间扩大，把自己的路拓宽，这是人之常情。图书公司没办成，蒙天舒认真看起书来，那股认真劲儿我看着都不习惯。几年来上蹿下跳的一个人，就这样强盗收心了？从良了？那个学期的期末考试，他居然考到了班上前几名，大家都感到意外。以前每次考试，因为学号挨着，他总坐我身边。考试之前他请我去吃饭，让我把卷往他那边挪一点，说："一点点，就一点点，监考老师绝对看不出，决不拖你下水。把朋友拖下水，那我还有脸见朋友？"把大拇指掐在小指中间："这么一点点就够了，你把字写大一点啊。"他眼睛贼尖贼尖，脑瓜又灵活，抓到几个关键句子，自己就能发挥了。这样成绩拔不了尖，可也没挂过科。

蒙天舒说过的一些话，总能给人留下很深的印象。有次我在宿舍写作业，他进来了，要上床，说："能不能请尊贵的屁股移一下，让我上床？"他平时总是踩着椅子，然后桌子，再爬上去的。椅子卡在床和桌子之间，我懒得动，说："今天委屈你从床梯爬上去。"他说："三年都没爬，一下子怎么学得会？摔着了那是人命关天的事啊。"我不肯动，说："通道在那里，这是通道？"拍一下桌子，又拍一下椅子。他说："尊贵的屁股啊，请你抬一抬给人方便吧。我今天袜子臭，就这么往桌子上爬你闻着也不好。"我挪开椅子站起来让他爬上去，说："你今天袜子臭？太美化自己了！都臭有三年了。一个人好意思这样美化自己吗？"他爬上去说："屁股这东西长得不雅，两边分开，那中间，都没勇气说它，还得整天用条裤子遮着。它其实是很尊贵的，屁股它能决定脑袋，这条定律是人类几千几万年公开的秘密。"我说："蒙天舒就是这条定律的首席信徒。"他说："谁不是？你不是让我求了半天才让路？"又说："还有一条关于屁股的定律你想过没有？"我说："一个见不得人的屁股，哪有这么多定律？"他说："地球的中心在哪里？你不会告诉我在纽约吧？"我说："知道你的意思了，这嘴没象牙吐。"他说："有悟性，到底是拿奖学金的人啦。地球的中心就在你屁股下面，这个世界上有太多屁股，就有太多中心，所以不得安宁。你看中国历史上打了多少仗，杀了多少人，都是这个屁股惹的祸。这又是一个秘密，聪明人都知道。你越是观察那些聪明人，你就越是相信这条定律。"我说："从来没有人想着蒙天舒傻，全国人民都傻遍了也轮不着他傻。他多聪明啊！一点点，就一点点，监考老师绝对看不出。"

　　说完我就后悔了，这是人家的软肋。不管怎么哥们，真正的软肋是不能戳的，我犯忌了。果然他不做声。这沉默让我心慌，歉疚。哥们你可以说他贪财，好色，说到钱两眼放光，盯着女同学不松眼。那是人性的弱点，又是人性的骄傲。可你就是不能暗示他不聪明。我想找句什么话来掩饰，比如说他眼睛贼亮，当扒手是块好材料，那也不行，还是太有暗示性。尴尬了一会，我说："他就是聪明，地球的中心在哪他都知道。"我说着站起来，望着他的屁股说："我看看地球的中心，挺庸俗的嘛。"他说："屁股你能要它那么高雅？地球是所有天体中最庸俗的，超级庸俗，因为上面布满了人。"他这么一说我放心了，他没生气。我应和说："那是，那是。"他说："致远你接受新事物这么快，将来会升官发财的。"我笑了说："升官发财，我？那要等喜马拉雅山再次隆起把我托上去，或者你拉我上去，我才有得升，有得发。"他笑了说："什么升啊发啊,这些庸俗的事是我们这些庸人想着的,聂致远怎么会想? 他要搞学问的, 当大师的, 心忧天下的。"

又有一次，我们在宿舍议论到许小花是领养的，她考上麓城师大，亲生父母找到学校来了。我说："许小花的命就好呢，有两对父亲母亲爱她。"蒙天舒说："她将来要养两对父亲母亲的老呢，你还说她命好。"另一个同学说："蒙总什么事情都从负面去看。"蒙天舒说："做人要有点现实主义精神! 这是一个人最优秀的品质，我承认我自己已有现实主义精神。"我说："有这样表扬自己的吗？见过表扬自己的，没见过有勇气这样表扬自己的。"

大四开学不久，院里布置毕业论文，我对明史有兴趣，就选了杨应丰教授作指导老师，他是全国有名的明史专家，还是院长。那天蒙天舒回家去了，等他回来，教务干事给他安排的是一个讲师。他很不高兴，去找了教务干事，想换成杨院长。教务干事说："教授最多指导五个，名额满了。都要教授指导，哪有那么多教授? 除非你找人换。"他就找了我，我不肯，又找了另外几个人，也不肯。回头又找了我说："你反正是铁定保送研究生了，谁指导无所谓，让我给杨教授留个印象，也想办法考个研吧！"他也要考研，这是我没想到的，就凭他？我说："你是升那个什么发那个什么的人，搞什么学术呢？那是我们这种升不了又发不了的人做的事。"他说："现在是知识经济时代，干什么都要知识作底子，不然省里那些大人物还跑来读博士干什么？兄弟几年，提供点机会吧！"我想一篇毕业论文，谁指导不一样？就答应了他。他作揖说："哥们，绝对的哥们！你是好人，你是好人！有朝一日！"这是他的口头禅。有时他盯着墙角说："有朝一日，小王外出未归。""有朝一日，李总理视察我们宿舍。神经。"宿舍的人都笑了说:"自知之明还是有的。"

放假之前蒙天舒考了研,我不用考,早就定了保送。考完了蒙天舒回宿舍说:"白辛苦半年,家里催命一样,应付他们一下。"春节过后回到学校,他果然没上线,差了十几分。他能考到这个分上我感到意外,可见他还是聪明的,那几个月也是下了功夫的。第一批复试没有他,可一个月后的第二批复试他参加了,录取了。据说是杨院长到研究生院帮他说了话,破格录了。我想他跟我换毕业论文指导老师,真的换出了成果。看他扬扬得意,我说:"摘了个桃子,请大家吃牛排,我两块,我,"点着鼻尖,"我,两块牛排,我。"他眼睛转到一边说:"我摘个桃子要请你吃两块牛排,那怕是王母娘娘的仙桃吧!"又说:"那是杨院长关爱学生呢,惜才呢。"

分硕士导师是双向选择,那场面有点难堪。古代史专业的大多想选杨院长,说了自己的理由,我也说了。别的几个教授都不做声。杨院长说:"我带不了那么多。"就点了三个人的名,有蒙天舒。我被分给了中年的童文斌教授,研究中国思想史的。我有点遗憾,也只能算了,想着跟蒙天舒换指导老师,吃哑巴亏了。

毕业之前我们在学院大门口照毕业照,蒙天舒把我拉到一边说:"最近我按杨院长的要求读明史,真的没什么感觉,觉得自己对古代思想史兴趣大点,你正好迷明史,换一下导师怎么样?两全其美呀!"我很高兴说:"可以啊!"又说:"那你去研管办说,童教授那儿也由你去说,我不好意思说。"他说:"那当然,当然。刚知道童教授是我的同乡,他不会不同意吧!你是好人!有朝一日!"暑假过后开始读研,消息传来,学校组织部来人在全院教职工大会上宣布了,杨院长因年龄原因不再担任院长,由童文斌教授接任。我一下就想到了蒙天舒,这家伙嗅觉真灵啊,组织部在干啥他都知道了。我又被他暗算了,他做得出,对杨院长,对我,他做得出。他这个研究生还是杨院长帮他搞成的呢!我在心里安慰自己,也没吃亏,明史本来就是自己喜爱的。可上当的感觉就像充了气的气球,只要你不用力拽住线头，它就会往上飘，飘上我的心间。

真正的结果在三年之后才显露出来，蒙天舒留校了，在校团委工作。这让我想起去年有一份材料找童院长签字，办公室的人说要到新建的麓垸小区去找，他家在搞装修。我去时看见蒙天舒正在跟油漆工争吵书柜刷了两遍还是三遍的问题："我天天守在这里，你刷几遍我不知道？"看见了我，他不好意思地笑了笑："我老板他太忙了。"我当时就想，按照他"屁股中心论"，他会有回报的，没想到回报居然这么大。而我，到处找不到理想的工作，考京华大学的博士也没考上。那些日子撞墙的心都有了。人生操不操作，那不一样啊！什么叫作走自己的路，让别人无路可走？做个好人是我做人的原则，我不能接受"屁股中心"的说法。既然学了历史，历史上又有那么多好人，那他们也是我的榜样。我不能整天把他们挂在嘴上说给别人听，一个知识分子应该知行合一。可是，在这人生的艰难时刻，在鲜活的生活面前，一个"好人"的评价实在是太苍白了，何况我连这个评价也没有。在做了种种努力失败之后，我去麓城郊区的一所中学当了历史教师。

4

这样一份工作不能实现我的学术梦想，这很痛苦；更痛苦的事情也接着来了，这就是，经营了两年的感情发生了危机。赵平平是我在读研一时在舞厅认识的，也是历史学院的学生，比我低两届，去年毕业了，在白沙小学教思想品德课。她是我的同乡，又是同学，说起家乡话来很有感觉。这是我的地利。我还有人和，那就是我的诚心。我缺的是天时。在市场经济时代，我一个穷小子，白手起家，有什么底气面对赵平平这样一个漂亮女孩？她曾是我奋斗的动力，可奋斗出这么一个结果，让我感到万分惭愧。她对我的期望，准丈母娘对我的期望，都落了空，就像一块金子攥在手心，一觉醒来却发现是一块石头。

赵平平是我的最爱，她妈孙姨却是我的最怕。去年我去她家，她妈妈说来说去只有一个意思：你们在麓城怎么安家？我听见自己的心敲鼓似的"咚咚"响，又像一只兔子蹬着腿要从口里冲出来。我结巴着说："平平她……她她……们学校分了一间宿舍，我明年毕业了那……那那也会有一间……""那叫作安家？"孙姨的话像一把剪刀横了过来。我双手拍拍头又拍拍胸，似乎是想发誓又不知说什么。平平来解围说："大房子大住，小房子小住，都是住。"她妈说："都是住？你现在不懂。"我鼓起勇气说："孙姨，你相信我。"这勇气像蛤蟆的聒噪，凭什么让她相信，我自己也不知道。赵平平说："人家是研究生呢。""研究生"三个字似乎有一种震撼的力量，孙姨看看我，没做声，望着我半天说："相信，相信。"眼神却满是狐疑。平时我觉得自己还算强大，随口能说出一大堆理论，致良知啦、知行合一啦、君子喻于义啦，可在这里一点用都没有。钱才是硬通货，才是底气，才是骄傲。硬通货可以通向任何方向，这个道理我懂，可是不服。这种不服既是理性的，又是感性的。理性的是我不能承认钱能通神，承认了我的专业就没有意义了，不论我讲了什么，在钱的面前都是白搭。而且我不能做个伪君子，把自己不相信的道理讲给别人听，让别人成为实践者。感性的是我的家庭没钱没权，钱的意义无限大，我的意义就无限小，这是我的自尊心不能同意的。现在平平她妈提到"安家"，我感到了对钱的饥渴，感性的、物质的、血肉生动的饥渴，攫取的饥渴。这种饥渴令人恐惧，像在深心潜伏的怪兽，张开大嘴，喘息着，有着吞噬一个人所有信念的力量。其实我很理解平平她妈，"安家"这要求不算苛刻，放到平平这么好的女孩身上就更不苛刻了。我是一个男人，应该有这点承担的力量。可这不苛刻的要求对我来说却很难，是蜀道之难。

那一次在平平家住了两天。回麓城的汽车上，我说："我现在得到大赦国际的赦免了。"她说："那也只赦免了初一，还有十五！你以为呢，你。"

我说："就不能让人家轻松几天！"又说："明年我去北京考个博，让你妈妈也知道聂某某何许人也。"回麓城后我越想越不安心，危机感陡升。以前想着感情好就可以了，这才是事情的本质；可现在明白了，事情还有另外一个本质。焦虑之中我想到了一个主意，那就是把平平"搞定"，搞定了那她妈也只有认了。

这天晚上我赖在平平宿舍不肯走，十一点多了她说："我要睡了。"我说："我也要睡了。"她说："别有企图，你来了隔壁的老师都知道，你不走她们也知道，她们耳朵尖着呢。"我说："我能不能大张旗鼓走了，再像个小偷悄悄潜回来？"她说："你回师大，你不回我到对门王老师那搭铺。"我咬牙切齿说："残忍。残忍。残忍。世界对我已经太残忍了，你也来残忍。"她说："那等你明年考上博，我也给我妈一个说法。"唉，爱情是一件要说法的事情，没有就迈不过去。爱情向我要说法，可我拿不出说法。我说："有这么现实的吗，爱……唉，感情？"她说："那是我妈！"又说："只怪现实它太现实了。"我说："你谈恋爱怎么像做数学题？"她说："要有理智吧。"我说："你看你大学都毕业了，现在哪有捂到大学毕业还守着捂着的呢？当年关云长守荆州也只守了几年，你知道的。"

要求了几次我就不要求了，伤了自尊。这也让我懂得，凭我现在的情况，能跟这么好的女孩来往，已经是超水平发挥了。为了爱情，我还要努力，不然对不起这份感情。男人通过征服世界来征服女人，这话很俗，可也很真实。现实如此骨感，我不能在一个骨感的世界上去寻求一份丰腴的浪漫。我在心里算了一下，"安家"的目标不现实，我一个月的工资不吃不喝也买不起一个平方，吃了喝了就没有了。比较现实的是考博，考上了就有个说法了。幸好历史课在学校比较边缘，我除了两个班的历史课一周四节，就只有高中一个学期四次的人文素质讲座，有时间看书。看着别的老师都用力往中间挤，去争取年级的成绩排名、优秀班主任、赛课优胜奖，我有点同情他们。那是他们在征服世界。我对这一切无知无觉，我的世界不在这里。

可事情很意外地又得到了解决。那个周末的晚上，我待在赵平平那里。她说："房子里有五只苍蝇，你能不能帮我赶出去？"我推开纱窗，拿了一本《时尚》杂志去赶。她说："不能开窗！前两天才一只，我开窗去赶，又飞进来四只，死赖在这里怎么也不肯离开。"我说："那它们就只有死路一条了。"把杂志卷起来去打。我满屋子追，她伸着胳膊指挥说："这里，这里！那里，那里！"好一会总算打死一只，我说："什么世道，连苍蝇都这么狡猾。"半个多小时打了四只，还有一只找不到了。我夸张地喘着气说："就四只吧？"她说："我数了几天没数清楚？五只。"我把T恤脱下来满屋子挥动，躲在哪个角落的那一只飞出来了，停在窗帘上，被我一下打落在地，"啪"地一响踩死了。

她拿毛巾给我擦汗，擦了背上，又擦胸口。我把胸口拍得"啪啪"响说："今晚该让我亲热一下吧，小小亲热一下，帮你打死五只苍蝇呢。"又大口地喘气。她"咻"地笑了，挥着毛巾在床上打滚，"哈哈哈哈！打死五只苍蝇！"她伸开左手掌一张一合："五只苍蝇，五只！好大一只呢！"我过去歪在床上说："累了，走不动了，非得休息一晚才行。"她推我说："别耍赖！"好一会忽又自己笑了说："帮我打死五只苍蝇，五只！只要亲热一下，小小亲热一下。笑死鬼！"我说："武松打虎还只打死一只呢。"她说："笑死鬼！"又说："亲热真的有那么重要吗？"我说："不亲热能有人类吗？你爸爸妈妈亲热了，才有了你，你爸爸妈妈的爸爸妈妈亲热了，才有了你爸爸妈妈，你爸爸妈妈的爸爸妈妈的爸爸妈妈……"她躺在床上，双腿朝空中乱蹬，嚷着："哈哈，笑死鬼了！"看着她光致的小腿往上举着，我感到了身体的荡漾，忍不住斜了眼往更诱惑的地方看。她发现了马上把腿放下来，双手捂着裙子说："偷看！你想干什么，你？"我忽然觉得自己很猥琐，说："我不是故意的。"

她哈哈大笑，又撮着嘴唇说："过来，让你小小地亲热一下。"我从床上爬了过去，两个嘴就成了亲密无间的朋友。忽然，她松开我说："你怎么睁着眼？杂志上说了，睁着眼接吻的男人都是坏人，女人要多一个心眼。"我说："你闭着眼怎么知道我没闭眼？"她说："是你先睁开的。"我说："我睁开是想看看你睁开没有。"两个人"睁眼""闭眼"争了好一会，她说："再来一次，你把眼睛闭紧点。"重新开始，我把眼闭紧，又忍不住睁了一线缝看她睁了眼没有，发现她正细眯了眼在观察我。两个人的眼神对在一起，马上都闭紧，再次睁开，又碰在一起。她把我一推说："偷看！"我说："你也偷看！"她说："你不偷看怎么知道我偷看？你先！"我说："明明是你先！"同时哈哈大笑起来。她说："你那么累，那么想休息，那么就休息一下呗。"我没想到竟然有这意外之喜，搓着双手说："真的？真的？"她说："我有点喜欢你的滑稽。"我说："我有那么滑稽吗？"她说："你知道我什么时候对你有了一点感觉，就是那次去爬麓山，你把我当小狗逗啰。"那次是我们认识不久，她下山时走不动了，蹲在地上撒娇不肯走，要我背，说："人家走不动了！"我在她前面伸了手呼她："汪汪，唶唶唶唶，这里来，汪汪，唶唶唶唶。"她扭着身子说："你骂人，我不喜欢你了！"现在又说到这件事，她说："我说不喜欢就是喜欢。"

经历了这一夜我有了新的人生体验，温软、滋润、飘忽……都是，也都不是，怎么都讲不透。在这之上的却是一种踏实，踏实。这种感觉没有那么游移，很清楚，很确定。赵平平这就是我的人了，这话有点俗，却很实在。她一直在等着我，等着我一个人的到来，这更让我感到踏实。我说："突然发现'搞定'这两个字超级传神，搞定，搞定，不然怎么定得下来？嘿嘿。"她努努嘴唇说："下流。"又说："还有两个字叫'考定'，你明年考上，让我有点希望，我妈妈那个人很庸俗，很要面子。"我说："书中自有颜如玉，古人把话讲到位了。"又说："我吃到天鹅肉了，妙啊妙，妙不可言。"她说："我有那么好吗？"我说："你是白雪公主，我是丑小鸭，丑小鸭哪天会羽化成白天鹅，才配得上白雪公主。"她说："别乱讲，丑小鸭是女的，她后来嫁给白马王子了。"我说："我说的这只丑小鸭是公的。"她笑得满床打滚说："造谣！造谣！"

过了几天赵平平对我说："别人都说我了，说我眼睛没有以前清澈纯洁了。"我说："男人都是农药、毒蛇，总之是污染源，有朝一日驾崩了，挂在树上毒死鸟，丢进水里毒死鱼，扔在路边毒死狗，埋到土里寸草不生。"她说："污染了就算了，反正早晚是要被污染了。你要有点责任心。"我说："难道我还会抛了你？"双手往上一抛。她说："那个我放心。问题是你要考定。"我捂了肚子说："哎哟，肚脐眼痛。能不能不说肚脐眼痛的事？"这样我更加觉得自己责任重大，要努力努力，给赵平平一个交代，给她妈一个说法，也给自己的人生一个交代和说法。

　　几个月以后考博士报名，我首先想到的是自己的母校，历史学院刚刚拿到博士点。我想，去年考北京的学校，那是首都，人多拥挤，考本校应该稳妥一点，这样也可以跟赵平平在一起。我的导师杨教授过了年龄，不是博导，我就跟童院长打了电话，表示了心情。他说："欢迎你来考。我记得你是搞明史那一段的，我搞思想史，是不是找搞明史的徐教授更合适？"我又给徐教授打电话，他说："欢迎你来考。有个问题你想想，我手中只有一个名额，自己的学生积压了这么多年，眼巴巴地排着队，过两三年我这边的压力会轻一些，是不是考童院长更合适？他是院长，他应该有两个名额。"我心里凉了半截，挣扎说："徐教授你相信我是真正搞学问的人，读研时就发了四篇论文，有两篇是核心刊物，我……"他打断我的话说："小聂，我知道你很优秀，我上过你的课是不是？可我今年是第一次招，而且只一个名额，如果有两三个三四个，那就不一样了。你是我的学生，我说这个话是对你负责，别人谁我都会说欢迎他来考。"

　　没有沟通好，我非常沮丧。想来想去还是报了童院长的，他有两个名额，只要我考得好，也许就能挤进去一个。问题是要考上，这对我来说太重要了，生死攸关。为保险起见，我又报了京华大学。去年没考上，希望吴教授看我执着，会考虑我。报名后犹豫着是不是要跟吴教授沟通一下？想着自己的母校都沟通不好，那边就更难了。我心里不踏实，可一想到自己的实力，剑已经磨得锃亮，只等扬眉出鞘，就安心了一点。蒙天舒也报了童教授，这让我有点安心，别的我比不过他，考试我也考不过吗？

四月份有了考试的结果，麓城师大我差两分，京华大学刚过分数线，去复试被刷下来了。可蒙天舒他考取了，是在职读博。我很意外，我的外语比他多了十一分，可专业竟比他少了十五分。不可能的事情就这么发生了，自己的命运似乎已被别人精心设计。意外的是，徐教授招的也不是自己的学生，而是麓城大学旅游学院的办公室主任，从来没学过历史的。她能考上的唯一理由，是她先生是麓城大学的副校长。去年徐教授的女儿高考，离麓城师大分数线差几分，他跑到学校去吵，声称要调离麓城师大。后来不吵了，女儿去了麓城大学，那边的录取线比麓城师大还高十几分，最后补录进去的。说这两件事之间没有关系，那只能骗羊、骗猪、骗鸡，就是骗不了人。可是你就是不能拿出来说，也不敢说，没有证据。也不知道校长夫人这个博士怎么读，又怎么毕业，可我也知道她能读，也能毕业。

　　这还不是最痛苦的。最痛苦的是把这结果告诉赵平平。考麓城师大她在考场外面等我，去北京她把我送到车站，她对我抱有太大的期望。我痛恨自己，恨不得一刀将自己宰了，像宰一腔羊、一头猪、一只鸡，就那么一下，宰了。我想象着那么一刀插进去，血往外一喷的情景，真解恨啊！这种恨没有理由，因为结果在事先就已经确定，与考试无关，可我还是恨，恨，恨。

　　知道了消息赵平平似乎很平静，说："明年再来呗。"我说："明年再来！你对我要有信心，要有信心！"语势气吞山河，心里却发虚，谁能说明年不是把失败的历史重演一遍？很可能，非常可能，太可能。觉得自己的信心简直就有一个陷阱在后面，让她中招。最让我害怕的是孙姨，我以后怎么见她？为了赵平平，我以拼死一赌的勇气，把大话都说在前面了。想起那些话我就惭愧，恐惧，无地自容。怎么去见她？就像一个罪臣去见皇帝，是死是活不敢去想，可又不能不想。

　　说无地自容那是自作多情，其实我连无地自容的机会都没有。赵平平几天没跟我联系，这让我轻松，不然叫我说什么才好。终于有一天，我觉得事情有点不对，想给她发信息时，她的信息来了："我妈妈逼我去见一个人。"意思很模糊，又很清晰。我马上把手机拨过去问："什么意思？"她说："就是那个意思。"声音比蚊子叫还轻，我却听得分外清楚。我吼着说："你真去见？"她说："我妈妈逼的。"又说："一个女人只有一辈子，更只有一次青春，她想活得精彩点。精彩我不敢想，可总要过得去吧。"这话让我泄了气，她如果嫁给我，那是"过不去"。我想想自己的确也没有哪方面让她过得去。我叹气说："太现实了吧！"她说："那是我妈妈！"唉，我又有什么理由要求人家不现实？我挣扎着说："平平你看我们认识都三四年了，在一起也有几个月了，怎么能分开？分开也有对你不好的方面，你不是男生！"她说："那是我自己的事。"

她已经想好了，我再也无话可说。收了电话，想到自己还试图用"在一起"来阻挡她，简直是可笑。那能说明什么？什么也不能说明。那根本不是一个问题。那种搞定就万事大吉的踏实感，是不知有汉，无论魏晋。时代变了，我不能不变，不变就被时代列车抛下。我不敢想自己能坐在列车的软卧上、硬卧上、软座上、硬座上，这是那些学霸和富二代坐的，可我无论如何也得抓住车门口的一个把手啊。本科，我读了；研究生，我也读了。读了这么多年，那些从书上来的思想在生活中全都苍白，乏力，用不上。生活中讲的是另外一套道理，是钱，是权，是生存空间的寸土必争。我没有钱，有钱事情就不会这样了；又没有权，有权事情更不会这样。我不是生活中的占位者，那些大大小小的位置，从软卧到硬座，都被别人占位了，连一条缝隙也不留给我。说起来我也理解那些占位者，市场摆在那里，大家都从自我生存出发，谁能要求谁特别高尚，把位置让给别人？大家都在利用自己的一切背景和关系在钻，在占位占坑，在钻和占的过程中实现利益最大化。不钻就没有，不占就没有。这可以理解，不可理解的反而是良知和公平。既然没有人对我讲公平，讲良知，那么，致良知该怎么去"致"，知行合一该怎么去"合"？我不知道。

我只能改变自己，不能不改，生活比书本来得更加生动、鲜活、感性。以前跟学生上课，我想自己影响世界那不可能，影响几个人还是可能的，那些道理总有一些人听得进去，那就是我的人生意义。可现在上课，让我感到惭愧。把自己不相信的人生哲学尽可能生动地传达给学生，还要争取素质教育奖、教学优秀奖，我感到了自己的空洞与虚伪。好在没有人认为这有什么不正常，我也就没有了内心的压力，管他的呢。这是我的角色，我演好这个角色就可以了，管他的呢。把自己的人生打造得好一点，更好一点，这就是意义了，其他的嘛，管他的呢。生活像坚硬的墙，在这堵墙面前，一个人不能硬生生去撞它，而只能变得柔软，从墙的缝隙溜过去。

我晕晕乎乎梦游般过了几个月，快放暑假时想通了。既然通向外面世界的道路已经封闭，我就好好地在这个学校经营自己的人生吧。这是我的唯一出路，我得好好走。这决心下了不到两天，就放弃了。前一天晚上我看世界杯决赛到凌晨四点，第二天在教研室改试卷，趴在桌子上睡着了。睡梦中有人拍我的背，醒来一看是刘校长。他说："小聂，晚上没休息好？"我说："刘校长，有事？"他说："以后在家里要好好休息。"我不好意思笑了说："看世界杯去了，法国赢了。"他也笑了笑说："法国赢了？法国赢了。以后在家里好好休息。"又说："学生看见了不好。法国赢了？几比几？"我说："三比〇胜了巴西。我知道，有纪律，有纪律。三比〇。"

他去了我觉得自己运气怎么背成这样？第一次上班打瞌睡就被校长看见了，他一个学期也难来一次的。后来小李老师告诉我，可能是教研组长魏老师把校长叫来的，他进来看我一眼就出去了，一会校长就来了。魏老师大专毕业，在这学校有十多年了，很担心我以学历的优势抢他的位置。我暗示他很多次，连不屑于的意思都表达了，他还是不放心。这让我在这学校好好发展的决心又动摇了。真在这里发展，我第一步真的要去谋他那个位置，然后才可能去想教导主任、副校长，以至校长。这样想起来，他的忧虑也并非多余。如果此路又不通，我还到哪里去找一条路呢？

这个周末有个大学女同学结婚，我应邀去了，见到了蒙天舒。他上蹿下跳，到处鞠躬握手，没有不认识的人。仪式完了开始喝酒，他坐到我身边来了。说起前途的事，他说："你还是去考个博吧。"我说："现在的博是考上的吗？"一想这话说得不对，伤到他了，又说："你除外，你除外！"他嘿嘿笑说："我也没说我就除外。"又说："现在导师招博要招有资源的。"我说："现在厅长处长都是博士了，我又没当厅长、处长，又不是校长的夫人，我那点工资算资源？"他说："学术资源也是资源，你可以帮他们搞研究，搞论文。能写的人他们还是喜欢的。"他帮我把国内有历史学博士点的学校都分析了，说："麓城师大你就别报了，这么多年还积压了好多人在等。京华大学还是可以试试。你不该报吴教授的，他从来不招男生，谁都知道，只有你不知道。冯羽教授还是可试试的，我上个月参加年会还见到他，他人蛮好。你先把论文寄给他，看他说什么。"我说："论文对我来说已经是很久以前的事情了。"他说："以前的论文也是论文，你的硕士论文就很精彩的。你再把他最近的著作找来读读，就说读了特别有感受，是领域内权威著作。"我说："哪有那么多权威？"他哼地笑一声说："没听说过夸他是权威，他就怒发冲冠的。"又说："把你那感受写篇书评，寄给他，他会帮你找地方发表的。"我说："怎么好意思呢？太投机了。"他哂哂有声说："又清高了不是，有意义？没意义。"又说："你不想办法跟导师沟通，那你去考吧，不怕你发愤图强，考到早生华发。"我说："太难为情了。"他说："让你提着烟酒上门说是土特产，那不更难为情？你听我的你试试，一试一个准。"我说："那就试试，试试。"他说："这里太吵，我等会回去跟冯教授打个电话，把你重点介绍一番。"我连声说："拜托，拜托！谢谢，谢谢！来，哥兄弟，碰一杯，碰一杯。"

5

这样我就考上了博士，在京华大学开始了新的学生生活。回想从读小学到现在，读了差不多二十年书，经历了几百场考试，那么多台阶，一步步登上来，是多么艰难。想当年考上县里的重点初中、重点高中，后来又考上重点大学，保送研究生，考了三次博，经历了多少希望、失望、期待、焦虑，全是为了今天。想一想多么值得珍惜。再想想走了这么远的路，到底是为了什么，我却迷惑了。要是在以前，我肯定会毫不犹豫地回答是为了学术人生。能够把自己的志趣和职业结合起来，那是多么幸福的人生。可现在这个答案有点游移了，如果做另一件事能够赚更多的钱，那可能也会很幸福。可是我能去当官吗？不能。经商吗？不能。承包工程吗？不能。房地产开发吗？不能。当个勤恳的中学老师？能，但心里不踏实。到今天我心里有了一点踏实，只要努力，把志趣和职业糅合在一起的前景是有了。其实说志趣已经比以前淡了，说理想和使命感也已经淡了，那也许只是一个能够接受的职业前景而已。既然生活中没有理想主义生根的土壤，那么在市场中争取好好活着，更好地活着，那实在也是别无选择的选择。

还有一件让我心里踏实的事情，就是把赵平平找回来了。这一年我到她那去过一次，是偶然经过她的学校，心里一动，就去了，完全是突然袭击。她在宿舍，很吃惊地说："你怎么来了？"我说："我怎么不能来？"她的宿舍已经焕然一新，看到那张新买的大床，我心里像被谁踹了一脚；到冰箱找饮料，又看见切开的半个西瓜，里面放了两片调羹，心里又像被谁踹了一脚。

我坐在椅子上喝水，看着她在房间走动，被长裙裹着的身子有一种妖娆的意味，是自己以前没有察觉的。我感到了身体的荡漾，马上又拿起一本书来翻看，装作对那种荡漾一无所知。唉，那是自己曾经去过的地方，现在只能掩饰着瞟一眼，就像一个孩子，经常在一片绿草地上疯跑，忽然有一天，那儿却被宣布为军事禁区，你只能远远眺望。她说："还加点水吗？"我说："看看你好就可以了，你找到了自己想要的生活。"她哼一声，也不说话。我心里很不是滋味，有人比我强，能给她更好的生活，这对一个男人来说实在是太没自尊了。两个人都不说话，以前那说不完的话都不知溜到哪里去了。

气氛有点难堪，我承受不了这种沉默，后悔不该来的，勉强着说："你好就好，你好就好，希望你活得精彩，女孩子应该活个精彩，她活着不活精彩那她活什么？"她说："你那舌头就是一条鞭子。"我说："我说真的呢。"我告诉她打算还考一次博，她说："你肯定能考上，不然谁还能考上？"我说："你的舌头也是一条鞭子。"她送我出来说："我说的也是真的呢。"

半年后考完博士，她发信来问我考得怎样。我回信说："怎样，还能怎样？就那样。"她说："那样是哪样？"我说："应该跟去年一样，也可能不一样。导师夹袋里有别人的名字，我考到天上去也没有用啊！"以后她不断来问我，我说："你怎么比我自己还关心我自己？"她说："我是不是太热心了一点？"又说："我就是要热心，你不由我？"这话有了意味，我不敢往深处想，又忍不住要往深处想，越是忍着不想就越是要去想，像脚尖上的痒痒肉，越是忍着不抓就越是想抓。其实我的自信已经被现实摧毁，这一年学校的老师为我介绍了几次女朋友，禁不起她们对女孩描绘的诱惑，怀着难以克制的好奇心和美好的想象，我去见了面，却是一再地失望。做介绍的女老师说："可以了，可以了。"可以不可以，我自己心里还不知道吗？有平平的身影站在心里晃动，别人就进不去。她们说："还要怎样才算可以呢？"我说："可以，可以。"心里没有一点激情，不想再去见面，同时也知道，这其实就是我能够达到的水平，别人就是这么想的。自己没有创造奇迹，怎么可能要求生活提供奇迹？超水平发挥那是一个梦，枕着这个梦睡睡是可以的，一旦睁开了眼，梦就跌得粉碎。苏东坡说，文章如精金美玉，市有定价，非人所能以口舌定贵贱也。

其实人何尝不是这样?

接到冯教授的录取电话，我给赵平平发了一个信息。这信息是一个信息，更是一种期待。她马上发信息来说:"今晚是不是庆贺一下? 你来，我给你炒蛋炒饭。"蛋炒饭是我们以前的经典晚餐，省钱、省事。这是我俩之间的一个特殊默契，带着温馨的记忆。我回了信说:"好。"心中有点窝囊，怎么她说停就停，说走就走，自己好像个机器人，遥控却捏在别人手里。可还是反抗不了诱惑，下午下了课去了。她的热情好像过去一年什么也没发生一样。她说:"就是蛋炒饭啊，别说我抠。"又说:"饭是昨天我自己一个人剩的。"我说:"什么意思? "眯了眼望着她。她说:"什么意思? 你懂的。"我说:"天知道。"她说:"难道我是捏个谎骗你? "我说:"请我吃蛋炒饭，昨天怎么不请? 太现实了。"她笑了说:"那是我妈! 她一辈子是个小人物，受尽了委屈，想在我这里得到弥补，我又是个女的，稀泥扶不上墙。你要理解她。"又说:"要一个女孩一点都不现实，那也是不现实的。"我喉咙里"哼哼"几声，想着男人有了一点进步，世界还是看得到的。一个男人不进步就是不行。她说:"哼哼什么，小心我砸你。"把炒饭的勺举起来，在我头顶晃了几下。我说:"我哼哼是想说一个博士也没几斤几两，弥补不了什么，也没有精彩的生活。"她说:"没几斤几两，那几钱总有吧？这一年我看清楚了，女人找一个自己能接受的人，那不是一件容易的事。我还是找了你的好，你不会把我关在门外吧，你？说活得精彩那是理想，现实目标只要过得去就行了。我又没有出生在富贵人家，精彩是我这种人想得到的吗？"

看来我现在是"过得去"了，可也就是一个"过得去"。我的自尊心像被一根软棒敲了一下，还没来得及感受痛，那痛就消失了。我说:"女人跟男人不同，嫁得精彩就有精彩。有那么多老板、经理。"她说:"请你以后少说什么老板，听到这两个字我两个头四个大。老板的本性就是贪得无厌，你以为他们只贪钱？"这话让我有一种不好的想象，就瞟了她一眼，想从她神态中看出点内容。她说:"看你这眼神怪怪的，怎么这样看我？"我说："看你脸上有历史。"她说："学历史的人看哪里都是历史。"又说："你这一年就没有历史？"这是承认了自己有历史。这种坦然让我不知所措，想表达恼怒却不知怎么开口，就像狼找到一只刺猬，却找不到下口的地方。我说："我没有。"沉默了，心里很难受，也很委屈。可我也明白，除非我有力量从这里离开，不再回头，否则这委屈再委屈也得咽下去。人不能跟自己过不去，这个道理我懂，不想懂也得懂。

有点晚了，我犹豫着是留下还是回去。她说："看看这房间还有五只苍蝇没有？有你就帮我打了。"我拿着卷起的杂志在房间挥动一下说："没有，没有，这次没有。是它自己没有，这不怪我。它们白天怎么就不飞进来，给我一个机会呢？"她哈哈笑说："要人家拿命来给自己一个机会，好残忍！"又说："你还是回去吧，我整理一下自己的心情。"我说："心情没整理好，让我来干什么！"她说："不是庆贺你吗？"我说："那为什么不让我庆贺一下？庆贺一下，就一下，一下。"伸出一个指头，斜了眼有意味地笑了一下。她坐在床边沉默一会说："你今天还是回去吧，我整理一下。"我想起那两片调羹，说："你要整理什么？"她说："心情。"我说："以前的历史还没有完结吗？"她说："可以说完结了。"想到"历史"可能会以怎样的方式存在，我心里非常难过，说："到底发生了什么？"她说："你是不是认为我不应该跟别人接触？人家都二十五岁了呢。再说，我开始就跟你汇报了的。"我说："那你整理吧。"就走了。

一路上我把单车踩得疯狂，耳边的风呜呜地响，心中嗡嗡地响。委屈，太委屈了。这委屈像一根铁棍横在心里，卡得难受。反抗的愿望跳了上来，自己为什么要接受这个事实？一时间似乎豁然开朗，还有别的选择啊。回到宿舍，我坐在窗前望着天，黑色的天幕透出一点深蓝，一颗两颗星星在向我眺望。我这么坐了很久，想着时间，想着遥远的古代，那时的人们用树叶裹着身体，从不去思考活着之外的问题。非常奇怪地，那些委屈自动地淡化了，身体中一种蠕动以均匀的节奏，融解了那根铁棍。我对内心形势的陡转感到惊异，痛恨自己没有志气，屈服于那种蠕动。可这痛恨更像一种虚伪的自尊，是为了给自己一个面子、一级台阶。那蠕动越来越明确，有迫不及待的意思。到最后我给平平发了一条信息：什么时候才整理好呢？发了这条信息，我对自己感到陌生，不可理解，这是我吗？也许，是世界变了，所有的事情都得重新理解。

6

蒙天舒从麓城打电话过来，问我在京华大学情况怎样。我说："还好。"他历数了京华大学的各种好处，特别是博士的宿舍，比北大还好。我说："我都来有两三个月了，怎么还不如你熟悉？"他说："去年在那里开过会，冯教授就是那次认识的。"谈起冯教授他又说了一大通轶事，有些是我都不知道的。他又说到向冯教授打电话推荐我的事情，说东北师大一个助教都考两年了，冯教授本来打算录取她的，在他的强烈推荐下，还是选择了我。这事他已经对我讲过几次了，我也真的谢谢他，可觉得重复那几句感谢的话挺没意思的，就不做声。他也停下来，似乎等我说。我把那些话放录音似的又放了一遍，有被强迫的感觉。唉，可能是他忘记我已经谢过那么多次了吧。

第二天中午我从食堂打了饭回宿舍吃，蒙天舒又打电话来，把京华大学夸了一遍，我只好又把那些谢谢的话放了一遍录音。放完以后，又觉得有点公式化，没有谢出分量和诚意，又说："不搭帮你，那现在不可能坐在京华大学的宿舍里。"他说："那也有点可能啊，很有点可能。"我说："寒假回麓城了请你吃饭，你是第一功臣。"他说："你自己第一，我最多就是个第二。"又说："吃饭就算了，还是想要你帮个小忙，你不会不帮我吧？"我说："那肯定的。"他笑了说："肯定帮还是肯定不帮？"我说："不帮我对得起谁？别叫我去抢银行。"他说："你的硕士论文发表了没有？"我心中有了一种警惕，正想着怎么回答，他说："我在学术网上查了，没有。"我只好说："这两年没心情去考虑这件事。"他说："我的博士论文写到中间卡住了，发现你的硕士论文正好可以参考一下，过渡到下一章去。反正你也没发表，不用一下是学术资源的浪费，那就借给我参考一下？我只借'王阳明论致良知'那一点内容。"我有点难受，说："你看到明年我大概可能也肯定要考虑论文的事了，说不定我自己还要用呢。"他说："那是哪年哪月的事！你看看我已经迫在眉睫了。"我说："我也只是在明年啊。"他说："你的基础我是知道的，有什么问题？脑子一转，又一条新的思路就转出来了。我们笨点，就只能沿着一个方向想，转不出来。"我顽强地说："我脑子哪有那么灵？那是我写了一两年写出来的。一两年啊！"我想话说到这个分上，他应该会退了吧，谁知他更顽强说："看在哥兄弟的分上，搭手救一救哥兄弟吧。我也想绕过去，可绕不开。只好过渡一下，就过渡一下，大家都互相帮一把，有朝一日你还有什么事，哥兄弟肯定挺身而出。"他说得我没有退路了，想着也应该还他一个人情，就说："那你拿去呗。"他说："太谢谢你了。"又说："我也只是搭个桥过渡一下，搭个桥呢。文字上我会做调整的。"我说："那你搭吧。"他又把京华大学夸奖一番，收了线。

坐在床上我感到了痛，好像身上什么地方的肉被剜去了一块，那个地方就空洞洞的，释放出一种吞噬性的能量。我用饭勺把瓷碗敲得叮当响，白色的小瓷片溅在了书桌上；又双手扶着床沿，闭了眼睛盯着自己。为什么要这么软弱？窝囊。生存空间是一点一点开拓，发展机会是一点一点寻找的，怎么能够拱手送人？一个男人，不开拓，不发展，将会有怎样的命运，这我是知道的。生活以它的现实感教育了我，今天的开拓状态，就是明天的生存状态，我不能装着不懂。难道世界的中心在他屁股下面，就不在我屁股下面吗？谁比谁傻！这样想着，我拿出手机想把电话打回去，取消刚才的承诺。刚想拨号又犹豫了。毕竟人家也是帮过自己的，毕竟已经答应人家了，毕竟以前是同学，以后还要见面的。手机握在掌心发烫，像捏着一枚定时炸弹。我叹一口气，手机滑到了床上，汗津津的像在水中泡过。我仇视地盯着它，似乎犯错误的是它而不是我。我把自己恨了又恨，可怜之人必有可恨之处，真可恨啊！我忽然扬起右手抽了自己一个耳光，脸上热热的痛，让我明白刚才发生了什么。我在心中说了几百遍下不为例，对自己的空间要寸土必争，这是绝对没有办法的事情。自己的一块肉就这样剜去了，被人家用来讲在市场经济时代该怎么"致良知"。人家就是这样来致良知的，我怎么办？

7

这个学期赵平平几次要我回麓城一趟，我想着要花几百块钱路费，就犹豫了。可这犹豫又不能说，有说不得的苦。一个男人被这几百块钱制约了，怎么说得出口？我就说学习紧张，走不开，反正她也不知道。

好不容易熬到寒假，我坐火车回麓城。那天下午赵平平要开会，不能来接。出站的时候，我抱着一种模糊的希望，在人流之中抬着头往检票口张望，远远看见一个身影在那边一跳一跳的。我根本看不清那是谁，可我知道那就是赵平平。这是没有理由的感觉，可比什么理由都更有理由。快到检票口看见果然是她，正一跳一跳地往这边张望，脸一闪一闪时隐时现。这让我感到温馨，她是迫不及待了。我举起一只手，叫着："平平！"她还在那里一跳一跳，举起双手欢呼："致远，致远！"又跳得更高，很夸张的样子。出来了她扑到我身上，嘴唇在我脸上啄了几下。我轻轻推她说："请大家看免费电影吧！"又说："兔子似的跳那么高干什么？"她说："早就看到你了！密密麻麻的麻雀中有只凤凰，怎么会看不见？你没发现自己是只凤凰，你？"说着挽着了我的胳膊。我说："太抒情了，太抒情了。"把腰挺了挺。

走在大街上我说:"还是麓城好,有做人的感觉。北京太大了。"北京太大了,这是我这半年最强烈的感受,生活在里面就像一勺盐溶在水里,都发现不了自己的影子。她说:"那毕业了你回麓城,我们在麓城安家。""安家"两个字像一把锤子锤在我腰上,我身子不由自主地往下矬了一点。

到了她的宿舍,我说:"要洗个澡。"她去楼道尽头的厕所提了桶水,把电热器扔到里面。水烧好了我提到男厕所去洗,看到水槽中有秽物,非常恶心,放水冲也冲不走。想着平平在这样的条件下生活三年多了,也真是难为了她。这样的生活根本就过不去,谈什么精彩。

她到楼道去做蛋炒饭。吃着饭我说:"再怎么穷也要到附近租一个小套间,让你过一下正常人的生活。"她说:"我为什么要把租金给别人?我买一套房子不安心点吗?每个月的租金还可以放到自己口袋里来。"我说:"买房子不是我们现在能想的事情。"她说:"一个梦想,想都不敢想,那能够实现吗?"我叹气说:"怎么实现?我没钱,你没钱,你我家里都没钱。反正我家里是没有钱的,还有我,也没钱。"她说:"那不会想办法?党中央都说过,办法总比困难多。"

要我想办法,我没有办法,就像想在一只麻雀的爪子上剔肉炼油,没有办法。借几百几千是可以的,几万几十万那不可能。平平说:"我妈妈催我们把证打了,我都二十六了。"一想到领证就要安家,我心里发虚说:"这个事急不来。"她说:"我是男人我也不急。"又说:"其实我也不急,嫁不出去的问题对我不存在。我妈妈急。"我说:"老虎狮子鳄鱼我都不怕,我就怕你妈妈。"她说:"你能不能不要把我妈妈妖魔化?她是为我好。"我说:"那你也得等我有钱啊,钱,钱,钱。"

那些天我整天就想着钱的事情,钱,钱,钱。生活动不动就要钱,我还真不能不想。其实我也知道想也没用,就像想飞到月亮上去摘桂花,想也没用。可还是不能不想,几乎成了一种本能,比身体的饥渴更加饥渴。这种状态让我害怕,一个知识分子,他怎能这样去想钱呢?说到底自己心中还有着一种景仰，那些让自己景仰的人，孔子、屈原、司马迁、陶渊明、杜甫、王阳明、曹雪芹，中国文化史上的任何正面人物，每一个人都是反功利的，并在这一点上确立了自身的形象。如果钱大于一切，中国文化就是个零，自己从事的专业也是个零。惭愧，惭愧。

我把惭愧的心情对赵平平说了，然后说："你好歹也是学历史的，你应该懂的。"谁知她说："你没挣到钱我也不怪你，我真那么想钱我也不找你了，我没有你想的那么轻贱。可是你拿那些人来当挡箭牌就没什么意思了，他们是谁？你聂致远是谁？他们的名字刻在花岗岩上，你的名字躺在沙滩上。你看，潮水上来了，"她往床下一指，"上来了，还剩下什么？"又说："圣人不是每个人都能学的，更不是每个人都能当的。能当那你敢当？他们每个人的生活都是一塌糊涂，一败涂地，你有几辈子你去涂地，你？别说我当不了这圣人，当得了那我也不当。"我说："按你的想法每个人都应该唯利是图。"她摊开双手说："这不是我的想法，这是生存需要，一毛钱你不去挣没有人送给你。"我说："没那么恐怖，国家每个月还补助我几百块钱呢。"她说："那你拿这几百块钱去买房子吧。"又说："你把我妈妈妖魔化了，又来把我妖魔化。唯利是图我会走到你跟前来吗？我不过是想过一个平平安安的小日子。"

吵架归吵架，生活还是生活，这就是要钱，钱，钱。父母平时没负担过，过年总要孝敬个意思。亲戚的孩子要压岁钱，还有几家亲戚要去喝酒，结婚酒寿酒百日酒圆屋酒，自己不吃饭这人情都是不能缺的。家里干脆就等着我拿钱回去杀猪过年。在他们看来，儿子在北京读博士，那是在最荣耀的城市读最显赫的学位，还会差这点钱？这些事我都不敢跟平平讲。口袋里两千块钱是平时对自己苛刻到极点省下来的，在外面口渴了，娃哈哈也不舍得买一瓶，忍着回宿舍喝，实在忍不住就找个厕所凑着龙头喝自来水。

我拿出五百块钱给平平说："给你妈妈。"她说："你自己去给，我不好意思给。"我又递过去一百，把剩下的钱数了数说："家里一大摊事也要应付一下。"她看了看说："都在这里？"我说："都在，你知道的。"她把钱退给我，又拿出一千块钱说："你给我妈。"我把钱拿在手里发了一会呆说："我不要。"她说："烦呢，叫你拿你就拿着。"我说："那我以后……以后还给你。"她瞪着我说："那你到底把我当作你的什么人？同事？朋友？"我苦笑一声说："唉唉，你是女孩子，我怎么能从你手里接钱？"又说："平平，你要相信我以后会对你好，特别特别好，还要相信我能赚到钱。"她笑了说："特别特别多的钱？"我摇了摇头："那可能大概应该是不可能的。"

过年我在家里不敢久待，初二清早就离开了。给妈妈说的理由是"初一崽，初二郎"，要赶到女朋友家去拜年，实际上是想躲开马上到来的人情潮。有七八场酒等着我去喝，喝不起。为这件事妈妈生了气：大舅六十的寿酒不能不喝，整生呢；二舅的圆屋酒也得喝，三层楼呢。人不在那意思也得到场，不然就太不好意思了，让她的面子往哪里放。小镇上的人穷，越穷面子就越要紧，人命关天，人情也关天，这是人们生活中的头等大事。鱼尾镇开天辟地出了个博士，她逢人便告，也听了多少奉承话，到了这刺刀见红的时候怎能趴下？我把钱都摊在桌子上，拿出两张红票子说："这让我买张座位票回北京，其他你拿去送谁我不管。"心想幸亏平平那一千块钱没拿在身上，不然肯定也不顾后果地拿出来应急了。妈妈说："真的都在这里？"我说："那你看看我钱包？"她说："北京人都这么穷？北京呢，天安门呢，毛主席呢。"拿出两张给我，说："毛主席那里你还是买张票睡着去吧。"犹豫了一下又拿给我两张："给岳母娘拜个年。"看着她皱巴巴一脸苦相，我觉得自己愧为人子，愧为人子啊！我实在不忍心逃离，又实在不得不逃离，一狠心，怀着万般歉疚，离开了。

汽车开出鱼尾镇，我看着流泽湖心中有些悲哀。湖中的鱼越来越少了，鱼尾镇越来越萧条了，年轻人也都出去谋生了。父母将来怎么办？说不是我的责任那也是我的责任，不然谁来承担？靠弟弟致高？他在镇上当个小学老师，女朋友都谈不到。想着那些朋友同学，家里不用负担，还能出钱帮着买房，真的让人嫉妒。快到平平家我心情更加沉重起来，准丈母娘还有一大堆问题等我回答，每个问题的解决都需要钱，钱，钱。

进了门赵平平就把一个小红包塞给我，竖起一根指头示意一千块。我瞟见她妈妈没看见，空虚地在客厅转了几圈，双手奉上说："孙姨，拜个年，拜个小年。小小的年。"一副没志气的样子，自己看着也生气。我等着她说"安家"的问题，吃了中饭她没提，到晚上还没提，我心中松弛了一点，这一天好歹是赖过去了。

晚上陪平平上街，她说："我千交代万交代要她别说买房子的事，估计她是忍不住的，她居然忍住了。"我说："你妈妈真的好仁慈啊！"她说："忍了初二又忍初三，那不可能！"我说："那也让我喘口气吧，自己家里那口气还没喘上来呢。"就把家里的事跟她说了。她没说话，默默走着。我说："委屈你了，别的方面多弥补你一点。"她说："别的方面是哪些方面？"我说："感情。"拍一拍胸脯："还有我自己，"在腰上捏了一下，"我自己。"她愣了一下，看看我的眼神，明白了，指头在我额头上点了一下说："这块肉，有哪点好呢？这块肉？我可能是走火入魔了。"

晚上孙姨把我和平平安排在一间房，我有点羞愧，她说："没什么，没什么。"在房间我对平平说："你妈妈怎么这么仁慈？"她说："本来就这么仁慈。"我说："我以为她防我像防贼呢。"她说："防什么？我们那点事，她不知道？"我说："不好意思，太不好意思了。"她说："我都没不好意思，你不好意思干什么？男人呢。"又拍一拍我的胸说："你不是说弥补我一点吗？你自己。"我用力拍着胸说："弥补，弥补！"她瞥我一眼说："看不得你那有气概的样子！到底是谁弥补谁？"

第二天早上就要回麓城了，孙姨还没跟我说安家的事。我感到有些意外，心中念叨着"菩萨保佑，阿弥陀佛"。这天晚饭时我看孙姨欲言又止的神态，心里就抽搐起来，吃了饭马上拉着平平去逛街，说："要给导师买点土特产。"逛完街又拉着她去看电影。平平说："以为谁不知道你那里夹着什么屎橛子？"我说："你妈妈这么仁慈，你也仁慈一点。"跷起大拇指，"哥俩好啊，母女也好啊！"

回到家已经十一点多，我在楼下看见三楼那间房灯还亮着，心里抽搐了一下。上楼进了屋看见孙姨端坐在沙发上，是准备谈判的神态，心中又抽搐了一下。孙姨把平平赶进房间，说："小聂，跟你谈谈。"我像有罪的人，头本能地往双肩中一缩，马上又伸上来。孙姨说："小聂啊，几号回北京？"我比划着手指说："正月十五。"她说："十五政府早上班了，你们是不是去登记了？你和平平都已经那样了。""那样"是哪样她不说，可我不能装着不懂。我说："我和平平是久经考验，铜墙铁壁了，登记不登记我们心里都登记了。"她不高兴说："登记不登记都登记了，那还要政府干什么？"我说："那我们去，我能登到平平，那是一生最大的愿望。"她说："登了以后呢？"我都不敢看她的眼神，偏了头说："以后……以后的事能不能以后再说？我还没毕业。"她说："现在有哪个新娘子住宿舍的？说出去好听吗？我们是普通人家，那也丢不起这个脸。亲戚会问啊，会去麓城参观的。"我说："孙姨，那怎么办，孙姨？"她说："你是问我吗？"我马上说："我问自己，那怎么办？"她说："那怎么办？"我说："那怎么办，这么办行吗？登记了，不办酒，等我毕业了，单位会补助几万块钱安家费，我这几年用力去赚点，首付是够了的。"心里飞快地闪了一下，没有发横财的运气，那以后十几年都被按揭套牢，没有轻松日子了。

孙姨笑了笑，伸出三个指头："那还等三年？等三年平平就三十了。"我说："二十九。"她马上说："女人二十九就是三十。"又说："到底怎么办呢？"我无赖似的低着头叹气。她说："叹气也叹不出个办法。"我就不敢叹了。她说："平平人才不错呢，她也有过特别好的机会，她不要，她要跟你走，我们也只好尊重她的想法。总要过得下去才好。"过得下去，这要求不高，可对我来说就是要架天梯登到顶才够得着。我说："孙姨，我特别对不起平平，让她受委屈了，我慢慢想办法。"她说："慢慢是多久？

三年？"我说："一年行不行？一年，就一年。"她抬起手腕看了看手表说："那就只好一年。要一步到位啊，别买小户型，将来要住三代人的，还有保姆。"又说："到时候我也出几万块钱。本来想存在那里养老的，那也再说，先帮你解决问题。"我想说这钱不能要，可又觉得不能不要，就没吭气。唉，什么叫人穷志短。

回到麓城我就和平平去登记了。从区政府出来她说："到处去看看房子？"我说："让我轻松一天不行吗？"她说："你轻松了我就不轻松，还有我妈。"跟平平跑了一天，看了七八个楼盘。好房子真的有啊，两千多一个平方，从北京的眼光看，这真的是一个不可思议的奇怪价格。我俩边看边赞叹，幸福近在咫尺，就是拿不到，痛苦啊痛苦。我心动了说："把你妈养老的钱拿出来，我家没有养老的钱，到大舅二舅那里去搜一两万，付个首付，按揭就慢慢还。"向售楼小姐一问政策，我没工作单位，不能办按揭，平平可以办，但她没有编制，工资又低，只能贷八万。还有十万到哪里去弄呢？

希望的火苗一下子就灭了。平平咬牙切齿说："编制编制，编制就是我的命。学校每年一两个指标，手长的人捞走了。像我这样没有背景的，十年也捞不到，一辈子二等公民，什么世道？太不公平了。生错人家了，那大概也嫁错了。一个女人一生错了这两次，精彩生活那是只能看别人去过了。"我说："那你对我也要有点信心。北京呢，博士呢。"她说："别跟我讲博士吧，那含金量你自己不知道？"又说："我也不是冲着你的含金量来的。"

第二天平平又拉着我看了一天，看中了好几套。住了这么多年宿舍，看套间怎么看怎么好。有一套两室一厅特别中意，价格也合适，我们下了楼又上去，下了楼又上去，来回三次。售楼小姐说，优惠只剩最后两天了。赵平平急得跳脚说："我硬是想买呢，等麓城跟北京一样贵了，那就真的只有看的份了。"

晚上回到宿舍，她说："跟你说一件事。"我看她表情很严肃，就笑了说:"跟我说件事那还要宣布一下?"她很认真地说:"我说真的,我有钱。"我吃惊说:"你有钱? 多少?"她说:"说了有就有,八——万。"我跳起来说:"八万! 哪来的? 哪来的!"她说:"我说家里给的,朋友借的,你也只有信了。可是我不想骗你。"我说:"我知道了。"她说:"我知道你知道了。"我深吸一口气说:"你找的不是那个什么经理吗?"她说:"那个只见了三次面。"我说:"见三次面他给你了八万?"她说:"你有那么好吗?"我说:"那你跟……跟……跟谁?"她说:"也是一个经理,我开始不知道他的真实情况,后来才发现的,钱是他想安抚我给的。"我盯着她,不做声。她说:"有那么大的仇吗?"我说:"发现了你还跟,跟,跟他……"她说:"我说了开始我不知道。"我说:"你后来也不知道吗?"她说:"所以我跟他分掉了。"我说:"难怪你说要整理一下心情,整理一下,到那天你还没有整理完。"她说:"那是对你负责。"

一个女孩利用青春为自己的生活打个基础,说真的我能够理解,只要她不是赵平平。沉默了好久,我说:"我明天回北京了。"她说:"不是还没买票吗? 这么急座位票都难买到哦。"我说:"我不能站着去吗?"她说:"有那么大的仇吗? 我当时身边又没有你。"她一只手蒙着双眼,把头低下去,哭了。我靠着床看着她身子一抖一抖的,心里叹了口气,叹气之后觉得自己太没志气,又叹口气说:"还哭呢,还哭呢。"她说:"一个女孩别的权利没有,哭的权利也没有吗?"就哭得更加欢畅。我说:"还哭呢,还哭呢。"她说:"我委屈我怎么不哭?"又抬起头说:"你明天真的回北京呀?"我直了脖子说:"是的。"她说:"你说要对我特别特别好,是这样特别的吗?"我低了头叹气,半天说:"还哭呢,还哭呢,还哭我真的就走了。"她眼泪汪汪地望着我,半天说:"那你明天要陪我去把那套房子买了。"

8

我买了座位票回北京。房子买了,我们再拿不出一千块钱。还要装修,还要买家具,还要结婚,还要生孩子养孩子。这么现实,想一想都怕。赵平平把我的座位票退了,找熟人买了卧铺。我心痛说:"还买什么卧铺呢,坐二十个小时就到了,我又不是富贵人家出来的。"她说:"上次我坐到北京,脚都坐肿了,我不想让你脚肿。"我说:"脚它要肿也只肿一天,钱没有那就永远没有了。"

在火车上我一直躺着,上厕所也匆匆忙忙,赶快回来躺着,不躺就对不起那张卧铺票。以前也不是没坐过卧铺,怎么不是这样的心情?耳朵贴着枕头,听着铁轨传来的声音就是"钱钱,钱钱,钱钱"。我心里吃了一惊,以为是错觉,坐起来再躺下去,开始还是"咔嚓,咔嚓",一放松就变成了"钱钱,钱钱"。我在心里嘲笑自己:这些天想钱想得太厉害了,成钱迷了,什么东西!

回到学校我带了鱼尾镇的腊鱼、火焙鱼去看导师冯教授。冯教授在那么多想报他名下的考生中选择了我,对我是有知遇之恩的。本来想邀前两届的师兄一起去,可不知他们也带了点土特产没有,如没带就有点不好,如果高档就更有点不好,就自己去了。冯教授学问好,记忆力惊人,明朝近三百年,哪一年甚至哪一天发生了什么事,他都了如指掌。什么叫作书山学海,看看冯教授就知道了。当他的学生,想骄傲那也骄傲不起来,你把那几百本书吃到肚子里试试,看消化得了?传说他当知青时就把一本《史记》翻烂了,也不知是真是假。冯教授总站在学生的角度想问题,学生大部分都是有老婆孩子的,谁不想早点拿到文凭,回家团聚,安排房子,评上职称?有几个教授申报了国家课题,把自己的博士生留下来帮着做,论文开题不急,答辩更不急,往后推推推。学生急得跳脚,那也没用。冯教授不打学生这个主意,尽快开题,尽快答辩,三年毕业。别的教授的学生都说我运气好。

冯教授见了我说："听说你结婚了？"我不好意思地说："稍微登记了一下。"他嘿嘿笑说："登记了就是结婚了，那不然怎么才算结婚？窈窕淑女，君子好逑，有什么不好意思啊？"我低了头"哧哧"地笑。他说："我这里有个相册，很不错的，你拿去放结婚照。"我说："还没照呢，要几千块钱呢。"他说："现在有这么高档了？那就少照几张，有两张墙上挂挂就不错了。"

冯教授把儿子从房间叫出来，说："放放，叫聂大哥。"放放很有礼貌地点点头，叫了一声。冯教授说："你去复习。"放放就回房去了。冯教授说："他今年高考。"又说："现在除了他的事揪心，我万事都不急。"我说："看他那个聪明样，那是北大清华的料。"他说："北大清华那是梦。他考文科，年级模拟考试七八次了，离北京的重点学校怎么都差十几分，到哪里去挣这十几分？一万块钱一分我没地方出啊！"我说："还有三四个月，怕抢不回这点分？"他说："能抢回来早就抢回来了。"又说："到我们这份年龄，什么都超脱了，就子女难超脱。陶渊明那么超脱的人也说，丈夫虽有志，固为儿女忧。"我似乎明白了他的意思，说："要不我经常来辅导他一下？我教过两年中学的。"他说："那样太麻烦你了。他们的老师其实是够好的了，够负责的了，问题是他自己！"他有点生气了。我说："那我能做点什么吗？"他说："做什么？怎么做？那再看吧！"离开时冯教授叫我背一箱苹果回宿舍，说："山东老家送来的，好果子。"我急得手脚无措说："这怎么行，那就搞反了。"他说："哪有那么多正反？"就弯了身子去搬。我说："您小心腰，我来，我来，看我都急得出汗了。"他说："想得急哦！要急你不用急这箱苹果，急一下论文选题，争取三年毕业，新娘子还在麓城等你呢。你老不毕业，她就悔教夫婿觅封侯了。"

过了两三个月，这天下课后，冯教授示意我留下来一会，等同学都走了他说："有件事……还是到我办公室去说吧。"我随他下楼到他办公室，他说："这件事……你晚上来我家说吧。"晚饭后我去了他家，他说："这件事……高考历史这一科的评卷又回到京华大学来了，听说没有？"我摇摇头。北京市高考的历史评卷好多年一直放在京华大学，前年出了件事，副校长刘校长女儿的试卷在评分后被翻找了出来，说那一本试卷评分标准没掌握好，经核心小组复审，都提高了分数。这事不知被谁告上去了，调查之后也没有结论，也没人受处罚，可评卷资格去年就被取消了。听说今年又回来了，我随口说："那好啊。"心中突然一闪，想起了放放，回头向房间看了看。冯教授说："师母带他出去散步了。"我于是说："那我放假不急着回去，参加评卷，试一试运气。"

这话说得很含糊，又很明确。由我把事情说破，冯教授松了一口气，说："那不好吧？"我说："也没有那么不好吧。"他说："那不好吧，你的新娘子还在麓城等你呢。"我说："有个机会我也想赚点钱呢。"他说："那不好吧。"他这样说了，我也不知道该不该往深里说，我不做声。他也不做声，半天自言自语说："那不好吧。"我意识到自己有责任打破僵局，就说："高考阅卷我参加过两三次，其实冤死了一些人，应该去争取一个公平。"他马上说："是冤了不少人，多少年我都是核心小组的，抽查发现错误多得很，那也没有办法，难道为几个人把十几万份卷子全部重看一遍？"我说："所以要争取一个公平，不吃亏。"他说："我今年要回避，就不参加了，要拜托你们了。"我说："几位师兄师姐肯定都要参加。"掐指算了一下："才四个人，不一定碰得到。"他说："吴教授的弟子不能找。"我说："那是的，吴教授平常就有点怪怪的。"我说了几个人的名字，他说："那随你去安排。"又说："尽量找男生，当小组联络员，取卷送卷可把卷子翻检一下，看有没有漏评的。"我说："可是我们怎么知道就是那份卷呢？"他说："再说，再说。"又说："这个事不要勉强，也不能勉强。实在不行，明年就有重点大学的自主招生了，京华大学有这个资格。本校子弟应该照顾一下吧？那样只要过了一本线，就可以录取了。京华大学的分数线，历年来都比一本线要高出四五十分呢！实在不行，就晚这一年。二本学校，放放他说了他是不会去的。"我说："那还是尽量在今年解决。"

从冯教授家出来我很高兴，平时没帮他搞研究，总有一点歉意，现在总算有机会帮导师做点什么了。快到宿舍我又有点不安，一个人成功了，那肯定会有另一个人要付出代价。说反正不认识，不知是谁，不关自己的事吧，那也是欺骗自己，总有一个人会付出代价。人家也不容易呢。回过头又想，毕竟不知道牺牲了谁，知不知道毕竟还是不一样的。想来想去想不清，干脆就不想。到最后我也搞不清，自己是想碰到那份卷子呢，还是不想碰到？

阅卷之前我把该做的事都做了。想着这件事本来应该是高我两届的师兄张维来做，冯教授交给了我，那是对我的特别信任。跟张维说这事的时候，我把卷子的特点说了两遍。张维说："是不是那几个人就由我去说，然后向老板汇报？"我原想着，虽然是师兄弟，又是老师的事，说起来还是有点为难。他愿去说，那就正好。我说："那好，那就正好。"

古院长是这次阅卷的总负责人，兼核心组的组长。在动员会上他强调了为国选才的重大意义，强调了纪律和公平。试评开始了，秘书小贾悄悄对我说："核心组的意思，子弟的卷子碰到了还是照顾一下，这个意思我们院里内部掌握，外面来的老师不要说。"卷子改到一半时还没有消息，我想着冯教授在急，我也很急。到第六天张维来找我，凑在我耳边说："解决了。"我悄声说："你发现的？"心中有一种失望。他看不出地下巴点了一下。我说："是不是跟老板讲一声？"他说："已经。"我心中轻松了，为放放感到高兴，大海捞针居然捞到了。高兴之后又有点遗憾，如果是自己发现的那就更好了。转念又觉得，这样也好，我能当个局外人就更好了。

暑假在家我想打电话，问放放总分多少，上一本线没有。想了想还是没问。八月初接到师母的电话，问我房子装修没有，平平有喜了没有，最后告诉我放放已经被人民大学商学院录取了。我说："高兴，高兴！为放放高兴，也为您和冯老师高兴。"

9

跟我同宿舍的郁明是吴教授的弟子。吴教授多年来只招女弟子，还得有个长相，圈内的人都知道他对"养眼"要求甚高。这一年终于招了个男的，就是郁明。私下有人说是吴太太发飙了，也有人说郁明是有特别背景的人。

郁明的确很特别。他是北京人，很少住在宿舍。他不像我整天泡在书中，把学术看得重似泰山。他见我经常找与曹雪芹有关的书来看，就说："数清楚曹雪芹有几根头发有什么用？在知识经济时代，最要紧的就是把知识变成生产力。"我说："我本来对学问没什么兴趣了，在里面泡了一年多，觉得很温馨，又上瘾了。除了身体，最重要的就是学问了。钱我也很喜欢，那还是排在后面。身体排最前面，那是没办法的，没有它就什么都没有了。"他也看书，都是古玩字画钱币鉴别方面的。我说："你那么喜欢古玩，还这么辛苦来读博士干什么？"他说："那个圈子内没几个博士，我顶着博士帽进去，那就是这个了，"跷起大拇指，"权威。生产力大大的，多多的。学问不变成生产力那就没有意义了。"我说："应该说学问都变成生产力，那就没有意义了。"他说："拿文凭找工作评职称那也是生产力，不然京华大学一个学生都没有了。我现在出席那些鉴定会，还只能给别人提篮子，弄点小菜钱。有张文凭就不一样了。还不是为了混碗饭吃？"我说："一定要说混饭吃，那我也得在这里混，别的地方混不出存在的感觉。"他说："现如今还有你这么想的人，奇葩呢。"又说："要我安心做那些死学问，除非政府给我的工资翻十倍。十倍我都懒搞得。"事实上他的确也很有钱，开一辆奥迪车在校园里跑，车上的女孩子也经常换了人的。

知识也可能以另一种方式存在，人也可能选择另一种生活，这个我懂。可学问是我的工作，也是我的信仰，我再怎么穷，怎么想钱，学问也是我心中的泰山。郁明的话我不能接受，可也没法反驳，不要文凭我会来京华大学吗？有一天我跟他说："什么时候也带我去看看那些字画瓷器？"他说："你也有想法？唉，这一行是今天有一口就吃一口，明天没那一口就吃空气。你还是搞你的学问稳当。"

这期开学他在宿舍住了几天，说："平时我不在这里，你要提高宿舍的利用率，也要提高自己的利用率，不要浪费资源。"我说："我又没开奥迪，请人家吃餐饭是可以的，最好还是在食堂吃。"他笑了说："那不会有人来，哪怕你是博士。"又说："你老板的儿子考上了人大商学院你知道不？"我说："好像听说了一点点。"他说："他跟我们老板的女儿高中是一个年级的，不是重点班，成绩差一个档次，怎么也考上了人大？"我说："可能是临场发挥好吧。"他说："没听说过他临场发挥怎么好过。"见我不接话又说："跟我老板的女儿考到一起去了，有点什么怪啊。"我猜他听到了一点什么，也可能是吴教授要他来问，就装糊涂说："我不知道。"他说："你不知道，嘿嘿嘿。你不知道什么？"我说："我不知道有哪点怪。"他笑了说："你不知道，嘿嘿嘿嘿。"本来我还想求他带我去看看那些古玩的，这样一来，就只能算了。

这天我在宿舍看王阳明的《传习录》。郁明进来说："大学之道，在明明德，在亲民，在止于至善。"我说："你记性蛮好的。"他说："这是我唯一能背的四句。"又说："这种书你真的能安下心来看？佩服，佩服。如今这世界上还真有把学问当回事的人。"我说："我又不能鉴定字画，难道叫我整天看天花板？"他说："有个创造生产力的机会，别人找我，我想让给你可能更好。"是山东一个搞印染的企业家愿出四万块钱请人写一部传记。我说："怎么写一本传记才四万？还是企业家呢。"他说："那你自己写本书，出版社还要收你三万呢。"我说："能实事求是地写吗？"他说："传记哪有那么实事求是的，何况是企业家的传记。"又说："你觉得为难，那这单生意就给别人了。我第一个想到的就是你，谁叫我们住在一起，那不是缘分？"我说："看着那生产力的面子，拍马屁昧了良心那拍也拍了，我不署名，署你的名。"他马上挥着双手说："不敢掠人之美。

那你就取个笔名。你同意了他安排你去青岛采访几天，预付两万。"

去了青岛一趟，回来了心里很憋气。郑老板出的是六万，郁明轻轻一掐，就掐走两万。杀熟啊，下得了手啊，有这么容易赚钱的吗？想赌气不写，实在也赌不得这口气，房子还等装修呢，明年还想要孩子呢。何况郑老板人也热情，奋斗精神也还是有的。我在那台破电脑上工作了两个月，采访来的那些真真假假的材料无限膨胀，二十万字就出来了，书名是《从一个人看一种精神——郑天明传》。校对打印稿时觉得还真像那么回事，我自己都搞不清哪是真的哪是假的。连我都搞不清，世界上就没有人搞得清了，包括郑老板本人。郑老板说："看了你的书，我突然发现自己是个多么好的人啊！"这让我有一种恐慌，我看了那么多历史著作，是不是看到了历史的真相？我的天啊，幸亏我不是司马迁，哦，应该说幸亏司马迁不是我。如果反正没有真相，人一辈子，有必要那么认真吗？唉，不必认真，好好活着是真的。这样的想法让我对自己感到陌生。

年底的一天，郁明兴冲冲对我说："又有一单，做不做？东北一个老板要写家族史，从他爷爷一路写下来，半个多世纪。这一次老板壮实些，这个数。"张开左手拇指食指比划了一个"八"。看到那个手势我心里就"怦怦"地跳，说："可以啊。"又说："你怎么舍得给我？"他说："郑老板传记的打印稿他看了，很满意，点名要你。我上次拿了点中介费，这次还拿那么一点点，大头绝对是你的。有个行规在里面，我不拿点做个样子也不好。"我说："嗯嗯。"他说："上次两个月进四万，这次效率会高点。行的话你们签份合同。"我说："写个这屁还签什么合同？上次没签也很好。"他说："签了要他预付四万，你带回去过年，那不好些？"这次要写的是在鞍山开铁矿的孟老板，还开着炼钢厂。

元旦前我去了鞍山。孟老板请我吃饭，喝的是茅台。我说："我喝不了酒。"他马上叫司机兼秘书许小姐去车里拿拉菲红酒，自己也陪我喝红酒，说："我小时候读书被'文革'耽误了，没有墨水，我最崇拜的就是有墨水的人。聂老师是博士，我就更崇拜了。"许小姐说："咱们老板上学不多，读书还是读得多的。"孟老板说："过几年公司规模更大了，我也想做一做企业文化，聂博士如果看得起，就来公司帮帮我，把这个事搞起来，各方面肯定比别的地方要好！"我有点飘飘然了，说："承孟老板高看！"孟老板说："也不是高看，水平是摆在这里的，咱们没文化，谁有文化咱们还是看得懂的。"许小姐说："咱们老板是尊重知识的典范。尊重知识绝不像有些官员停在嘴上。"孟老板说："聂博士把那么多书吃进肚子里，有儒雅之风，咱想学那也学不来啊！"

孟老板忙，请我吃了两次饭，把我交给小许。孟老板五大三粗，小许却是一米七的个子，水葱似的，走路带风。每次车停了孟老板坐着不动，等小许下了车过去开门。我心里想，大老板真的是大老板，太有艳福了。小许开了奔驰车带我去看矿山，说："咱们老板爷爷手里就开着了，后来是国家的了，前年咱们老板把它买回来了。"回到市里说："别看这么热闹，这里原来是郊区，咱们老板爷爷的铁厂就在这里。"

晚上在宾馆我翻看小许给我的一大堆资料，发现了一个问题，孟老板爷爷当年的公司叫"满洲制铁"，三十年代初开始，跟日本人合作了十多年。过了两天小许来看我，说："中午咱们老板在银水宾馆请你，这就是鞍山最好的地方了。咱们把合同签了，预付款也付了，下午我送你去车站，软卧票买好了。"她见我不做声就问："聂老师还有什么要求？"我说："你是哪个大学毕业的？"她笑了说："北京二外。"我说："那也是个知识分子。这些资料你看过没有？"她说："知道一点。"我说："三十年代'满洲制铁'那几年怎么写？"她很平静地说："当年日本人对中国商人实行怀柔政策，让他们继续做生意，咱们老板他爷爷总不能把头往铜墙铁壁上撞吧。这个问题交给你去解决，反正是跟日本人斗争了那么多年的。"我说："铁是能制造枪炮的啊！"她说："咱们老板相信聂博士的智慧。"我说："'满洲制铁'那么大的名气，历史资料上都有的。"她说："你写出来就是历史资料，别的历史资料没有人去看。"又说："历史博士写出来的不是历史，那还要什么才是历史呢？"

我伸手把那些资料翻了一下，说："这些材料是谁整理的？"小许说："辽宁大学的一个教授。"我说："他怎么不写？"她说："他是东北人，不方便。"我马上对那个教授有了好感，并不是所有的人都往钱眼里钻。我说："这些材料你们老板看过没有？"她捂了嘴笑一笑说："他没上过大学。"又说："有些内容他知道，我也知道。"我说："都知道为什么还要拿给我看呢？"她说："你反正会查到，咱们老板想把问题放在前面解决，不要签了合同，又来讨论这些问题，那大家都没意思，是不是？"又说："可以做一点技术处理。"我说："你们老板很自信啊。"她说："因为他是老板，大老板。咱们老板说，历史是由强者来写的。"

小许的口吻让我的自尊心受到了一种挫伤，我说："你觉得司马迁是强者吗？"她说："这个名字怎么有点耳熟？他是哪个朝代的皇帝？"我说："你的意思是你们老板他要办的事都能办成？"她说："这不是我的意思，这是事实本身。你说现在还有大老板办不到的事吗？我是说，大老板。"我拍一拍材料说："这些东西都在这里了，我能把历史改了吗？"她说："历史是一块铁？是一块铁也可以把它熔解了重新铸造，要把那炉火烧得通红，趁热打铁才能成功。熔解，重新铸造。咱们老板就是干这个的，你们也是干这个的。你写出来就是历史，所以要投入这么多，请聂老师这样有权威的人来写。"

见我不做声，小许说："可以再加一点辛苦费。"伸出左手食指："给你一个整数，其中一半今天就可以带走。这是老板主动提出来的，他自己没什么知识，但非常尊重知识，也尊重有知识的人，这种尊重不像有些人停在嘴上。"我说："这已经是一个震撼性的数字了。"她说："因为有难度，才有这个数字，咱们老板他又不傻。"又说："没有奇迹发生。"我笑了说："许小姐的工资很可以吧。"她说："当然，可以，也可以说很可以，是一般工人的这么多倍。"她双手比划了一下，我没看懂。她说："您怎么知道我很可以？"我说："因为你这么有光彩，"笑了笑，"没有奇迹发生。这可是你自己说的啊。"她笑了说:"是的,是的,我又不傻。"我说:"你对自己有很深的理解。"她说:"是的,是的,这是女孩的本能。我还是可以的,这我自己知道。"又说:"你这个人看起来很文雅,其实很厉害的。"我说:"这正是我对你的感觉。"她说:"是的,是的,跟咱们老板学的。这我自己知道。"又说:"聂老师,我们今天需要一个结论,希望您能支持小许的工作。"我说:"让我想想。"她说:"那我去楼下等,半小时后打您的电话。"非常优雅地退了出去,在门口竖起食指示意:"小许希望得到这份合同的是您,又希望您能支持我的工作,给小许一个面子,也让小许在咱们老板那里有个面子。"露出洁白的牙,朝我微微一笑。

小许去了,我坐在椅子上发呆,呆了好一会才意识到必须马上有一个结论。这么多钱,是我一辈子没见过的,也已经跟赵平平讲了,她已经都做安排了。我不写也会有人写,又不必署真名,怕什么?许小姐又要我给她个面子,这么漂亮的女孩,自己也实在很愿意让她高兴。如果不是牵扯到那段历史,怎么吹怎么捧,也昧了良心吹了捧了。唉,既然是吹是捧,那还管他怎么吹捧?按照蒙天舒屁股中心的观点,钱是我聂致远得到就行了,这就是意义;按照郁明的知识转化为生产力的观点,自己的知识要变成钱,这才是意义。

我掏出手机给许小姐发信息,信息写好了我呼吸急促起来,胸口感到一种压迫。突然想起辽宁大学那位老师,他真的是可钦佩啊!比起来自己就是人渣了。我写了,孟老板看了会说,看了你的书,我突然发现我爷爷是个多么好的人啊!我把信息改了说,我恐怕写不好。不等自己犹豫,就发了出去。发出之后是如释重负的轻松,可马上又想起赵平平,怎么交代?十万块钱没有了,像剜去了身上什么地方的一块肉。小许那么漂亮的女孩,也让她失望了。想起她刚才的微笑,我觉得特别对不起她。这样想着心情又沉重起来,有点希望小许上楼来劝我。这时小许的信息来了:"咱们老板说,那就不为难你了,这么为难你也写不好。"

我若有所失地躺在床上。电话响了,我抓起电话,想着应该是许小姐打来的，一听是服务台，说已经十二点了，问我还续不续房。我马上下楼到服务台办退房手续，说："不是说会续半天吗？"服务台小姐说："金山矿业那边已经结账了，要续还得办个手续。"我心里骂了一声："妈的，做得出，那么优雅的小姐她真的做得出。"办了退房手续我在大厅的沙发上坐了一会，希望着小许会把那张火车票送来。又想起前两天喝酒，自己都喝飘了，真以为自己是个人物，简直是羞耻。等了一会突然省悟了，是自己太天真。"太现实了，太现实了。"我嚅动嘴唇唠叨着，搭公交车去火车站。一路上我不停看手机，希望着小许会来电话，或者发信息过来。到了火车站，收到了许小姐的信息："聂老师，这都是老板的意思，我只能执行。您买到车票了吗？"我回信说："买到了，谢谢惦记。"排了一个小时的队，买到一张站票，在候车室等了七个多小时，又铺张报纸在车厢连接处坐了十个小时，回到了北京。

10

回到学校我快冻僵了，人行道上的冰棱被踩得嘎嘎地响。冰棱硌着我的脚，那种不舒服的感觉忽然变成了一种憎恨。我把冰棱用力踩了几脚，根本就踩不碎，倒是自己的脚痛得受不了。我飞起脚把那几块冰棱踢到路边去，嘴里嚷嚷着："踩你老子踩不动，踢你老子也踢不动呢？"推开宿舍门郁明在房里，还有一个不认识的人。郁明说："才回来？"他这一问我知道许小姐把事情告诉他了，他没算到我排队买票和候车用去了近十个小时。他说："车上挺辛苦的啊！"我说："也不辛苦，我就躺在那里睡了一觉。"他说："那我先跟朋友谈点事。"

他们在谈一幅画的真伪，那幅画很小，两个巴掌大，是齐白石画的两只虾。郁明说："这画肯定是有点年头了，不是这几年的，是不是齐白石他本人的笔迹，不敢说，两只虾，谁画不是画？"那人说："这么生动，好像要跳出纸面来了，除了白石老人，谁画得出？"郁明说："谁画得出？我拿两张给你看看？"找出两张画，也是虾子："这是白石后人画的，他老人家的儿子孙子弟子，还有儿子孙子弟子的儿子孙子弟子，一大堆人都在画，你看这几只虾是不是也要跳出来了？一千块一张，你拿去，你要不要？"那人说："看这纸的成色，一看就是这几年的货。"郁明说："所以一千块钱一张。画第一是看作者，第二才是看画。《清明上河图》，张择端原画，十亿你买得到不？现在谁画一幅，也一样生动，十万有人要吗？"那人说："反正就是齐白石的。"又说："至少你也不能说不是白石老人的真迹。这样好不好，你在这证书上签个字，鉴定费我增加一倍，两千。"郁明说："三千，我这是拿自己的名声在赌。如果我确定这是赝品，三万我也不能赌，郁明现在的名声不止三万呢，不是前两年了。"那人说："您是博士，您是博士，那就三千。"付了三千，郁明签了字。那人小心翼翼地把画夹好，放进提包走了。

我在旁边看得哑舌说："没想到世界上有这么好赚的钱，两个字，三千块！"伸出指头比划。他说："比搞学问好点，跟当官不能比，那真的不能比。"我说："那是齐白石的虾吗？"他说："我还真不知道，如果不是，那就是几十年前的高仿品。"我说："没想到世界上还有这么好赚的钱，两个字，三千块！"他说："你的钱也很好赚，你怎么不赚了！"我说："一部家族史，工作量太大了，会耽误我写论文的。"他叹息一声："没必要吧，你不写也会有人写，还写得更像那么回事。有什么意义呢？"我说："小许跟你联系了？"他说："本来就是我找她的老板，拍了胸脯的。"我很歉疚地说："唉，我害你了。"他说："孟老板对字画有兴趣，在搞投资，是我们一个顾主，所以我直接介绍给你。没想到你还是个特别认真的人，唉，有什么意义呢？又没有人发奖状。钱它到底是钱啊！那数字睡在自己存折上跟睡别人存折上，那感觉不是一回事啊。"我说："是的，我这个人没有用。"他说："我还得另外找人呢。"我说："我害你了，我这个人真的没有用。"

在火车上我就想给赵平平发信息，把事情告诉她。让她空喜一场，特别对不起她。越是这么想就越不敢发，好像自己犯了很大的错误。开始不那么急着去报喜表功就好了，还不是想让她高兴一下？又犹豫了一天，想打个电话把事情说得清楚点，按了号码觉得还是发信息好。电话是面对面，报个喜那是非常合适的，不好的事，还是躲在信息里比较好。

信息发出去了，解释了原因。我坐在床边等她打电话过来批判自己，心里很紧地揪着，仿佛是一只铁麻花拧在那里。虽然我也解释了，可我想她不会听我的解释，她整天想着的是钱，钱，钱。这不怪她，是生活的压力太大了，到处都需要钱来缓解。过了好久还没动静，我有些失望，批判早晚要来，还不如早点来，我也早点过关。我在头脑中搜索所有的词汇来批评自己，像一个侦察兵搜索在阴暗处潜藏的敌人，"没有用""意志不坚强""瞻前顾后"等等。到了中午她的信息来了："你在哪里？"我想难道她没收到我的信息？就回信说在宿舍。她说："回来了就好。"这叫我找不着北了，说："收到我那条信没有？"她说："收到了。"我说："那你还不批评我？"她说："为什么要批评你，你有你的想法，不想做的事就不做呗，何况是这种事。"我心中一下就松弛了。不仅是松弛，还有感动，这个老婆还是找得好，要得。

元旦过了我想着下个学期论文开题的事，记起了张维师兄上个学期博士论文的开题报告，题目是《明清之际士大夫风骨及其思想渊源》，对自己有点启发，想去复印一份看看。推开他的宿舍门，没有人，我就坐在桌前等。桌上电脑开着，我随意一瞥，竟是写孟老板的，刚开了头，题目是《从一个家族看一个民族的崛起之路》。我吃了一惊，马上掩了门出去。在楼下正碰见张维，躲避不及，就迎上去说："这么冷你还往外面跑，死劲敲门宿舍里也没人。"他说："打印论文去了，下期开学就答辩了。"我说："就搞完了？快枪手。"他推开门进去，第一个动作就是把电脑关了。我停在门边说："你出去没锁门的？早知道我也进来暖和一下，害我在外面冻了半天。有贼呢，电脑什么的一拎就走了，太大意了。"他说："我就是这样一个粗枝大叶的人，什么事情都懒得去细想。人干吗活那么累？到最后反正是一场空，时间之中'张维'两个字都留不下来。我是不是心态有点老了？"我说："没觉得你心态老，你心态跟你的脸一样，小伙子一样的，哪看得出是三十出头的人？有什么保养诀窍？交代！"他高兴地笑了说："诀窍就是万事不上心，终朝只恨聚无多，及到多时眼闭了。这话把人生写死火了。想通了心里就轻松了。"我说："我们这些人就是俗，陷到名利场里不可自拔，境界上不去。向你学习，向你学习！"借了开题报告就出来了。

回到宿舍郁明正在打电脑。我把开题报告塞进被子里，说："早就想问你，总是忘了，孟老板那事后来找到人没有？"他转过头来说："后悔了吧！怎么会找不到人？别说找人写个东西，要找个推磨的鬼也找得到呢。"我说："还是你推荐的？"他说："后悔了吧！哗啦啦的红票票飞到别人存折上去了。这就是这事唯一不同的结果。有些想法其实是没有意义的，你这么聪明的人，怎么就想不通呢？得开窍呢！"又说："肯定还是我推荐的吧，我得把这个关系维持住。那个人你不认识。我下次再给你介绍生意，一定优先你！"

那几天我惘然若失，哗啦啦的红票票像闪电一样在自己眼前一晃，却飞到别人口袋里去了，这叫我怎么也高兴不起来。有些想法其实是没有意义的，郁明这话让我有很强的挫折感。有什么意义？自己不愿意做，这是意义，也是理由，心灵的理由，唯一的理由。别的理由？没有。这算个理由吗？我把自己问住了。

寒假之前我整天想着的一件事就是钱，钱，钱。没有办法不想。一个男人，总不能空着手回去过年。房子买了快一年，还空在那里没有装修。自己家里、平平家里，过年总要有个交代，今年本来还打算要孩子，不得不推迟了。上次那四万元的稿费，已经被平平存了定期，声明了是装修的钱，过年不能动。我此时的心情，跟农民工此时的心情是一样的，过年回家要有个交代。以前觉得他们很遥远，现在觉得很近，很理解他们。

整天想着一件事，灵魂会出窍。这天突然来了灵感，曹雪芹不是卖画为生很多年吗？那么多画总会留下几张吧！万一在门头村搜罗到一张两张，那就了不得了。想到这里我特别兴奋，站起来在房间走了几个来回，恨不得马上出发。房门后面有张镜子，据说还是冯教授的开门弟子周一凡留下来的。我每次走到镜子前，就对着它扮出一个聪明的鬼脸。郁明那么聪明的人，又在圈子里混，他怎么就没想到这一点呢？我凑在窗前看看天色已晚，还飘着大雪。我看着雪花飘啊飘的，闭了眼觉得不是飘着白色的雪花，而是漫天的红色钞票，飘啊飘飘飘啊都向我飘了过来。

那一晚我根本睡不着，想着万一找到一张两张曹雪芹的字画，那可不是齐白石可相比的！忽又想到曹雪芹将《红楼梦》增删五次，脂砚斋也清抄评阅五次。最后一次评阅是"己卯冬夜"，离曹雪芹壬午除夕逝世有三年。前面八十回增删五次，已有定本，后面几十回却没有写完，那怎么可能？一定有大量的手稿散失了。万一运气照应，被我找到一张，那就伟大了，这伟大那就不是钱可以丈量的了。

第二天，天刚亮我起来了，第一次感到天亮竟是这么艰难的一件事情，今天的太阳怎么像只蜗牛？我等了一会，希望有个晴天，可天空仍然是阴沉沉的。我想着是不是等天晴了再去，可心里实在等不得，就戴好帽子、手套、口罩，骑单车出了校门。

刚出门单车蹭在冰棱上，摔了一跤。爬起来还想骑，感觉天太冷了，可能已经到了零下十几度，就把单车送回去，打算搭车去。我回宿舍在地图上查好路线，乘地铁来到西直门，转乘360路公交车，路上折腾一两个小时，到了门头村。下了车我找不到印象中的门头村，以为下错站了，看看站牌的确没错，问一个卖烤红薯的老人，他说："这就是的。"我说："村子呢？"他往右边一指："往里面。"我一看是一条柏油马路。我买个烤红薯，就往里面走。

一年多没来，情况已经大变，到处是建房的工地。村头的那棵老槐树还在，可是树枝已经颓败。我抬头望着，又用指甲掐一掐树皮，想知道它是否还活着。没有生命的迹象。我问旁边一个小卖部的女老板："这棵树怎么了？我上次来还是好好的。"她说："被人下药了，有人要盖房子，园林局不让砍，就下药了，晚上用开水灌进去的。"我说："下的什么药？"她说："毒药，白色的粉末，谁知道什么药？"我说："谁下的？"她说："那还不是老板！"我说："你怎么知道有人用开水烫它？"她说："那都是夜里做的，谁也没看见。树根那里雪没有了，那能不是开水！它就不该生在那里，挡人家发财了。这还是去年冬天的事，到春天，败了。"我说："有人说这棵树有点来头，我就是从北京过来看它的。"她说："来头？没听说，这树来头没有，有年头，我打小就看它立在这。唉，挺可怜的。"我叹息几声，想着赵教授要是知道了，会怎样地心痛啊！

我走过去抚摸老槐树，继续往前走，走了好远才看见几处老房子。我敲开一张门，一个中年女人把门打开一条缝，打量着我问："找谁？"我说："我是美术学院的，想买几张老一点的字画，回去学习一下。"她说："没有。"把门关了。我又走了几十米，找到一处最破旧的房子，敲开了门。开门的是一位大爷，很面善的。我高兴地说："大爷，我从西山下来，冻坏了，能不能讨口热水？"他说："可以可以。"把我让了进去。我捂着杯子说："手冻僵了，这么一捂又有知觉了。"他把炭火往我这边推点说："把身子骨也暖和暖和。"我说："大爷，您这房子也有点年头了吧？"他说："可不，我结婚我爹给我盖的，快有五十年了。"我有点失望说："你们这里最老的房子有几百年的吗？"他说："那哪有，都盖新房了，政府正征地搞开发呢，盖的新房也要扒掉。我这就是最老的了，我儿子早想盖新房，政府不让盖了，盖了政府赔得多不是？"我看他家衣柜是老式的，说："这衣柜有几代人了吧！"他说："可不是，好几代人了，那时毛主席还没进北京城呢。"我说："你家里有老一点的字画没有？我多花点钱买几张回去学习学习，说不定您家上辈塞在衣柜什么地方，您都不知道！"他说："有啊，可我不卖！我们不缺钱，你是不是看我家房子破？"我心中一喜，要他把最旧的给我看看，他往墙上一指说："就那，还是我结婚那年贴上去的，都多少年了！"我一看是张毛主席像。我说："不错不错！还有更旧一点的吗？小一点也行，没有画，字也行。"他说："那就没有了，最久的就是这张。"我说："大爷，能不能跟您打听一个人？"他说："行啊，我住这里都多少年了。"我说："这个人姓曹，叫曹雪芹。"他想了想说："不认识，我们这一带是正黄旗，姓张的多，姓白的也有，就是没有姓曹的，他爹叫什么名字？"我说："他爹，那应该也姓曹吧。"

告别出来我决定不问了。异想天开，天它偏就不开，天没有错，错的是我，真的是想偏头了。天已经晴朗，阳光明晃晃地照在雪地上，发出耀眼的光。这时风更大了，在耳边嗡嗡地响。我冷得发抖，把双手袖在羽绒服袖筒里，又把帽子的拉链拉紧，缩了肩在风中行走。我想着这么冷的天，当年曹雪芹是怎么过来的，可有一件棉袄一盆炭火？我想象着他坐在茅草房里，用冻得红肿的手，握着一管毛笔，在描绘从前的繁华。这个才华横溢的人，其实有很多道路通向富贵，至少是衣食无忧。他姑姑嫁给了镶红旗王子讷尔苏，他在北京城穷困潦倒之时，也是他动笔写《红楼梦》之时，讷尔苏的儿子——他的亲表兄福彭正当着议政大臣，他为什么不前去拜谒，要求施以援手？他为什么不去考科举以图复兴家族当年的荣华富贵？退一万步，他为什么不以自己的才华去当个豪门清客，以保衣食无忧？这些问题，实在比人们讨论了多少年的那些问题更加重要，如他的亲生父亲是谁？他生于何年又卒于何年？他只要对生活稍做让步，把内心的原则软化一下，就会机会多多。他为什么要对生活说不？为什么？

曹雪芹太骄傲了，内心也太强大了。他是生活在别处的人，世俗的眼光对他来说毫无意义。他从北京城来到西山脚下，远离了朋友和习惯的生活，唯一可能的原因，就是太穷困，在京城再也生活不下去。他有那么多机会，都放弃了，来到西山这寂寥的一隅。他唯一的儿子在贫困中病死，几个月后，他也在贫困悲伤中逝去。他选择了背向主流社会，背向荣华富贵，背向人们所仰慕和渴求的一切。他改变了世界吗？没有。

改变了自己的人生吗？也没有。既然没有，他的选择有什么意义？有什么理由？唯一的理由，就是心灵的理由。唉，心灵的理由是不是能够成为充分的理由呢？清高和骄傲摧毁了他的现实生活，却成就了他的历史形象。这其实也是中国所有文化名人的共同选择和共同命运，孔子、司马迁、陶渊明、李白、苏东坡……曹雪芹，都是如此。我是聂致远，我不是他们。这让我感到惭愧，却也感到幸运。

我为曹雪芹感到不平和痛心。这么贫窘而寂寞的一生，一个伟大心灵唯一的一生。他的清高和骄傲没有得到任何现世回报，就那样无声无息地，一个伟大的生命消逝了。我忽然想起，查尔斯王子和戴安娜的婚礼花了几千万英磅，如果当年曹雪芹能有万分之一，他的命运就改变了。还有上个月，山西一个煤老板和那个女明星的婚礼也花了几千万。如果当年曹雪芹有万分之一，他的命运也改变了。如果曹雪芹能有钱给儿子治病，他儿子就不会死；他儿子不死，他也不会死那么早，还不到五十岁啊……我在寒风中流下了泪水，冰冷的脸上感到了一线温热，马上就被吹冷了，那一线温热就变成了一线刺痛。

11

寒假是买座位票回麓城的。赵平平几次发信息来要我买卧铺，我还是买了座位票，有点跟自己赌气的意思。一个男人，近而立之年还立不起来，还有什么资格奢侈？出站的时候老远就看见一个影子在外面跳，知道那就是赵平平。我也想跳，可背了一大包书，跳不起来。见到她我说："我还以为是只青蛙跳跳跳呢。"她挽着我的胳膊在我肩上闻了下说："臭的，聂臭臭。"又说："今晚你睡觉之前不洗澡好不好？"我拉拉自己的衣袖闻一下说："真的是臭的，火车上那么挤把我熏臭了。不洗澡把你也熏臭呀！"她说："我想要你留点臭气在被子上，你走了我用力吸吸被子上的臭气，就好像你还在我身边一样。"我笑了说："没听说哪个女人这么喜欢汗臭气。"她说："那要看是谁的臭气。"又说："臭臭，这么久你想了我没有？"我说："想呢。"她说："要你说真的。"我说："说真的，想了，不敢不想！"她笑得弯了腰说："我是个那么厉害的女人吗？怎么想的？说真的！"我说："我说真的……心里想了，手也想了，脚也想了，最想的是大脚趾，更想的是那……你知道的！"她用力晃我的胳膊说："男人！"又说："是坐的卧铺吗？"我说："是的。"她说："那还差不多，以为你又不听话呢。"突然又醒悟了说："坐的什么？"我说："你不是问了我吗？"她审问地看我一眼说："狡猾。看票！"把手伸过来。我一只手在口袋里上下搜索说："票呢？票呢？给检票的拿走了。"她把我的包抢过去放在花台上说："看见检票员退给你了。看票！"我只好把票掏出来。她看了说："说那么多次要你买张卧铺票，留着钱买麓山啊！"我说："我就是喜欢坐着，在学校天天睡，天天睡，都睡腻了。"她笑了说："好拧巴的人啊！"又说："一个博士，卧铺票都舍不得买一张，丢了自己的脸就算了，别丢了博士的脸！也要让世界对博士有点信心啦！"

我们去乘公交车。我抬头找2路车的站台，她却带我上了4路车。我说："改线路了？"她说："我们先去看看我们的新房子好不好？"我说："我现在不想看房子，我想看你。"她把身子侧过来，脸冲着我说："看看，看看看看！"我把头伸过去，在她唇上亲了一下。她马上让开说："大庭广众呢。"我说："我不想在大庭广众看。"又悄声说："我一个看，到处都看看。"她说："有那么急吗？"我说："想要流氓，好久没耍流氓了。"她说："那也要先看房子。它就像我的崽，我过一两个星期要去看一次。在麓城我都有套房子了，我呢，房子呢，有时候自己都有点不相信。"

对那套房子我没有那么深的感情，说实话还很别扭，它的存在是我的屈辱。可这屈辱我不但不能反抗，连表达出来都不行。再怎么说，房子在那里，是我们家的，我不能说这是一件无所谓的事情。如果没有呢？不敢想。既然如此，就充不起男子汉。明知心中有个伤口，也只能对自己装着没感觉，装久了这装的也许就成为了真的。赵平平很兴奋地说："怎么装修，买什么家具，怎么摆放，每一个细节我都想好了。去了这么多次了，能不想好吗？只等……"她看着我的脸色，就停住了，好一会还是忍不住说："只等装修好了，我们就可以要孩子了，生一个小臭臭。"我说："能不能过两年？这两年我要写博士论文，那是开玩笑的？没精力，没时间装修，也没精力和时间赚钱装修。"她说："过两年？你以为两年是一段很短的时间？过两年我都快三十岁了，你呢？三十多了。我不想等那么久。我就是想住我自己的房子，生我自己的崽。我住学校宿舍四五年了，想去方便都不方便，住得要吐了。我就只有这点小小的愿望，每天我就想着这件事。"我说："能不能什么时候你也朝天空望一眼，想想与自己的日常生活无关的事情？还是个大学生呢，不算个知识分子！"她说："我从来没吹嘘过自己算个知识分子。"又说："天空望几眼望多少眼，那你只管尽情地望，地上的路你先走好。地上的路走不好，还摔到坑里爬不上来，那你怎么望，你？"我没做声，她说得也很实在。我不由自主地想起了曹雪芹，地上那么多路可以走，他怎么就不走呢？唉，我是俗人。

寒假完了我急着回学校准备论文开题。赵平平说："火车票我去买，不相信你。"我说："我自己去，你别管闲事。"她说："也要让我对你有点信心吧！座票？"又说："你开题完了回来指挥装修，你那四万我一分没动，再把我家那点存款的菤子挖出来，这一年我又存了六千块钱，我自己工资存的。我都不敢跟你说我有点钱，我自己的钱存的。我这一年酸奶都没吃过一杯，你知道我最喜欢吃酸奶的。"我说："神经鬼呢，少坐一次卧铺能吃多少酸奶！"她说："你才神经鬼！少吃几次酸奶就可坐卧铺了。"我说："真的你真的是神经鬼。"声音有点哽咽。这个女人，酸奶不舍得吃一杯，却一定要给我买卧铺。我不能对不起她，不能让她失望，我有责任，我得赚点钱。唉，也不知道自己景仰的那些人是怎么面对父母妻儿的。他们是神，我是一个人。没有办法，我是一个人。这既是分野，也是理由。

在回学校的火车上碰见了蒙天舒。那时快进北京站，我们这节车厢的厕所已经锁了，我赶快去另一节车厢，回来时看见一个人正费力地从行李架上搬下一个纸箱，我上去搭一手，不想是他。他说："呵呵，是致远哦。"我说："你也去北京？"他说："我也来北京。"我说："什么东西这么沉呢？"他说："是有点东西。"我说："等会我把书包拿过来，帮你抬一下？"他说："你忙，我自己就行，一个人就行了。你的东西也沉。"我说："我就一个书包、几本书。"他说："我自己行，行的，一个人就行的。"我说："那好。"心想：难道他带了个女孩出来玩？扫了一眼，下铺坐了两个女孩，神态很悠闲。

到了北京站我故意最后下车，慢慢地走，让蒙天舒先出站。到了出站口他竟在等我。我说："你等谁，有车接啊？"他说："我们这小萝卜头会有车接？在等你呢！要不我还是先去你们京华大学，有几个地方要跑呢。"上了出租车他抢着坐到前面买单。我问他跑什么，他说："跑个项目。"又说："童老板要我跑的，他现在当副校长了。"我说："坐了电梯啊。"他说："能力强呗。"童教授能力是强，学术能力强，公关能力更强，全国的学术圈子都打通了，自己也就成了那圈子中的一员，论文已经达到写一篇发一篇的程度，所有重要刊物的编辑都是他的朋友。我说："你的潜能也不弱啊！"他说："那怎么敢比？差得远的远呢。"也不知他是指学术还是社交。我说："坐在家里搞学问就成了大师，那个时代已经过去了。我们冯老师书生一个，我看他要在权威刊物发篇文章那都难了。"他说："如今是做活学问的时代。死学问做着做着就把自己做死了，还不知是怎么死的。"又说："所以我要跑一跑。也不能空着一双手跑吧？那纸箱里是麓山特酿。"我说："名酒呢。"他说："还是应该买茅台的，实在太贵了，我那点工资拿不起。"我说："神呢，童老板要你跑，要你掏钱？"他笑几声说："跑那是童老板要我跑的，事情跟我有点关系。"这话说得含糊，我试探着说:"跟你有什么关系？谁叫你跑就叫谁出血。"他说:"那还是我出,这几滴血该我出的。"

到了京华大学,蒙天舒说:"要不我把东西放你那里？我下午到你们吴教授那里跑一趟,晚上去华北师大。"到了我的宿舍,他说:"要不你下午陪我去吴教授家？你知道他住哪里吗？我有份材料要他评审一下。"我说:"那肯定知道,我们几个同学去拜过年呢。"我带他去食堂吃了中饭,他倚在郁明床上休息了一会,说:"两点多了,要不我们现在就去？"看他提着烟酒,我说:"吴教授不抽烟的,酒也不怎么喝。"他说:"那送什么？只有烟酒通行天下,别的东西抱起一大堆,值啥？"又说:"其实烟酒也过时了,还不如直接点,想买什么他自己去买就是。"到了吴教授家楼下,我说:"你提着烟啊酒的,我就不上去了,怕吴教授不高兴。"

从吴教授家出来,蒙天舒说:"心里有点不安。"我说:"好话也说了,东西也送了,从麓城跑到北京,诚意也有了,够了。"他说:"说实话我申报了个优秀博士论文,评审委员的名单我也搞到手了,是童老板帮我搞到的呢。还不是想求各位大师支持一下？每个人送了两千材料审阅费,实在是太少了,很不安心。"我说:"评审费不是部里给吗？"他说:"那才多少？"我说:"你一个月工资有两千没有？没有。送了两千还不安？人家大教授没那么神呢。"他说:"那我还是不安,他们是名家,看事情的眼光跟我们不一样。既然跑了就要跑到位,这半吊子的,就可能白白地劳民伤财了。我想在你这里扯几千块钱,把下面的工作做得更到位点,心里踏实点。"又说:"回去就寄给你,我知道这是你的生活费,回去第一件事就是去银行取钱,去邮局寄钱。学校在搞集资建房,我钱都借好了,看来是集不成了,只好等下一批。"

蒙天舒去了华北师大,把剩下的东西留在我这里。晚上十点多他回来了,进门就说:"求人真的不是人做的事啊！"我说:"那难道是什么动物做的事？折一折腰是暂时的,头上有了光环是永久的,只要出了门头上有光环就可以了。"他说:"那不然谁去求人？刚才我在严教授家附近等着，等到天黑刚想进去，发现前面那个人也提了东西按门铃，就退到暗处等，又等了半天。竞争激烈啊，所以要在你这里扯点钱。"我说："提烟酒的袋子里有红包，你告诉人家没有？人家明天烟酒送人了，还不知里面有东西。"他说："没谁有那么傻。不过为了以防万一，我还是对他夫人说了有评审材料在那袋子里。进门把东西往那儿一放，像没那回事，把烟酒说出口就太俗！"我说："他搞混了以为是别人送的怎么办？"他说："所以要把东西和材料放到一个袋子里。"

第二天清早蒙天舒起来，赶飞机去成都。我说："你资金那么紧张，就坐火车。"他说："怕来不及，材料都到了人家手上，你赶过去人家评语写了票投了，那就崩溃了。"我说："佩服你大气呢。"他说："其实我对自己很小气，你看我抽烟抽过精装的没有？希望有朝一日自己能抽得起好一点的烟。"

过了三个月我听到消息，蒙天舒的优博评上了。麓城师大文科的优博前一次还是五年前，文学院一个博士评上的。优博论文作者教育部给了二十五万研究资助，学校配套二十五万，破格评他为副教授，还补给他一个按教授标准集资建房的名额，这个名额也值几十万。听到这个消息我一夜没有睡着，实在是太震撼了。第二天我请郁明到吴教授那里把蒙天舒的论文借来看了，第二章就是我的硕士论文改造而成的，意思是我的意思，文字都重写了。到今天如果我自己的论文出现同样内容，那就成了抄袭。我几天都平静不下来，恨自己恨得咬牙切齿，"王八蛋"在口里心里不知骂了几千声，唠唠叨叨骂得有些厌倦，最后也搞不清自己是在骂谁了。

又过了两个月，放暑假回家搞装修。消息传来，蒙天舒结婚了，闪婚。女孩是外国语学院的一朵系花。他长得矮点，又瘦精精的，眼光却超高，女朋友总谈不成。有人说，他当班导师，去学生宿舍，坐在哪个女生的床上都是很有讲究的，要漂亮女生的床他才坐。恐怕这也是他有特别强的前进动力的原因吧。学校特批那女孩留校，成绩排名靠后却补了个保研名额，成为了在职研究生，拿工资的。有年轻教师议论纷纷，童校长发话说："还有谁能为学校争到这个荣誉，学校同等待遇。"

12

上学期博士论文开题之前，冯教授就提醒我，开题报告出来了要提前给吴教授看看。冯教授说："他是学科的带头人呢。"我觉得冯教授的学问更好，怎么就让别人做了带头人？这个疑问瓮在心里想想，像一锅怎么也焖不熟的米饭，却不敢说出来，怕砸了老师的面子。

我因此多了一分谨慎，将报告反复打磨。硕士论文的内容被蒙天舒掐去了，我怎么写都得左躲右闪，气韵很难贯通。好不容易在开题前一天把报告理顺，可来不及给吴教授看了。迟疑着我想，连夜送去，有催逼的意思，反而不好。其实内心还有一个对自己也掩盖着的想法，我连自己的导师都没来得及送，为什么偏偏要送他呢？有点不服气的意思。

第二天上午我提前来到教研室，冯教授已经在那里了。我把开题报告给他，他说："给吴教授没有？"我解释说："这几天又打磨了一下，昨晚上才搞好的。"他说："那你等会讲详细点。"到九点另外三个教授来了，我递一份报告就解释一遍。他们坐下来看报告，都没说什么。九点过去了十多分钟吴教授还没来，我慌了，看看冯教授。他说："跟你交代了报告要提前送给各位老师审查的。"我说："那我打个电话？"掏出手机又不敢打，望着冯教授，希望他打。

一个来听开题的同学说："刚才看见吴教授到办公室去了。"我赶紧上楼去请。敲了门吴教授在，我心里一下松弛了，松弛之后马上又更加紧张，因为他坐在那并不抬头看我，看着桌上的报纸。我站在那里低了头说："吴教授，我今天开题，您还记得吗？"他说："我当然记得，学生的事我从来没忘记过。报告现在还没拿到，这题怎么开？我还以为推迟了呢。"我说："前几天冯老师提了修改意见，我昨晚上搞到很晚才搞好，想连夜送过来，又怕影响您的休息，主要是怕影响。"他哼哼几声，还是坐在那里不动。我说："其他四位教授都等在那里了。"他说："他们也是刚拿到报告？那他们水平高些。"我站在那里不知所措，冯教授进来了说："老吴，小聂的报告我也是刚刚拿到，你看是今天把它开了呢，还是改天？"吴教授笑了说："听你安排！"冯教授对我说："交代了你要早点把报告送给吴教授的！"又对吴教授说："那我们还是把这事做了？"

讲述报告之前我做了检讨。介绍绪论部分的时候心里还有想着这件事，声音有点结巴，可马上就顺畅了，因为内容熟得不能再熟。讲了一个小时讲完了，冯教授微微点头，我就放了心。他要吴教授先提意见，是等他定调的意思。吴教授说："你们先谈，你们先谈。"是权威的口吻。另几位教授提了意见，问题不大。冯教授说："吴教授是不是总结一下？"吴教授说："几万字的报告我还没来得及看，没有发言权，我是不是就不说了吧。"我急了说："都怪我想完善一点，耽误了。"吴教授说："小聂想追求完美，我们不怪他，要是能够提前几天就更完美了。我还是不说了吧，几位教授都说得很好了。"

我拿着笔做出做记录的样子说："吴教授千万还是指正一下吧，您的意见是最权威的。"刚说完又发现这话大错特错，马上又说："各位教授的意见对我来说都是最权威的。"吴教授偏了头望着冯教授说："我不说几句小聂不同意，那我就说几句？"冯教授说："小聂你把吴教授的意见记好。"我马上做出记笔记的姿态。吴教授说："好的方面大家都说了，我谈点修改意见。"就说了两条，是针对我的选题来的，意思是刻意求新，立论不稳。这基本上就是连根拔了，我额头上的汗一下就炸了出来，求救似的看着冯教授。他并不望我说："小聂把吴教授的意见好好体会一下。"吴教授说："个人意见，供参考啊！"就离去了。陆教授说："小聂也不要紧张，稍微调整一下，跟吴教授好好沟通，一定要好好沟通。"

剩下我和冯教授，我说："怎么办呢？明年就要答辩了，我不想推迟一年毕业，家里人都等得急了。"冯教授脸色很难看，我说："老师，对不起。"他说："没想到啊！"告诉我说，去年吴教授一个女博士开题，实在太不像话，自己就忍不住说了几句尖锐的话，吴教授当时就很不高兴。前几天那女孩答辩，论文还是不行，太不行，考虑到与吴教授的关系，胡乱提了两条小意见，放她毕业了。他说："现在还有没有标准？那肯定有的，学术没标准那还叫学术？可现在还有一个更重要的标准，那就是关系，它可以把什么都翻过来。"他双手的手心朝上，在空中画了一个弧，翻了过去。我说："那怎么办呢？我还是不想推迟毕业。"他说："四年毕业那也是正常的，除非他论文特别顺利。"又说："不是说了还有个更重要的标准吗？"我没想到冯教授也会这么说，就应了一声。

一个暑假我都没有去碰论文。想明年毕业，论文的事已经迫在眉睫，我还是没动。我对自己说，在装修呢，没闲着呢。这样说了让自己安心，其实还是知道这件事是怎么也绕不过去的。赵平平知道了我的苦恼说："你就换一个选题吧！"我说："这个选题我都折腾有两年了，换个选题，那这个博士读了两年还要读三年。"她说："那你也不能等死啊。"我说："要是冯老师是学术带头人就好了。"她说："我不想要你再等几年，我等你都等了两年了。有一首歌说，莫让红颜守空枕，我守空枕也守这么些年了，真的要我闻床上臭臭的臭气过日子啊！"

暑假后回到学校，我把开题报告反复看了几遍，觉得逻辑线索还是很严谨的，材料也是详尽的，怎么就立论不稳？我把自己的想法跟冯教授谈了，他说："那咱们保持原来的框架不动。"又说："还是要好好沟通，主要是要沟通。"

好好沟通，这个道理我懂。在这个人情社会，原则摆在桌面，那是有弹性的，弹性很大。决定事情发展方向的力量却不在桌面，在桌子下面。蒙天舒一篇优博论文都沟通出来了，改变了整个命运，我却连论文过关都沟通不好，我真的没有用啊。曹雪芹他清高、骄傲，他不沟通，他以生命做赌注去承受后果。他是他啊。他可以不考科举，我却得拿博士文凭，这是我一生的寄托，也是命根子，不寄托在这里这一生就无处寄托了。唉，他是圣人，圣人是供人高山仰止的，学，那不是我们芸芸众生能学的。

芸芸众生。这个结论我有点难接受。我总想着自己也算个知识分子，知识分子就该有着超出自我生存利益的原则和追求。先天下之忧而忧，这太大了，太渺远了。守住自己一点清高行不行？唉，还是不行。我都不知道自己在什么意义上算个知识分子了。

回到学校我对郁明说："你们老板对我论文的开题不满意，我一个暑假头上都压了三座大山！你说我一个小博士头上压几座大山还能活吗？可能是你那些师姐一个个水平都特别高，我们这一流货他看不上眼。"他说："我那些师姐……因为是师姐，我不能说她们水平特别低。我老板是性情中人，可以说他好得要命，也可以说他不好得要命，那要看谁说，我跟你说法肯定不一样。"

好得要命，那是怎么个"要命"法我想不出；不好得要命，这个"要命"是怎么个要法，我可有血肉的痛感。我故意吃惊说："难道你说他不好得要命？那我跟你的说法肯定不一样，要我说，我说那是好得要命。"他笑了说："那是的。嘿嘿。"我说："你们老板你最知道，我怎么跟他沟通一下？你看我带了一点家乡的土特产，我也不好意思往那边送。什么时候你去你老板家，我搭个便车去一下，专程去就太那个什么了。"他往墙角瞄一眼说："你那土特产就算了，又是腊鱼？人家不一定喜欢，送给他没地方放。"我挠头说："那送点什么？一个博士被这个世界上最简单的问题难住了。你们老板喜欢什么？"他说："他喜欢什么？他喜欢的东西你也没有。他这几年迷上字画了，你有吗？"我想：怪不得他招收了你。我说："我读研的导师字写得很好的，有几幅都裱装起来挂到我们学院的楼道里了。我导师是杨应丰，原来是院长的，他叫杨应丰。行的话我讨两幅来。"他头仰上去望着天花板说："杨应丰，这名字貌似有点熟。没怎么显露过山水的吧？字画第一就是要看是谁下的笔，这个人是最重要的。齐白石的虾像条鱼，那你也只能论证它为什么像条鱼就是绝好。杨应丰？那就算了，不然别人还认为你小瞧了他。"我说："那怎么办呢？空一双手去，怪不好意思的。"他说："我们老板是性情中人，谁要你的东西？其实你想跟我们老板沟通也容易，他心里有个疙瘩还没解开，你们冯老板的儿子成绩明明比他女儿低一两个档次的，怎么去年就考进了同一所大学？难道真有神助？"

我心里跳了一下，都过去一年了，难道吴教授心里还挂着这件事？为什么还挂着？这里面水有多深？我猜不透。我说："那恐怕是……我真的不知道。"他说："外面有一种传说。"我镇定了说："传说？什么传说？我没听到。"他连忙摇头说："那我也没听到。"

教师节郁明和他的师妹要去看吴教授，我恳求他把我捎上，他同意了。我说："还是把那点土特产带上吧，是银鱼呢，做汤是最好的。"他说："算了。"我说："是个意思。"他说："我觉得这意思没什么意思，你觉得这意思很有意思，那你就带上。"我被他说得没了一点信心，说："那你们送点什么有意思的东西？"他说："师妹说送花就可以了。"我说："那我跟她们说多买一盆。"

到吴教授家门口，郁明那个叫小方的师妹叫我抱一盆花，我感谢地瞧她一眼，这女孩聪慧。进了门吴教授说："小聂也来了？"我像一个小偷被当众抓住，轻轻地"嗯"了一声，心里想大大方方讲几句话，今天不是教师节吗？可就是讲不出口。大家观赏挂在墙上的字画，赞叹一番，我也跟着赞叹，总之是不自然。一个人有了心思，那就难得自然。小方说："老板你有这些字画就是百万富翁了。"吴教授说："那你小看我了。"指着一幅不起眼的画说："这一幅都不止那个数。"是关山月的《良宵》。吴教授又把自己的诗作拿来给大家看，说："过几天就中秋节了，我吟了一首咏月的绝句，大家批评一下。"我们几个人凑在一起看那首诗：

中天一轮环宇澄，人间万户仰星空。

又是中秋菊灿烂，俯仰千古临西风。

我还没看完，郁明说："好！有古人的境界，功力深厚。"小方说："没想到吴教授的文学细胞也这么多。"我想找搜出几句话来说，什么苏东坡把中秋的月亮写绝了，后人再也开不出新境界，被吴教授开出来了；李白把古代的月亮写绝了，吴教授把现代的月亮写绝了，等等。这些话在头脑中翻跟头，就是说不出口，只是跟着大家说："好，真好，真的好，真的是好。"大家不说诗了我又觉得丧失了机会，想弥补也来不及了。好，好，好有个屁用！难道还有人说过不好吗？好，好，还不如不说。告辞的时候我觉得好不容易有机会来一趟，没达到效果，想挽回局面也来不及了。

沟通的任务没有完成，心里像坠着一块铅。论文停在那里，下期答辩就来不及了；往下写吧，也不知该怎么调整。万一吴教授硬卡着怎么办？那几天我在学院的楼道里来回穿梭，眼睛瞄着吴教授的办公室，又装着看墙上的那些照片，心想自己怎么这么猥琐，老在这里溜墙边，跟个小偷似的。想起小时候爷爷对我说，看见那些溜墙边的人，就要小心，那不是什么好人。这天总算看见吴教授进了办公室，就敲门进去。吴教授说："小聂哦，找我？"我把开题报告递过去说："修改了一下，想请吴教授做个指示。"他说："这个我就不看了。我早个十来年有几篇文章，跟你的论题可能有点关系，你可以参考一下。"我说："我怎么没检索到，吴教授您的文章！您的文章！"他说："那时候的文章可能没进检索系统。"我站在桌边，左手捧着笔记本，右手把笔凑上去，要把发表的刊物记下来。吴教授说："坐着记，坐着记。"我坐下来，屁股只有三分之一在椅子上。都记下来了我说："一看这些题目我就觉得很有分量，"把手中的那张纸掂了掂，"很有分量！一定要写进文献综述里去。"他说："小伙子，放心啊，调整一下就可以了，放心。"

出了门我很轻松，没想到这么容易就沟通好了。看来一个人要改变命运也不是那么难，问题是要有行动。忽又想起曹雪芹，他机会那么多，怎么就不去豪门那里穿梭沟通一下？他是生活在别处的人，可是我在场，我就生活在此处，在当下，鼻子前面那点东西我不能不要。

读了吴教授的文章我有点泄气，跟我的观点不一样。我问冯教授怎么办？他说："你就折中一下吧，论文答辩吴教授是绕不过去的。"我只好调整思路，把自己的锋芒收敛了，往中间靠。因为不是自己真正的想法，写起来有点别扭。冯教授说："先这么写着，毕业了拿去发表你再改回来。"我很苦恼，但也只能如此。这是小人物的命运，也激发着小人物成为大人物的蓬勃野心。

第二年四月我顺利通过了答辩，但争取推荐到市里评优博的目标没有实现，更谈不上全国优博。蒙天舒的水平就比我高那么多？我把他的论文反复读了，虽然也算扎实，可实在也读不出那种出类拔萃的境界。这让我感到沟通是多么重要。一个学者，除非他真正才华横溢，谁也压不住，不然不沟通就很难出头。沟通，现在叫作公关，从前叫拜码头。公关就是攻关，攻下那道关，这就是目标，目标就是一切，公平正义和人格清高都没办法讲。你不攻就过不了那道关，于是，别人发表了你发表不了，别人能毕业你毕不了业，别人评优了你评不上，别人搞到项目你搞不到，别人提上教授你提不上，别人有了钱有了好生活有了尊严你没有。总之，别人有的一切你都没有。

13

读博的最后一年我过得很不开心，我被一把巨大的钳子给钳住了。这钳子的一边是写作中的论文，总是要考虑别人的想法和感受，不能痛快地自由表达；另一边就是毕业以后何去何从的焦虑，找工作的过程总是别别扭扭磕磕绊绊。这把钳子把我的心灵给夹住了，哪一边压力大一点，我都会痛得嗷嗷地叫。这嗷嗷的声音是别人听不见的，唯有我自己能听到，很清晰，是心底发出来的声音，疼痛啊，渺小啊。疼痛是渺小的疼痛，渺小是疼痛的渺小。这就是聂致远。有时我就一个人坐在那里，在长久的静默中倾听。

以我自己的心愿，我想回麓城师大。可有蒙天舒在那里，我心里就堵得慌。要我多么看得起他，那不可能，别人不了解他我还不了解？可这只是我的心情，事实是他已经跑到前面很远去了，我只能远远望着他的背影。这是事实。在这个事实面前，我的心情毫无意义，对谁都不能说，包括赵平平，说了就是自取其辱。去年暑假我在路上碰见了蒙天舒，既然碰见了，就向他表示祝贺说："你得了优博，北京那边都知道了！"这祝贺有点无奈，也有点虚伪。他说："真的？"我说："北京真的知道了。"说起来我也没有撒谎，我一个师弟提到过这事，是感叹跑关系在这个时代是多么重要。师弟在北京，他也就成了北京。蒙天舒说："是的呢，好多人跟我说过。"我说："不容易！"他喜滋滋地说："搞到了就搞到了，这个世界就是这样，搞到了那就是搞到了。"他的话让我心中隐痛，没搞到那就是没搞到。我说："你还搞到了一个新娘子呢！"他说："新娘子谁都有，你也有啊！还不是个女人？身上长得大概都是一样的。"我说："都一样你怎么不找个村姑？"他喜滋滋地说："大概还是有点不一样。"又小声说："外国语学院的院花呢！"我诡笑着说："那你天天采蜜采花粉。"他仰头哈哈大笑："有朝一日而已，没有天天，没有天天！没你那么好的身体！"又说："搞到了就是搞到了，这个世界就是这样，搞到了就是搞到了！"

搞到了就是搞到了。这话让我想了很多天。这是这个世界的生存哲学，全部的要义就是实现目标，要"搞到"，手段是无需计较的。不会有人去追究他为什么得到，而我又为什么没有得到。人们看到的只是结果，并以结果来衡量他的能力、他的地位、他应该得到的回报。当有人得到的回报大得超乎想象，而他就在你的身边，你还有什么理由、什么力量、什么韧性去坚守你的信仰、你的清高、你的内心骄傲？清高，这本来是一道心灵防御底线，就那样被轻易突破了，因为你不可能对身边的人的"搞到"无动于衷。商人想搞到钱，不想搞到就不是商人了；从政者想搞到位子，不想搞到就不是从政者了。这是生活现实。知识分子想搞到学问和社会责任，不想搞到就不是知识分子……可这不是生活现实。学问更多地成为了路径，而不是目标本身。也许，应该理解他们，就像理解我自己。可是，理解之后，人们看到的是那种悄然无声的心灵衰微景象。这让我想起刚进大学那年，在一个晴朗而凉爽深秋的下午，我拿着那本《宋明理学史》到麓山去读，不知不觉爬到了山顶。我随意地翻开书，正好瞄见了张载的千古名言："为天地立心，为生民立命，为往圣继绝学，为万世开太平。"那一瞬间我激动不已，比中学时读到范仲淹心忧天下的名句还要激动。这是我的使命、我的道路、我的信仰、我的毕生追求。那时太阳正在落山，麓江上泛着金色的波光，在麓江对岸，麓城的高楼一望无垠，色彩缤纷，笼罩在落日的余辉之中。看着夕阳徐徐降落，我感到有一轮红日在心中缓缓升起。

这些记忆已经渺远，偶然想起，有一种想哭的感觉。可接下来马上又要面对现实的问题：房子装修了，家电还没有钱买；赵平平今年一定要安排生孩子了；眼下最现实的，是我必须尽快找到合适的工作。这些问题让我很快就没有了想哭的感觉，而以十倍精神百倍毅力，与这个世界周旋。

还是在上个学期，冯教授带我去青岛开学术会议，会上遇见了省社科院历史研究所的符所长，他是冯教授的大学同学。冯教授带我去见他，说："老同学，给你带个老乡来了！"那次符所长主动提出，要我毕业以后去他那工作，说："我们所里还没有一个博士呢！来帮我们撑撑门面！"我当时想去的地方是麓城大学，就没有往深里说，含含糊糊应了一声。

寒假前写了自荐书给麓城大学，这是最理想的选择。寒假过去了没有音信，到四月份还没有音信，我感到了恐慌，打电话去问，回答是今年没有名额了。他们历史学院的网站讲明了今年招聘两个人，怎么也不让我试讲一次竞争一下就没名额了？我通过朋友了解到，历史学院是要进两个人，其实已经内定。一个是职工子弟，条件也够，要优先；另一个是副校长打招呼的，还是个硕士，先进来占个坑，准备读在职博士，然后留校。我说："怎么就不能给个机会让我竞争一下？我读博在核心刊物发了七篇文章呢！"朋友说："中国的事，你也知道的，不想要一个人，一万条理由都有。已经是这个局面了，你赶快去占别的坑，不然来不及了！"我想，自己是个博士还占不到一个坑，不知那些没背景的人往哪里走。生活对他们来说，处处都是玻璃的墙，墙那边的东西你看得见，看得清，近在咫尺，似乎一步就可以迈过去，可你就是过不去；似乎只差那么一点点，可永远都差那么一点点。

麓城师大因为蒙天舒我不想去，我看不得他那种似掩非掩的得意之态，用我们家乡的土话说，那是菩萨没雕出来，鸡巴雕（吊）出来了。这样我想起了符所长，把电话打过去说："符所长，我是致远呢！"他迟疑说："哪个致远？"我心里一惊，是自己太自作多情了，就见那么一面，又是小人物，谁记得你？我说："我是冯老板冯教授冯羽的弟子聂致远，去年在青岛拜访过您的那个聂致远。"他连声说："哦，小聂小聂小聂，有事吗？"我说："就是那个事，求你帮忙来了！"他说："那个事？哪个事？"我心里又一惊，又是自作多情，太把别人的话当回事了。我说："想到您手下来工作。"他说："欢迎，欢迎！我个人绝对是百分之百欢迎的。"要我寄份简历过去。收了线我有点心神不定，他个人欢迎，那就是说，还有别人不欢迎。

我寄了自荐书过去，等了一个月没有消息。犹豫了几天，想着是不是该跟符所长打个电话。他不是说要个博士撑门面吗，怎么就不理我呢？又等了几天，心虚起来，实在不能再等，再等毕业就无处可去了。硬着头皮把电话打过去，符所长说："正准备给你发信息呢。"我说："我想请符所长收留我。"我放低了姿态这样说，心想，你们所里一个博士没有，我去了还不是给你们长脸提气吗？符所长说："我个人是百分之百绝对欢迎你的，可是我们这边的情况有点复杂。"我连忙说："我这个人胸无大志，别的想法没有，有时间看点书写几篇文章就行了，你看我读博期间都在核心刊物发有七篇文章了。"他说："小聂，你可能有点误会了我，我个人百分之百绝对是欢迎的。你看我五十好几了，就希望所里来几个胸怀大志的人。可是你知道我们这里是老爷单位，这么多年养了一批真正胸无大志的老爷，他们都希望把现在这种和谐的局面维持下去。"我说："怎么会这样？早知道我就只填两三篇到求职申请上就好了。"他说："我也没想到，这些人怎么会这么狭隘？想到了我应该提醒你的。"打完电话我感到了羞耻，自己是抱着公主下嫁的心态去联系的，以为真的是撑门面的人物，没想到那张门倒是关闭的，头上碰出一个大疙瘩才醒悟了：哦，这也是一张玻璃门，而且是钢化玻璃。

形势危急。麓城就这么几所大学，最好的是南方大学，又是一所理工科为主的学校，没有历史专业。还有几所小学校，也没有历史学院，去了只能上边缘化的公共课。剩下的唯一选择，就是麓城师大了。蒙天舒在那里，跟我是同班同学，现如今他跑出那么远了，这叫我情何以堪？这怎么玩？不好玩。可事到如今，生存需要已是压倒性的危机，还有什么资格讲情调？从前跟同学谈及将来的职业规划，同学说："混碗饭吃。"我也跟着说："混碗饭吃。"其实心里并不是这样想的。虽然没有为往圣继绝学的大志，还是想认真把学问做一做。冯教授说："只有学问是永恒的，其他都是浮云。"传说他吃过年夜饭，一家人拥在电视机前看春节联欢晚会，他看了一会说："太肤浅了。"就回书房写论文去了。想着这也应该是自己对学问的态度，看来还是有点太诗意了。

我把自荐书特快专递给了杨教授，请他推荐一下。再怎么说，他也是当过院长的，又曾是自己的导师。过了几天杨教授打电话来说："小聂啊，你的材料昨天收到就交给院里了。"我说："请杨院长推荐一下，别的地方我都没有联系了。"他说："我这几年都没有管事了。"又说："推荐那肯定是要推荐的，你这几年成果不错！"我说："想来想去还是想为自己的母校服务，那感情是不一样的！"他说："那你把自己的想法跟院里沟通一下。"我说："院里是谁管这件事？"他说："是院长助理具体操办。"又突然想起说："他不是你的同学吗？蒙天舒啊。同学，好办！"

同学，好办。对我来说就是不好办。可是我已经没有任何资格清高，说自己不想混碗饭吃，那是假的；说心灵的自由高于一切，那也是假的。吃饭的地方都没有，还谈什么心灵自由？太奢侈了。我不让自己犹豫，就给蒙天舒打电话说："听说你进院里的领导班子啦？"他嘿嘿笑说："听谁讲的？"我说："北京这边都知道。"他说："暂时还是个助理。"我说："我有一份材料托杨教授转给你了，你要用力帮我推一下。"他说："看见了，看见了，不错。这几年在北京还是有收获啊！"我等他说下文，不错又怎么样呢？他不说，似乎在等我说。

沉默了一小会，我咳嗽一声，想证实他是不是还在听。他也咳嗽一声。我只好说："这件事要请你用力推动一下。"他说："你怎么不早来联系？我以为你明年毕业呢。今年北大、复旦、武大都有人来联系了，试讲好几个人，人事处也同意了，都要签了。"听他这一说，我自卑起来，说："都是名校啊。"他说："如今跟前几年形势大不相同，博士打堆了。"我说："那怎么还轮得到我？"他说："要你们学校把你的论文报北京市的优博，再要北京市报全国优博，有全国优博那就是直通车,试教都免了。"我脱口说："我的导师又没当校长。"马上觉得犯了错误，改口说："有几个人能写你那么扎实的论文？"他说："扎实是一方面，主要还要创新。"我说："创新，创新！我们一般人哪有那么强的创新能力？我现在也没有联系别的地方，一心一意就想着自己的母校，你还是帮我争取一下吧，拜谢了，拜谢了！"每说一次，膝关节就不由自主地弯曲一下。又想起他说的"创新"，刚才怎么没抓住发挥一下？于是说："优博我就不敢想了，有几个人有你那样强的创新能力？"我左手捂着嘴叹息了一声，松开来挣扎着说："有几个人？"他说："我那是一下子来了灵感。"我说："灵感，灵感！"正想着是不是抓住这两个字发挥一下，他说："今年进人的事，院务会已经讨论过了，要

073

不下次开会我帮你特别提一下？谁叫我们是老同学？别人我就不多这个事了。"我抓住救命稻草似的说："老同学，老同学，老同学！那我就把希望放在老同学身上了！"他说："这件事已经过去了，我再拿出来，龚院长会说我多事呢。那我还是要提，如果是别人我就不多这个事了。"我在这边拼命点头说："有老同学在，那绝对是不一样的。拜谢了，拜谢了！"

收了线我还惯性地点了几下头，又握着手机作揖几次，突然头在低下去的时候停住了，在门后的镜子中看见了自己。我慢慢抬起头来，自己的姿势怎么这么难看？我挪步到镜子跟前，又拼命地把头点了几下，膝关节也有节奏地弯曲，口里说："老同学，老同学，拜谢了，拜谢了！"每次抬头我就瞟着镜中的自己，撇着嘴投去一丝鄙夷的微笑，口里说："创新，创新！灵感，灵感！"最后撮着嘴对镜中的自己做出吐唾沫的姿态，又挺直了身子，双腿夹紧，双手伸得笔直垂下去贴紧大腿，对着镜子里的自己一次次鞠躬，每次弯下腰，口里就嚷道："嗨，太君，嗨，太君！"

以后隔几天我就给蒙天舒打一次电话，把"老同学""拜谢"几句话翻来覆去地讲，讲多了觉得自己的语言怎么这么苍白，一点想象力都没有。有一次出乎自己意料地说出了"感恩"，心里惊了一下，马上就适应了，成了一个常用的词。有时觉得只要思想解放，想象的空间还可以很大，比如说"恩人"，又比如说"提携"，都说不出口。半个月后终于有了结果，他说："你这个周四过来试讲吧。我极力推荐，龚院长总算给了我一个面子，同意你过来。"我说："这么严峻的形势，没老同学顶在那里，这机会那是不可能得到的。拜谢了，感恩了！"本来忍着不点头的，还是下意识地点了几下。顾不得下周就要答辩，赶快去买火车票。

那天有三个人试讲。我想，难道他们的机会也是作揖作来的？我还以为只有我一个人呢，吃了小灶呢。我问中山大学那个人怎么来的，他说："寄了自荐书，接到电话通知，我就来了。"我说："形势也没那么严峻呀。"他说："没觉得呀。说实话我在广州那边联系得差不多了，是回家顺便来试一下，备个底的。"这让我觉得这段时间白紧张了，一堆好话也白讲了，蒙天舒他不是折腾我吗？人情有这样做的吗？

试讲的时候来了五六个教授，杨教授也在，这让我很安心。蒙天舒也坐在那里，我心里有点别扭，当年我还没看起他呢，现在他倒来决定我的命运了。讲完了几个人到楼下办公室去等教授们评议的结果，我难受着，还是给蒙天舒发了信息："美言，拜谢，老同学。"一会蒙天舒来了，代表院里跟我们谈话，讲了人才引进的政策和待遇。我填了表交给蒙天舒，说了一堆感激拜托的话，回北京去了。一个月后，我接到了麓城师大的录用通知。去人事处报到，我问人事科长说："今年历史学院是不是还进了几个北大复旦的博士？"他说："没听说啊。"我说："哦，那是我听错了。"

14

掐指算来，我认识赵平平已经七年，结婚也有三年了。她大学毕业后一直在白沙小学当思想品德课的老师，还兼着班主任，算起来已经六年。

这六年来她最大的心愿，就是能成为一个有编制的教师。有编没编，就像第一世界和第三世界的区别，叫人不想不急不煎熬，那不可能。说工资吧，有编的三千多，没编的一千多。中秋节有编的发四千，没编的两百。春节学校发给赵平平们几百块钱，有编的老师多少，他们自己从来不说。这是白沙小学保持了多年的超级机密。更重要的还不是钱，是安全感。没有编制，那只是个合同教师，随时可能出局，就像有一把剑悬在头上，闪着毫光的一把剑，转啊转啊转啊转，不告诉你什么时候会掉下来。最重要的还不是安全感，是自尊。没编制的老师总是惴惴的，整天东张西望怕得罪了谁，像只老鼠。别人不愿做的事情，那一定就是你的，没有讨论的余地。办公室主任说："赵老师，国庆给你安排了三天值班，辛苦了啊！"那这辛苦愿不愿都得辛苦。有编的老师说，我有什么什么事，就不会安排了。渐渐地这种格局就成了惯例。

为了编制的事，赵平平争取了六年，也哭了六年。她一生最高的理想，就是当一名有编的小学老师。这理想非常卑微，对她来说却很神圣。别的理想对她来说都不现实。生活的道路说起来很宽阔，实际上很狭窄，通向理想的道路一步都迈不出去，前面有玻璃墙。于是眼前这个朦朦胧胧有点光亮的方向，就成了她生活中唯一的前进方向。

一个卑微理想实现的难度到底有多大，这是我根本想象不到的。我原来想着，白沙小学从师范毕业的中专生大专生那么多，平平一个本科生，还来自重点大学，最多一两年就会转正吧。所以几年来我心里总挂着这件事，但并不急，晚一两年就晚一两年吧，迟早的事。毕竟这只是一个小学老师的位置，而不是科长处长。可现实告诉了我，自己的想象力实在是太贫乏了，就像一只麻雀，不会知道苍鹰飞翔的高度。

麓城教育局每年都组织一次招聘考试，在职的老师可以考，刚毕业的大学生也可以考。赵平平到学校的第二年就参加考试了，那是第一次，笔试没过。她考了回来哭了一场，说："题目怪怪的，宇宙和太阳系的知识都考到了，我怎么知道？"就去找了有关的书来看，看了又感叹说："想一想人一辈子也没有什么意思，地球诞生都有几十亿年了。如果地球诞生到现在的时间是人的一辈子，我长寿活一百年，还没有活够它生命的最后一秒。更可怕的是我们看到的星星可能离我们几十亿光年，它的光几十亿年前就发射出来了，那时候地球还是个婴儿呢，我们看到的那个星星今天可能已经不存在了。想一想自己的一辈子就那么一点，一瞬，心里就坦然了，淡定了，无所谓了，有什么可哭的？傻。"我说："境界提高了，也好，也好。"竖起大拇指表扬她："有了这种胸怀，天下的事都是老鼠屁一个。"

那几个月她真的是胸怀宽广，一副笑看云卷云舒的派头。可这派头很快就再也派头不下去，心里还是想着那个编制。她说："我这个人怎么这么傻？明明知道地球就是一粒芝麻，怎么还想着那件事？为什么不让自己活得轻松一点？我爸爸妈妈也有那么傻，我回去他们除了问这件事，就不知道问第二件事了。"过了一段时间她又说："这一次我真的想通了，那么潇洒是不对的。我外婆的外婆的外婆，一直算到猴子那里，几十万年几万代，从猴子传到我，一个环节断掉就没有我了，多么艰难又多么珍贵，我为什么不把自己看得珍贵一点精彩一点？我不珍贵自己就没人珍贵我了。怎么珍贵自己，精彩自己呢？那还是要去搞那个编制。"

接下来她就跟我断了。我知道这也是她珍贵自己的一种选择，毕竟女孩嫁人就是选择一种她想要的生活。她从我这里得不到，就要从别人那里得到。后来复合了她告诉我，第二年她又去考了，笔试也过了，可面试还是被淘汰。一个争取了五年都失败了的同事对她说："你在市教育局有铁关系没有？区里的也可以。没有就不要白费心思了，那都是一个萝卜一个坑的事，你不是那个萝卜就别想把自己栽到那个坑里去。"这话让她绝望，也让我绝望。她说："怪只怪我没有一个好爹。"我说："谁有最好的爹，她肯定看不上这个位子，她有怎样的爹基本上就决定了她会栽到怎样的萝卜坑里，除非她是学霸。"她说："自己的爹不怎么样，能找到别人怎么样的爹，把事情办成，那也是好爹啊！难怪那么多女人有干爹。"我说："你以为干爹干女儿，都只是个名？有实质内容的！"又说："像我们这种没好爹的人，只有靠自己拼。"她说："我还要怎么拼才是拼，今年我带的班都评上优秀班级了，天上掉下来的？你什么时候看见我喘过一口气？我靠自己是没有希望了，我靠你了，你不是考上博士了吗？你毕业你把我调到你们单位去，当个资料员也可以，我就守着那几本书守一辈子。这个坑值得那么多萝卜来抢吗？总不像现在每天抱着那一摞作业，一个标点错了都要看出来，头皮都是麻的，这一麻头发都多掉几根，我的头发啊！我的头发啊！"她把头低了，双手分开头发给我看："我以前是多么浓密啊！我的头发啊，你们跟着我是跟错人了啊，好悲惨的命运啊！"

我读博期间她又考了两次，两次笔试都过了，面试都被淘汰。这让她更加绝望，也更加相信同事关于萝卜坑的那些话。她说："我硬不是那根萝卜，就硬是栽不进那个坑去。"又哭了一场。我也觉得自己很无能，愧为人夫。这种惭愧的心情只能瓮在心里，不能说。去年那次考试，她打听到白沙小学六年级的年级组长是今年的面试评委，就打了电话请他吃饭。组长说："美女平时怎么不认得我呢？"就答应了。地点是组长定的，就在附近的蒙娜丽莎中西餐厅。赵平平心里很感激，组长答应来已是意外之喜，又没选择高档的地方，觉得他很理解人。吃饭时组长喝了几杯自己带来的红酒，说话也飘了起来，老把话题往私人感情方面扯。平平拉回到招考上面去，他又拉回来。

两个人木匠拉锯一样拉了几个来回，组长说："平平你真的有那么执着呢。"又说："那就讲你关心的事。你知道有多少人想请我吃饭吗？"平平说："那肯定很多，今年录取的比例是最低的，据说是九比一。"组长说："那是前几天的数据，今天报名截止，是十三比一，所以有那么多人想请我吃饭。那个饭我吃不得呢，现在谁要吃他那餐饭？"平平忙说："不是过苦日子的年月了。谢谢您今天来了，不管事情成不成，来了我就很感动了。"组长说："评委我都认识，我在里面发动一下，他们还是会给我一个面子的。何况他们手中也有名单，就不想到我这里讨一票？我在白沙区都二十年了，要做件事还是做得成的。"平平说："那我就放心了。您再吃点这刁子鱼，这是蒙娜丽莎的招牌菜。"组长说："什么菜我都不吃了，这些我都不想吃，现在谁还要吃那餐饭？"斜了眼瞟着平平。平平有点慌说："那就再点个……什么菜呢？"组长说："我想吃的不是菜。"平平说："那您……"组长说："你懂的。"平平拼命摇头说："我不懂我不懂，我不想懂，也不能懂。"组长说："一个女孩什么都不懂怎么进步呢？今年有我在里面，这样的机会那也是千年等一回哦。"平平说："那我再等等，再等等，"掀开包厢帘子，"服务员，买单！"

赵平平是在我去年放暑假回来时告诉我这件事的，她边说边哭，我一直没有做声，心里只有恨，只有恨。以前听说过很多潜规则的故事，离自己很远，没想到世界上竟有人想潜自己的老婆，也恨自己不能为她提供安全的保证。听完了我说："老子要去告他！王八蛋一个！"她说："我也没证据啊，没录音啊，录了音，他也没说想干什么啊。"我说："那他住哪里，老子晚上带根棍去黑他一下，不要说博士就是谦谦君子，"我把牙龇了出来："老子也是长了牙齿的。"说了这话自己马上感到很空洞，自己晚上带根棍子去黑别人，那可能吗？赵平平说："你黑他？抓到了吃牢饭的是你。"我说："你怎么不早点跟我说？"她说："说了有什么用？你跑回来你能干什么，找人打架？"我叹气一声说："那就只能吃哑巴亏了？"她说："他还说要给我看手相呢，什么情感线、寿命线，我会把手让他捏着？他以为我不懂这一套，当年你就是这样骗我的。"我说："妈的，是个老手。下次碰见这样的人，你用手机悄悄录下来。"她说："谁想得到？再说我手机太低档了，没录音功能。"我说："再怎么没有……没有……那个什么，明天也要给你买个高档能录音的。"又说："邪恶，邪恶，都邪恶到学校里来了，我还以为只有演艺界才这样呢。电视剧里面的事，都塞到自己眼前来了！他还是个老师，他真的敢啊！"

　　整个暑假我心里都充满了一种邪气，似乎要做出几件邪恶的事情来，才能平衡心中的压抑。买装修材料时我想，是不是趁老板不注意，把那些小配件抓几个放到口袋里。我知道自己不会真的这样做，但心里就是有着这种冲动。

　　我本来还抱着幻想，毕业找个单位还可安排一下家属。蒙天舒的妻子不就安排了吗？这几年毕业的博士越来越多，愿意安排家属的单位就越来越少。谁知自己找工作是如此艰难，有单位接受已是万幸，安排家属根本说不出口。赵平平开始还抱着希望，这希望像风中的油灯越来越飘忽，最后在油耗干的那一刻熄灭了。这让我对赵平平怀有歉意，她反过来安慰我说："怎么活不是活？那么多人天天顶着大太阳捞饭吃，那也得耐了性子捞啊。"我觉得自己运气实在太差了，怎么都踩不着生活的节奏，开始慢一拍，到头来就不知慢有多少拍了。要是硕士毕业就考上博士，能早两年毕业,形势就不同了。我说:"硬是没有那个命啊!"赵平平说:"看你看了这么些年,也看个七八开了。你心里翘得太高,不主动出击去找运气,难道还要运气来拜访你?运气就是个势利鬼,只会去拜访那些权贵人。"又说:"我以后也不想这件事了,谁的一辈子不是一辈子?"

她说不想,那是假的,她瓮在心里想。我想帮她解开这个结,可自己也是个无用的人,没能力解开。于是我们不谈编制问题,谈生孩子。这几年我们谈来谈去,谈得最多的就是位子、房子、票子、孩子,跟凡夫俗子实在也没有区别。应该说,虽然顶着知识分子的帽子,实在也就是凡夫俗子,引车卖浆者关心的,就是自己关心的。位子的事不去想了,想也白想,就一心一意来想孩子。我都三十岁了,平平二十八,双方家里催得火急。有一天平平说自己可能怀孕了,我有点不信,怀孕真有这么简单?去医院检查,都快两个月了。于是我们天天设想是男孩还是女孩,取什么名,谁来带,怎么培养。平平说:"生个男臭臭由他自己去闯,生个女臭臭我希望你去当个官发点财,让她宽松一点成长,不然很容易就被别人潜掉了。"我说:"那怎么可能?那不可能!我们好好教育她。"她说:"那些被潜掉的女孩都是家里没好好教育吗?"

孩子的事情越讨论越深入,也越来越眉眼生动。就在暑假快结束的时候,白沙区教育局传来消息,年底要增加一次招聘考试,名额比春季那次多些。赵平平把这消息打听实了,我说:"你是不是还打算辛苦几个月呢?"她说:"那他怎么办呢?那他?"我一愣说:"哪个他?"她说:"他,他,他!"她指着自己的肚子,"你的崽!"我说:"他,她……那你别考算了。"她说:"他怎么这么讨厌,来得真不是时候。那我就不考了。"

开学了从学校回来,赵平平说:"我太咽不下这口气了,教师节有编的发两千,区聘的八百,我们校聘的两百。我都怀疑自己还是不是个人啊,是个人怎么这么不被看起?我就在社会底层待一辈子吗?"我说:"怪只怪我无能,妈的真得搞个什么长当当才行。博士、嘿,博士,一坨狗屎。"她说:"今年机会真的难得,增加了区教育局聘的名额,不是国家编制,那总比现在校聘好，不能从底层翻到上层，能到中层也好，这底层实在没法待了，有这么欺负人的吗？还是学校呢,培养接班人的地方呢。"我说:"那你辛苦点再考一次，家里的事全归我做，作业我也帮你看，一个博士还批不好小学生作业？你的学生知道他的作业是个博士批改的，好自豪呢！"她说:"你刚才说博士是一坨狗屎，现在又说是个神仙，你到底是自卑还是自傲？"我笑了说:"要我不自傲，那是不可能的，要我不自卑，那也是不可能的。"又说:"你那么舍不得这个机会，就耐点烦再考一次。"她说:"耐烦我是耐得这个烦哦，笔试我都通过三次了，我还怕它？可是肚子里这个人怎么办呢？"我说:"生啊，这是头等大事。"她说:"生？那这半年我挺着个肚子在学校里怎么表现？不表现好点怎么有竞争力？到时候挺着个肚子去面试呀？那我是评委我都不会要我自己！"我说:"考不考我不敢做主，负不起那个责，生不生那我肯定是要生的，我家里都知道这件事了，你不生怎么交代?"

那几天赵平平神不守舍，低着头轻轻叹息几声，又抬了头望着墙角，毫无理由地笑几声，笑得我心里发虚。我说:"平平你有什么话就说啊，闷在心里那肯定是焖不熟这锅饭的。"她望着我，眼光很陌生的，让我感到了人与人之间有一种可怕的距离，连自己最亲的人你也不知道她在想什么，又将会做什么。赵平平说:"你不要我闷那我就不闷了。我想好了，我要编制，我不要他了。"我跳起来，双手拍着大腿说:"开什么玩笑？你不要他了，他是我们的崽呢。生，生，生！"她很冷静地说:"我在地狱里，我也不幻想上天堂，但我至少想活到人间来。他们至少要给我一个区聘吧。这几年我都抱着希望，等你毕业了把我拔到人间来。你拔不动我也不怪你，让我自己挣扎一下也不行吗？难道我一辈子待在那里？那个前途我想都不敢去想,我怕。现在真的知道了,什么叫作想都不敢想，那就是真的想都不敢去想。"

赵平平要挣扎一下，我不能阻挡，我不能给她一个前途就更不能阻挡。她一个"211"大学毕业的学生，在麓城挣扎了六年，连一个小学老师的稳定岗位都没挣扎到，这让我感到竞争有多么激烈，生存有多么不易，成长有多么艰难。一个年轻人，如果没有好的家庭背景，就没有好的成长平台，想要他自己挣扎出来，除非他才华出众，又是拼命三郎，否则希望是多么渺茫。看清了这种局面我也不能去恨自己的父母，他们把我生到这个世界上来，已经是大海一般的恩德。要恨我只能恨自己能力不强。眼前的这个坎，也不算多大个坎，可就是迈不过去。我感到自己身上难以定位的什么地方，释放着一种邪恶和歹毒，推动着自己抛弃一切人生的信条，让自己彻底地解放，然后无所禁忌，无所不为。蒙天舒不是说过，世界的中心就在自己的屁股底下吗？

最后还是陪赵平平去了医院。坐在公交车上她不停地流泪，又装作理头发用衣袖擦去。开始我装作没有看见，终于忍不住了说："我们还是回去吧。"她冷冷望我一眼，摇摇头。我说："那是你的崽呢。"她鼻子一抽，低下头去，哭出声来，身体一颤一颤的。我说："回去，回去。"她抬起头，掏出手帕慢慢地擦去泪痕，很严肃地望着我，说："不，不。"

在医院门口碰到了赵平平的一个高中同学，是怀不上孕来做手术的。这同学我听赵平平说过，她爸爸是省国税局的副局长，她已经是白沙区税务局的一个什么科长了。她听说赵平平是来做人流的，激动地说："我想怀几年没怀上，这打针吃药又几个月了还没怀上，今天又来动手术，把那里面疏通疏通，我简直要崩溃了。你还来做人流，这个世界真的太不公平了。"赵平平：："我能到你们那里守个传达，我就不会来这里了，可是有这个传达给我守吗？这个世界真的太不公平。"那同学说："我那算什么，我跟你换了我真的是很情愿，很情愿很情愿，你不知道我心里会有多么情愿。"赵平平说："我也很情愿很情愿，你也不知道我心里会有多么情愿。"我在旁边听着，心中有了一种安慰、一种快意，得意的人终于也有了不得意的地方，我真的非常希望她怀不上。我也明白这种想法不善良、不人道，可还是忍不住一定要这样想。我恐怕是疯了。

15

上学期末我去历史学院报到,管学生工作的党委副书记金书记说:"小聂啊,我们院里的年轻老师都要当班导师的,下期分一个新生班给你,主要是奉献,也有点工作量补贴。"十二年前我刚进历史学院,金书记就是我的班导师,那时他刚研究生毕业,留校当了学生辅导员。我说:"好好,金书记当年您还是我的班导师呢。"他说:"是的,那我们是十多年的朋友了,以后得支持我的工作!"又说:"我这人进步很慢,十多年还是老样子。你有搞行政的心情,你最好不要在学校里搞,尤其不要在历史学院搞,穷得打板凳。搞到一嘴的胡子了,那还在原地踏步。"他摸一摸下巴:"一嘴的胡子。"我说:"您都副处级了,留校十来年升到副处的全校可能也就那么几个。"他说:"那还有爬到正处的呢,教育学院的书记跟我一届的。那比不得,他导师是校长,还是老乡。"我说:"你跟童校长也是老乡呢。"他说:"那比不得,人家那是正校长。"我说:"正处对你那是时间问题,上不封顶。说不定我们学院过一会轮岗就轮到你了。"他四周望一望,办公室四面是墙,也不知他望什么,说:"这个话可不敢说,原则问题,刘书记听了会有想法的。不说这些,说班导师,那也是个起步的地方。这些方面你要向蒙天舒学习,小伙子是童校长的学生,很进步的。"我说:"进步的想法我没有,就想写几篇好点的文章。"他说:"真没有?也不要说绝对了。其实当个老师也好。"

开学了金书记安排我去体育馆迎新。我去了也没什么事,事情都是高年级同学在做,我就在那里守守。到吃晚饭时报到的学生渐渐少了,我交代几句准备离开,一个中年人带着一个女孩来了。我想着是家长,准备前去客气几句,他说:"你们金卫中呢?"我说:"金书记刚才有事走了,找我是一样的,我也是老师。"他说:"找你也是一样的,那好。不过我找你们书记也是一样的。"我想这家长难道认识金书记?不高兴说:"找我也是一样的。"他笑了说:"是一样的。"掏出手机来打电话,直呼金书记的名字。才几分钟金书记就跑来了，气喘吁吁的，叫道："孟书记亲自到我们学院来检查工作？"原来是校党委分管学生工作的副书记。孟书记说："我还亲自吃饭上厕所呢。来看看你和同学们！"

这时那女孩办完了手续，过来说："孟叔叔，办好了。"孟书记说："这是金书记，你以后就归他管。"女孩说："金书记好！"伸手过去跟金书记握手。孟书记说："我朋友的女儿，范晓敏，来你们这里看看，顺便把她带来了。"又对女孩说："晓敏以后要听你们书记的安排。"女孩说："我会听的，中学听老师的话听习惯了。孟叔叔放心。"金书记说："孟书记您放心，放心。"孟书记说："晓敏交给金书记，我有什么不放心的？"金书记说："晓敏分到几班？"范晓敏说："三班。"金书记说："正好聂老师在这里，"侧了身让我到前面来，"京华大学刚毕业的博士，是晓敏的班导师。"范晓敏跨上一步跟我握手说："聂老师好！"

握着她的手我有点别扭，这么多学生报到，我还没跟谁握过手呢。孟书记说："晓敏年轻，聂老师多教导，让她多锻炼锻炼！"范晓敏说："孟叔叔，我也有那么大了呢。"孟书记爽朗地笑了说："那就更要加紧锻炼锻炼！"我说："年轻人都得锻炼锻炼！"金书记马上说："晓敏这样的女孩，更需要锻炼锻炼！"又说："孟书记您放心，放心。"孟书记说："那我走了，别的学院去看看！"又说："晓敏你听金书记的安排。"范晓敏说："孟叔叔再见。"我和金书记把孟书记送到小车那里，金书记说："孟书记辛苦了。放心，放心。"车开动了，范晓敏挥着双手说："谢谢孟叔叔！"

过几天新生军训，金书记打电话给我说："三班女生的领队，就让范晓敏当了吧。"我说："是不是找一个高一点的，这可是军训啊！"我的想法，不想要范晓敏当领队。新生互相之间都不了解，军训当了领队，有了表现的机会，将来就很可能当班干部。范晓敏太高调、太夸张，不合我的心思。金书记说："给她一个锻炼的机会，以后怎么样，那看她自己的造化。选班干部投票，别的同学不投她，那就不是我们的事了。"既然金书记这么说了，那就是指示，再说我也只是个班导师，没有硬性的任务。我说："那就试试。"军训那几天，我也抽空去现场看看，看见范晓敏在喊口令："一、二、三、四！"还像那么回事，跟别的班搞拉歌对抗，也很活跃，撑得住场面，想着到底是在中学当过干部的，就是不一样。我内心的抵触消失了。如果她能选上班干部，那也是件好事。

这天我去篮球场看学生军训，我们班领队的男生马滨悄悄跟我说："聂老师，等会解散了，我有件事情想向你报告一下。"我叫他去教研室找我。不一会他来了。我说："穿着军装挺精神的嘛，怎么一下子军训都不穿了呢？"他说："大家都不想跟别人穿的一样。"我问他有什么事，他说："范晓敏她太那个什么了。"我说："她太哪个什么了？你说的那个是哪个？"他说："她就像她一个人是领队，列队，喊口令，教官不喊的时候就她一个人喊。"我说："文科学院，女生多，她们活跃一点也是正常的。我跟教官说，下次也让你有锻炼的机会。"他说："下了操她总跟教官走在一起，我看教官都被她搞定了。"他说的教官，其实就是麓城炮兵学院的大学生。我说："女孩子吧，喜欢跟男孩子走到一起，不奇怪哦。男生的胸怀要放宽阔些。去吧。"他低了头认错似的说："知道了，老师。"

他走到门口，回头望我一眼。我说："我会跟教官说的。"他迟疑了一下，没头没脑地说："她家里是当官的。"这话有意味了，家里当官，跟喊个口令有什么关系？小马他心里充满着怀疑，这是对我的不信任，也是对历史学院的不信任，更是对公正的不信任。我说："当官的？当什么官？没听说过。"说了这话我又有点惭愧。的确没有人告诉我范晓敏家是当官的，我不知道也是实情。可这个实情又不那么真实，凭自己的人生经验和想象力，也知道的确有那么个背景存在。我没有骗小马，可是我骗了自己。小马愣在门边不说话。我说："没人跟我说过这事，当官吗？当什么官？"他说："当官，她自己在宿舍说的，女生那边传过来的。什么官我也不知道，反正是当官。"我笑了笑说："你是不是不信任聂老师？"他马上用力摇头说："没有，没有。"我说："那你是不信任学院的领导？"他说："我没这样说。"我说："这样想了没有？"他不做声。我说："到底想了没有？"他说："想了，老师。"我说:"你们这么年轻,一只脚还没跨进社会呢,哪有这么多心思?都这样那怎么得了?"说了这话我忽然很心痛。这些孩子,从校门到校门,对生活就有了这么重的疑心,将来会有信念吗?没有信念怎么能够成为一个正直诚信的人?难道我们真的来到了一个有信念就是傻瓜的时代?他望着我,我望着他,对视了一小会,他把头低下去说:"知道了,老师。"我说:"你既然选择了麓城师大,对麓城师大就要有信心;选择了历史学院,对历史学院就要有信心;我当你们班导师,那是学院分配的,我希望你也要有信心。有那么复杂吗?"他说:"我希望没有。"

马滨去了。我有点恐慌。我如此坚定地要他有信心,我自己有信心吗?真的不敢说。我有点后悔刚才把话说得太绝,让自己没有回旋的余地,也许还有一种欺骗的意味。自己没有信心,要别人有信心,那不是做戏吗?也许自己应该含含糊糊打太极拳,把话说那么死干什么?金书记还问我有没有兴趣搞行政,一个班导师都当不好,还谈什么搞行政?想起孟书记那天说,要让范晓敏"锻炼锻炼",那怎样才是"锻炼锻炼"呢?想到这里我非常不安,希望范晓敏表现好点,同学关系好点,大家都选她当班干部,那就几全其美了。已经给了她表现的机会,她没抓住,那就是她自己的事。金书记说了,别的同学不投她的票,那就不是我们的事了。这样想着我有了一点安慰。选得上,好;选不上,也好。

军训搞完了,评选军训标兵。我们班的标兵是范晓敏,是院里直接下的名单。虽然也没错到哪里去,可这种方式还是让我感到别扭。院领导没到现场看几次,对三班的情况更不了解,怎么名单就这样下了?我想着可能会有同学来提意见,那我就直说,这不是我定的。等了几天,居然没有同学来说什么,我放了心。接下来是国庆长假,这天我在校园里走走,碰到班上两个女同学。我跟她们说起开学典礼上阅兵的情况,又说起班上的同学。我问了这个那个同学的情况,似乎是无意地问到了范晓敏。一个说:"这人怎么那样啊!"我说:"那样是哪样呢?"她们互相望了一眼,都指着对方:"你说。""你说。"另一个说:"太有当官的情结了。班干部还不算个官吧,算个官你想当也得藏着掖着点吧!"我说:"那也是想为大家服务吧。"她俩又互相望了一眼,突然同时"哈哈哈哈"爆发出一阵大笑。我有点难堪:"我说错了吗?"她们说:"聂老师,您这样想,人家不一定这样想。"我说:"你们怎么也想得这么复杂?"一个说:"老师,这也叫复杂吗?"另一个说:"这点复杂都没有,那就只能被人吃定了。"听了这话,我觉得自己是太小看这些学生了。我说:"有什么意见当面提,不要背后说,都是同学。"她们互相望一眼,哧哧笑着说:"好的,老师。"又挥挥手:"老师再见!"

她们去了,我站在那里愣了一会,心中有些失落。我没有说服她们,这是我的失败。我是一个博士,怎么就不能找出几句强有力的话来说服这两个丫头片子呢?真惭愧啊。想一想自己还有机会改变她们的偏见,选班干部按大家的意见选不就得了吗?

国庆长假后新生开始上课,选班干部也定在这一周。选举之前金书记找专职学生辅导员和班导师开了会,传达了选举的方法,那就是各班分别投票,投票结果当场不统计,拿到院里来统计。我说:"这不好吧,就选一个班干部。"金书记说:"这是我们多年行之有效的办法,一方面是为了照顾那些没选上学生的自尊心。"我等他说"另一方面",他没有说。每班选出七个班干部团干部,具体分工由院里根据各人特点而定。

周四下午下课之后,一年级的学生辅导员小董通知三班的同学留下,进行选举。全班三十六位同学,有十位站起来发表了竞选宣言。当别的同学问他们,自己适合哪个角色,有六位同学说是"班长",三位说是"团支书",还有一位说"体育委员"。范晓敏也站起来了,目标是"班长",她的宣言也讲得很好、很流畅。她说自己在中学为同学服务了很多年,进了大学还愿意继续服务。我和小董收了票准备走,有个男生喊了一声:"就在这里唱一下票吧!"小董很严肃地说:"今天有十位同学站出来愿意为大家服务,可是只有七位能选上。个别同学票数可能比较低,我们要保护这些同学的积极性。请同学们相信我们的公平公正。"回院里的路上小董说:

"别的我不担心，就担心范晓敏不在前七，那就不好交代了，金书记就担心这个。"我说："要向谁交代？"他说："学校，学校。"他含糊地回答。

在院里把票统计了，范晓敏是第九名。这让我有点高兴，可见群众的眼睛是雪亮的，不但我在心里给她灭了灯，还有更多的人也灭了灯。群众把她选下去了，我们就有的交代了。让她当了军训的领队，又评了她为军训标兵，还是这个结果，那就没有办法了。可这结果让小董很着急，说："怎么办呢？"在头上拍了三下，又说："怎么办？"又拍了三下，额头上的汗都渗出来了。我说："小董啊，票又不是你投的，你急什么？"他说："领导那里不好说啊！"我说："一个麓城师大这么大，这毛细的事情，简直一个麻雀屁，领导哪里会记得？再说真要急也轮不到你着急，学校领导知道历史学院有个小董，董老师？你不要把自己看得那么明显。"他说："领导今天的确不知道我，可怕就怕有人一说就知道了，心里有个阴影，说不定哪天就起作用了。你说我们这么小的小人物，禁得起折腾一下吗？今天我不该过去的，让你去搞定就好了，你们是当老师的，你们不怕。"我说："你怕谁说？"他说："那还有谁？"我生气说："你是老师，哪有老师怕学生的？一个刚进校的女生你怕她？"他叹气说："应该是不怕，也可以说应该是他们怕我。可这都只是应该而已。金书记说过，世界上应该却应该不了的事太多了。你是老师，你腰可以硬一点，你不了解我们这些人的苦衷。"

他们的苦衷我知道，就是前途渺茫。这么多学生辅导员，哪会有那么多好位置等着他们？将来能够提拔上去的，几乎是百里挑一。大家都积极努力，小心谨慎，想成为那个"一"。我说："是每个班都有这问题，还是我特别倒霉？"他说："只有你们三班。"我说："那还好点，倒霉的只有我一个人。如果每个班都这样搞起来，我们当老师的那课就不要上了。人文精神，不讲不行，讲又怎么讲？是阴阳人吗？"他说："该怎么讲就怎么讲，难道不讲？可该怎么做那也只能怎么做，难道不做？这都是没办法的事情。"小董他说的也是实情，可是这个实情让我心里很堵。

大家都这样"没办法"起来，学生他们看不见吗？看见了不会想吗？见多了想多了还会有信念吗？都没了信念，将来社会会是个什么样子？国家会是个什么样子？当然，我也可以想，这不是我一个人的事，一推了之。可谁都这么想，都一推了之，会是一种什么样的局面？我觉得自己应该有一点坚守，就从这看不见的小地方开始。

小董要我去找金书记，看怎么办。我说："我们一起去。"他说："我就不去了，我不在你们好说话一点。"我去了金书记办公室，把事情说了。金书记说："那怎么办呢？"我说："怎么办？那就是前七名啊，那还能怎么办？"他说："三班同学看着挺老实的，怎么有这么多调皮的人？"我说："那肯定是范晓敏自己有问题吧，她居然跟别人说家里是个什么官，别人心里能没想法？那到底是个什么官呢？"金书记说："她的档案我特地看了一下，她爸爸是省委组织部的一个处长。"我说："那她爸爸应该更加懂得选举算数的道理。"他说："世界上应该却应该不了的事太多了。"我说："难道范晓敏她爸爸打了招呼？"他说："没有。"我说："那难道孟书记有什么特别交代？"他说："怎么交代你都听到了，你那天在那里。"我说："那算交代吗？"金书记笑了说："锻炼锻炼，那不算交代，还要怎样才算交代？如果还要他明说，我这顶不算乌纱帽的乌纱帽就直接摘掉算了。"我说："那怎么办呢？不能把情况直接跟孟书记汇报一下吗？"他"哧"地笑了一下，说："平时大事都找不上，这个事找他？找到了你要他怎么说？你去将领导的军？"

他盯着名单看了一下，把范晓敏的名字圈起来，箭头一划，放到了第三位，说："做一点技术处理。"把名单推到我眼前："理解一下我们工作的难处。你以为我当这个书记又能怎么样？"我说："我心里挺难受的。"他说："难道我就那么坏，一点不难受？"我说："有几个学生对这件事有很重的疑心，我都跟他们拍了胸保证了公平公正的。"他说："这个你可放心，没有谁会来往根上刨。再说学生有个态度，院里也可以有个态度。"我知道事情无可挽回，叹气说："真的不知道以后怎么跟学生说话，上课就更不好上了，讲的都是圣人之言，真讲不出口，那不是骗人吗？"金书记说："小聂，你该怎么讲就怎么讲，轰轰烈烈地讲，理直气壮地讲，这点小事就让你失去了教育学生的自信了吗？太小的一件事了。我天天对学生训话，按你的想法，我们就不要说话了。"我说："院里定了，那就定了吧。"他说："谢谢聂老师支持我的工作。"

出了办公室我心里很难受。一个班干部，算最小的资源，简直算不上资源，也要操作一下，由潜规则来确定结局。大一点的事，又怎么可能公平公正？学生也在观察，在感受，在思考，他们并不傻。有些道理怎么讲他们都听不进去，也不能怪他们，生活经验给他们的教育更加有力。有些话谁信谁傻，另一些话则是谁不信谁傻，总之价值观是被颠倒了扭曲了。这事真的像金书记说的那样，是太小的一件事，可这事情体现的生活法则，却让我感到恐慌，感到悲观。赵平平没有得力的人顶她，这么多年搞不到一个编制，真的是太正常了，搞到了反而不正常。想起自己的孩子去医院流掉了，真的是白白地流掉，太可惜了，唉，太可惜了。我眼泪一涌，感到了眼眶的潮湿，鼻子酸酸地抽了几下。我一只手掌捂着鼻子，慢慢地推上去，转过来，似乎是不经意地，用手背在眼眶上擦了一下。

第二天范晓敏发信息给我，说有重要事情向我汇报。我想冷落她一下，就回信说："今天有点事，是不是过两天再说？"她马上打电话来说："聂老师，您在哪里？我过来找您吧，就耽误您五分钟。"我只好同意她下午到教研室见面。下午我去了，她在楼道等我，手里提着什么东西，开门的一瞬间，借着亮光我瞥见是茶叶。我问她有什么事，她说："聂老师您从家里跑过来，我真的好愧疚的，又很感动。难怪大家都说聂老师当我们的班导师，是我们班大家的幸运。"我听了心里还挺舒服的，想着自己的好同学还是看见了的。我说："大家是谁？是范晓敏吧？"她说："我一个人怎么能代表大家？大家就是大家，全班同学。"

我知道她也没做统计，可听着还是舒服，说："我没觉得自己有什么好！"她说："聂老师的好是本真的，平易近人，热心，认真，负责。"我觉得她讲得很到位，如果她不是范晓敏，我真的愿意为她创造更多的机会。又想着她没有说我公平公正,那是她体谅我的难处,聪明啊! 我说:"你打电话给我,就是为了来表扬我? "她一只手摸了摸鼻子,笑一笑说:"还想汇报一下活思想。听说班上投票我不是第一名,前面还有两个别的同学? "我说:"有的,有别的同学。有的,有的,有有有。"她说:"我知道有几个女同学嫉妒我。"我说:"你有什么让人嫉妒的? "她犹豫了一下说:"可能是军训表现还可以吧。也可能我自己还有什么别的缺点。"我说:"那你得好好考虑一下,自己有哪些方面做得不够。"她说:"我自己看不清楚,希望老师给我指出来。"我说:"你们都是刚进大学的新生,做什么都要低调一点。"她说:"老师,我明白了。自己不低调别人就会有想法,有嫉妒。"

她执着地认为自己超级优秀,别人有想法都是出于嫉妒,这让我心里非常恼火。我说:"说到底你们都是刚入校的新生,有什么东西拿来让人嫉妒? 我的话你明白没有? "她说:"老师,我明白了,老师说得对,做什么都要低调一点。"我说:"我前面讲的又对又不对。说一个人低调,那是他有东西支撑能高调而不高调。你们是大一的新生呢。"她低了头说:"老师,我明白了。"我说:"这一次应该是真的明白了。还有什么事吗? "她沉默了一下说:"有些话可能就不该讲了。"我说:"你说,没关系,说。"她望着我,犹豫着,终于鼓起勇气说:"我知道自己不是第一名,可还是想竞争班长这个岗位。"我心里简直产生了一种仇恨,这人太执着,太自恋,太猖狂。我说:"有那么重要吗? "她说:"我家里想要我锻炼一下,我不想让他们失望。我自己也不想让自己失望。"她提到家里让我火气更大,我尽量温和地说:"你家里对你期望很高。"她说:"我本来是想考北大至少武大的,没有发挥好,只好报了麓城师大。好多天我都不想理睬我自己,也不敢看我爸爸的眼睛,如果我再不努力,我真的都不敢回家了。"她这番话,让我对她有了一种理解,一点同情。我说:"你的想法我知道了,我再跟院里商量一下。"她说:"院里应该没有什么问题。"

她刚说到家里,现在又说到院里,都是绵里藏针的话。院里没问题,这等于说，如果有问题，那就是我的问题。这又让我愤怒起来，难道天下就算定了是你们的？我说："谁告诉你院里没问题？"她马上用力摇头说："没人告诉，我猜想的。"我都不知道这里面的水有多深了，含糊着说："如果没问题，那就没问题。"她说："谢谢聂老师。"好像文章已经写完，画个句号似的。我说："你的想法，我跟董老师、金书记沟通一下。"又说："接下来要评助学金了，你不会申请吧？"她说："不会的，老师。我们班上来自农村的有那么多。"我说："那我们就不考虑你了。"她说："那我也不能什么都要组织上考虑吧。"我又成了"组织上"，心里有着找不着落实的感觉。她出门时我叫住她："这里有点什么东西？你拿回去。"她说："这是一点小茶叶，希望聂老师不要送人了，好呢，送人就可惜了。"我说："那你更加要拿回去。"她跑远了说："谢谢聂老师。"我提起茶叶看看，自言自语说："蒙顶茶，来得远啊！"

我下楼去找金书记，他不在办公室。我掏出手机想打电话，又舍不得那些话费，就到教务办去打座机。我把事情跟金书记说了，他说："是我要她去找你汇报的。"我说："那院里的意思是要安排她当班长？"他说："有这个考虑。"我说："真的不合适，别的同学会怎么想？"他说："班长是个服务性的工作，又没报酬，会有那么多想法吗？"我说："想法肯定会有的，大家都知道她家里有点背景。"他说："个别同学想怎么想，那也只好让他去想，作为组织上要综合考虑。你也要站在我们的角度考虑一下吧。"

这样一来我就没话说了，站在他的角度，领导的意愿是绝对要贯彻的，他又有什么办法。唉，说真的他又有什么办法？领导的想法，他能不执行吗？我很理解金书记，还有孟书记，还有范晓敏，还有她的父母。每个人都可以理解，因此对与错的分野是不存在的，都在可以理解的范围之内。可理解了这一切之后，公平就没有了，真相也没有了。分野似乎有些模糊，但实际上是存在的，而且清晰。说它模糊，是因为人们内心的标准模糊了。我说："金书记，唉，金书记。"金书记说："聂老师，你刚从学校出来,有些事情可能还不太理解。"我说:"我理解,我很理解,您有您的难处。唉,我的想法请金书记再考虑一下。"他说:"那你还是不太理解。你班导师,最重要的工作就是掌握学生的思想,稳定和谐,不要闹出什么事情来,这是学生工作的底线。其他的吧,心情可以放宽一点。"又说:"说来说去还是一件小事。"

出了历史学院,我漫无目标到处乱走。前面是校图书馆,国歌声传来,不知哪个学院的学生在举行升旗仪式。我在草地上坐下,想着自己真的是不知道自己几斤几两,这是我管的事吗?心情放宽一点,这话很轻,是给我的劝慰;又很重,几乎就是严重警告了。我意识到了自己的渺小,这渺小让我感到屈辱,难怪有那么多人拼了命想获得更大的权力,屈辱感就是最大的动力。金书记说,这是一件小事。事情是小事情,可问题不是小问题。一件小事就能够动摇学生们对公正和诚信的信念,这还是一件小事吗?真的叫人心痛。

这样想着,我以一种不顾后果的心态给金书记发了信息,把这个意思讲了,希望他再考虑一下我的意见。过一会金书记回信说:"同意你的意见,那就让她当团支部书记吧。"看了这条信息我有了一点点欣慰,细小,脆弱,像小荷初露的那个尖尖角。

16

接下来的事情是评助学金。有了选班干部的经验,助学金的事我就不想掺和了,由他们去评,我眼不见为净,也省得有学生在心里骂我。小董跟我说这件事情的时候,我说:"你们去评好了,评了谁就是谁,我没评过,也不懂。"小董说:"聂老师,这是班导师的主要职责呢。我要面对整个年级六个班,怎么顾得过来?"我说:"选班干部不也是我的职责吗？怎么选出来的不算数？我说的就更不算数了。"他为难说："那是领导的想法，我有什么办法？你想想我才多大点点一个人物。难道我说，领导，你错了。行吗？"我看他也挺可怜的，我说："你们手里到底有名单没有，有名单我就不掺和了。"他说："我手里肯定没有，你手里有没有，我就不知道了。"我说："你看我像手里有名单的人吗？"他"嘿嘿"笑了，瞅着我好一会说："不像，不像，怎么看怎么不像。"

在我读本科的时候，麓城师大的助学金是一年一评，每年要学生家庭所在地的政府开证明过来，非常麻烦。现在简单了，评一次管四年。正因为如此，学生都很重视。说起来评比也没有什么可靠的依据，主要是看盖当地政府大印的家庭经济情况登记表。这表格实在也不是个可靠的东西，当地政府反正自己也不用出钱，还不是表格填什么他都认了？开会的时候金书记说："说到底这也是一笔糊涂账，我们也不能一家一户去调查澄清。我们就掌握一个标准，家在农村的考虑；家在城市的，除非父母下岗，否则不考虑。"我觉得这样也好，虽没有绝对公平，大概的公平还是有的。

开完会我故意磨蹭一会，人都走了我问金书记："院里没有个什么名单吧？我问了小董他说是没有的，不会到半路上来个名单吧，我都有点搞怕了。"他说："毕竟我们是大学，又不是江湖，哪能事事处处都有另外一手？聂老师你就是麓城师大毕业的，难道你这么不了解母校？总要有点信心。"我说："那就好，不然真的是个江湖了。"出了门我想着大学毕竟还是大学，虽然毛病也多，可比社会上还是好多了，比赵平平那个学校也好多了。如果赵平平在这里，那个编制排队也该排上了。

出了学院我想去学生那里看看。十几张申请表我都看熟了，心里仍不踏实，打算找几个学生谈谈，找一点感觉，评起来就更有把握一些。在转弯的地方碰见了蒙天舒，他说："致远，我正想找你有点小事。"他说着左手的拇指把小指掐去一截，露出指尖往我眼前一伸，晃了晃，似乎想说明这小事真的是多么小。我说："什么事？"他把我拉到草坪的树下，说："帮个忙看看。"我说："不会是学生评助学金的事吧？"他吃惊说："你怎么知道？"我说："那我还能帮谁的什么忙？就这件事可能还会有人找我。"他说："确实是这件事，你们班是不是有个叫龚平的男生？他是我侄儿。"我说："你儿子还没有，侄儿都读大学了？莫乱扯呢！又是哪个领导的儿子？"他笑了说："领导确实不是领导，领导的儿子也不会来抢这点钱。侄儿确实是侄儿，是我老婆的舅舅的表姐的儿媳妇的舅舅的一个什么侄儿。"我摊开左手掐算了一下说："老婆，舅舅，表姐，儿媳妇，舅舅，侄儿，那应该算是你老婆的表弟，表表表弟，三个'表'。"他说："我昨天算了三遍也没算清，也不知道他们怎么找到我。管他是谁，既然我在这里，顺手关照一下，让我在亲戚那里也有点面子。这点面子要靠你给。"我说："帮你点别的忙好吗？这是钱的事，学生都眼巴巴望着，材料都要公开的，结果也要公示的。"他说："他有材料啊。"我说："他家是农村的还是城市的？"他说："应该是农村的，我也搞不太清楚。"我从包里把表格拿出来，翻到龚平那张，看一看递给他说："应该还是有机会的，能评上几等就说不定了。"他看了看说："说了是农村的吧，天顶乡政府的大印还盖在这呢。能够评个一等吗？"我说："那要看，我们班的穷孩子多。钱的事情，比当学生干部更敏感，还是公平一点好。"他笑了说："致远你就是太认真了。"又说："这年头你越认真就越没有机会。你走常规路线你可能连博士也考不上。"

这话让我心里有点恼火。我早就回报他了，他应该明白。我想反过来提醒他几句，又觉得太没意思，毕竟过去是同学，今天是同事。我说："我自己的事马虎一点就算了，学生的事那还是认真一点比较好。"他说："如今的学生，跟我们那时候不一样了。我们当年是国家全包，他们今天是交了学费的，心态就不一样了。老师为他服务，就像售货员为顾客服务，那是应该的。你想太多，你就是自作多情，会失望的。你当这是一份工作就可以了。"我说："这是售货员跟顾客的事吗？国家是拿了大头的。"他说："那也是一份工作罢了。"我笑了说："混碗饭吃呢。"又说："那在讲台上怎么讲呢？同学们，学好历史，将来有混饭吃的手段？我没上过课，你都上有几年了，你把这历史怎么讲呢？你还要讲'二程'、朱熹、王阳明呢，你怎么讲？止于至善，你怎么讲？"他说："那你该怎么讲就怎么讲，难道你怎么讲就怎么做，那你还想活人不？我也苦恼过一阵子，后来想通了。人只有这么几十年，总不能拿自己当小白鼠吧！更不能扮演螳臂吧！"他把手那么一扬："挡得住吗？"又抱拳作了个揖："记得我拜托的事啊。龚平，龚平。你不记得名字你就记起'公平'就行了。他家是农村的，评上了才公平。"

蒙天舒进学院去了。我往学生宿舍走，心里想着他的话"你当这是一份工作就可以了"。这话对我有很大的震撼，当教师的尊严和崇高都被这句话摧毁了，真的成为谋生手段了。我也许真的不该想得太多，想得太多真的就会失望。现在的学生真的有那么冷漠吗？我有点不相信。这的确是一份工作，但这份工作既然是当教师，那天地良心，再怎么没心没肺，那也得对学生好。怎么对他们好？碰见笑一笑那是不够的，给他们一个公平才是真的。要说致良知，这良知怎么致？就是给学生一个公平。

我先去了女生宿舍，又去了男生宿舍，说了班上的一些事情，把评助学金的事也说了，想看他们有什么想法。学生似乎都很平静，相信老师的公正。这让我很安心，我就按表上的情况评得了。至于这些情况是不是真实，那我也没办法。我知道这些表格上反映出来的情况肯定有水分，甚至有很大的水分。可那也只能当它都是真的，一家家去调查，那不可能。开会时金书记说，不要让老实人吃亏。这个口号倒是蛮好的，实际上又那么空洞，一点操作性都没有。老实人不吃亏谁吃亏，难道让不老实的人吃亏？

我跟小董商量着，很快就把助学金评定了。龚平应该只能评个三等，我引导了一下，就评了个二等，每年两千。评完以后我给蒙天舒打了电话，把结果告诉他。他说："不能评个一等吗？"我说："二等已经是照顾了，不然应该是三等。"他说："想办法评个一等吧，一班家庭困难的不多，我到那边搞个名额过来。"我说："如今你也是领导了，搞个名额是搞得动的。可是放到我们班，还是平衡不了，搞来名额也得先给别人呢。是不是就算了？"他说："那就算了。反正不是我的儿子，也不是我的侄子。"那意思如果是他的儿子、侄子，那就非评成一等不可。我想他才三十出头就当了院长助理，以后当了院长，那怎么得了啊！

名单公示三天后，金书记打电话把我叫去了。进了办公室他说："你那班上是不是有个龚平，评上了助学金？"我说："是的，二等，他家是农村的。"他说："有人给校长信箱写了信，把这事告了。"把信拿给我看。信没有署名，意思是说龚平来报到，是家里开车送来的，不应该评助学金。我说："没听说他家有车啊，是不是请朋友帮忙送一下？也可能他爸爸是老板的司机。"金书记说："你去调查一下，是他家的车就把助学金拿下来。"我说："好的。"又说："这个人是蒙天舒打了招呼的，要不你跟蒙老师招呼一声。"金书记"哦"一声，不说话了。我说："那我还是把龚平拿下来。"他说："那怎么跟蒙老师说呢？"我说："不拿下来怎么跟学校交代呢？"他说："是不是调查清楚再说？"

我打电话把龚平叫到教研室，说："有人反映你报到是家里开车送来的，是不是真的？"他说："是我爸爸开车送来的，还有我妈妈。"我说："你家的车买了几年了？"他说："今年买的。"我说："你家条件不错，助学金应该评给更困难的同学，我们班困难的同学多。"他说："那张表是我爸爸填的。助学金我放弃也行。"

我没想到事情这么容易就解决了，就赶快去告诉金书记。金书记说："是不是给个三等，蒙老师的意思是稍微照顾一点。"我说："他自己都说不要了，还给他干什么呢？蒙天舒知道他家有车，还想要我给他评个一等！三等？我们班有同学母亲下岗了，父亲一个人工作，半等都没有呢。"金书记说："本院老师开了口，还是要给个面子，以后要见面的。龚平家里做点小生意，毕竟还是农村的，说得过去。"我说："蒙天舒也算个领导了，他不是让我为难？家里有车还评助学金，我怎么跟别的同学说？"他说："你也知道蒙老师算个领导了，他开了口，那更要给个面子，我们开院务会坐到一起呢。"

这眼下的局面，龚平评不评无所谓，但蒙天舒开了口，不评就不行。我说："我的意思是不评。但蒙天舒开了口，要照顾一下，那我就不管了。这到底是在照顾谁呢？"金书记说："那这件事就交给我平衡一下，学校那边也由我写个报告去交代。"我说："蒙天舒也请您交代一下。"他说："好好，蒙老师也由我去交代。"我说："龚平最高三等，再高就不公平了。"他说："放心。最高三等，最低也是三等。"

第二天又重新公示了，把另一个同学从三等提到了二等。看了公示我心里想：这件事就这样完了吗？暗暗希望着那个写信的同学再次写信，可等了几天，没有一点动静。我有点遗憾，甚至心里冒上一个念头，是不是自己匿名去写那封信？这念头一晃就过去了。见了金书记我问："没事了吧？"他说："我们处理的事，老是有事那还得了？"我说："那好，那好，那样就好，就好。"这话说得勉强，就像大学班上的女同学八年不见，见了就说她越来越年轻了，越来越漂亮有气质了，总之是好好好。唉，这事堵在心里，我感觉着一点都不好。

17

那一段时间我心里总不是滋味，有什么东西郁积在那里。我开始没有理它，想着是情绪波动，过几天就好了，这样的情况以前也发生过。后来发现这一次是不同的。意识到这种不同时，那种郁积已经变得非常瓷实，像悬在胸口的一个铁球。这是怎么回事呢？我想想在自己身上也没有发生什么事情，赵平平流产的事早就过去了，评班干部评助学金更是很小的事情，何况没有发生在我身上。我想可能是这几天下了雨，让自己的情绪有点阴郁。后来太阳出来了，明晃晃地挂在天上。我想着这一来心情会好起来了，可一天望那太阳好几次，那瓷实的球一点都没有化解。这让我自己也觉得奇怪，低了头对着自己的心说："你发癫呀！"

这天我提了几只塑料壶到麓山去打泉水。人很多，我把壶放在那里排队，然后往山上走一走。阳光很好，枫叶已经泛红，空气中弥散着枯叶的气息。我沿着小溪往上走，忽然看见一个老头拿把镰刀在砍山坡下的小树。我站住了说："你砍树干什么？要爱护森林！"他抬起头往上望着我说："关你什么事？我砍着好玩。"我说："你不砍柴，又不做拐杖，你砍它们干什么，这些小树？"他说："我告诉你是砍着玩，关你什么事？"我气愤了说："这是麓山公园呢，人人都有责任爱护呢，你这样砍它们，它们也痛呢。"他又用力砍断一棵小树，说："到底关你什么事？这是你家的吗？砍痛了你吗？"把镰刀往上一扬："臭知识分子！"隔着有几米远，可我还是不由自主地退了一步："要不得，要不得！"边说边往山上走，越走越快。我有点担心他会追上来，边走边听后面有没有脚步声，想回头看一看，但骄傲使我忍住了。"要不得，要不得！"走远了，我的声音越来越大。到小路的岔路口我停下来，回头已经看不见那个人了。我掏出手机想报110，按了号又犹豫了，这点小事警察怎么会来，何况地址也讲不清楚。

在路口喘了一会，我记起水壶还排在那里呢，就想往下走。刚走几步，想起那个人镰刀一举的样子，就收住了脚，回到岔路口，从另一条小路绕下去。我心里有着一种屈辱和羞愧，明明是他不对，怎么我还怕他？又往下走了一段，心里的憋屈更加明显起来，唉，自己连一棵小树都保护不了。不但一棵小树保护不了，一个班干部的公正选举，一份助学金的如实评定也无法坚持。这都是世界上最小最小的事情了，可连这最小最小的事情都做不好。我原来想着，作为一个知识分子，总得跟街边炸油条、卖衣服的人有点不同吧。能做什么呢？什么也不能做。也就是说，自己的存在并没有什么特别的意义。我不愿承认这个事实，可是，不论我如何不愿承认，这个事实都存在着，多么真实，就像阳光下的枫树存在着一样真实。我抬头望着那些枫树，树叶有淡黄，有粉红，也有深绿，在风中轻轻晃动，阴影在晃动中不停地跳跃。

到了接泉水的地方，我看见那老头也在。他已经接好水，正在把一根树干衬在小扁担上，用红色的塑料绳绑紧。估计是那扁担开裂了，他砍棵树加固一下。看到这些我又有点原谅他，只是你真的需要，看准一棵砍了就算了，还那么东一棵西一棵地砍倒了选择，太不心痛那些树了。我想走过去接水，知道他也不会真的砍我一刀。这样想着就往那边走，走了几步又停下来，觉得哪怕是互相横一眼，也挺没意思的；又觉得这可能是给自己的胆怯找的一个借口，真正担心的，还是那把镰刀。意识到这一点，我感到自尊心遭到了挑战，明明是他不对，怎么还是我怕他呢？没有这个道理。我强迫自己往前走，还差十几米时迟疑了一下，朝那老头望了一眼。他已经绑好了扁担，正准备把水担起来，是两个塑料大桶。我走了过去，斜了眼瞟着他，怕他有什么动作。他把水担起来，望了我一眼，没有半点反应，那把镰刀还抓在扶着麻绳的手上。哦，他根本就认不出我了。我放心了，看着他往山下走去，那吃力的背影让我还有了一点同情。不一会他已消失在树丛之中。

我站在那里，心里又有了一点遗憾，刚刚发生了冲突，他怎么就不认识我了呢？又想到历史总是容易被遗忘，这种遗忘抹平着好人和坏人的界线，真能让人失去做个好人的信心。又想到如果没有《红楼梦》，谁会知道有个曹雪芹在清高和清贫中潦倒一生呢？时间真的太残酷了。我接了泉水回到家里，一直在想着这个问题。我对自己说，你想得太多了。但我还是没有办法对自己掩饰心中那种幻灭的感觉。

那几天我心情沉重，心里坠着的铁球移不开，可自己就是不明白到底是为什么。晚上总是睡不安稳，隔一会就要翻一下身。赵平平说："你最近怎么了，你？"我说："没什么，就是有点睡不着。"就不敢再动，怕惊扰了她。过了好久，我实在忍不住了，正想挪一下身子，赵平平倒先翻了个身，我说："你怎么还没有睡着？都半夜了。"她说："我等着你翻身，等了这么久你怎么还不翻呢？害得我等啊等啊等等等的。还不来，还不来，我自己倒是憋不住了。"我说："这床要换了，轻轻动一下就吱吱叫。这次你安心睡，我保证不动了。"她说："你别保证，你保证了我更加紧张。"我说："那我不保证，你安心睡，我肯定不会再翻身了。"拍了拍她的胳膊，搂了她一下，转了身子去睡。

这样躺了一会，越是不敢翻身就越是想翻身。忍了一会，翻个身的愿望更加明显，觉得世界上什么幸福都无所谓，睡觉能自由翻身，那才是幸福的极致。想起这么多年来，自己一直在幸福之中，怎么就一点感觉都没有？我尖了耳朵去听赵平平的鼻息声，想知道她睡了没有，听了一会听不出来，翻个身的愿望却更加地强烈起来。怪不得穷人发财了，就叫作"翻身"。突然赵平平说："你那么想翻身，你就翻一下啦。"我马上翻动了一下说："舒服，舒服，地球上怎么还有这么舒服的事情？"她说："你翻了这一下，我的思想包袱就放下来了。"我说："你怎么知道我还没有睡着？我没动啊，我真的一动没动。"她说："在你身边都睡有几年了，我这个都不知道？那我就枉睡这几年了。"我说："我真的没动，崴骗你。"她说："要你动了我才知道？你心里在想什么我都知道。"我笑了说："我想什么我自己都不知道。"她说："男人还能想什么？那还不是把哪个女学生瞧进眼里去了。我知道她们比我年轻，但肯定没有我这么不聪明。"我说："谁说你不聪明？"她说："我不聪明，我就是不聪明，蠢、傻、痴。"我说："你对自己评价这么低，真的让我很受伤，难道我聂致远找个老婆真差成这样？"她把身子贴紧了我说："真的受伤了，臭臭？我蠢我傻都是因为我痴呢！"

我把身子来回翻了几下，说："这一次翻够了，你可以安心睡了。"赵平平说："你这几天到底有什么心事呢？"我说："没有心事。"她说："不会真的是被班上的哪个女生触动了吧？"我说："人家都是十八岁刚进校，我怎么下得了手？"她说："那你的意思是十九岁就能下手了？"又说："到底有什么心事？"我说："我在想，我这个人怎么这么没有用呢？"

　　说完我就后悔了，一个男人，怎么能这样跟自己的女人说话？伤自尊了。一瞬间我明白了这些天心里为什么这么压抑、沉重，那是因为自己对世界的无力感而产生的。这些天来，我都对自己掩盖着这个结论，不愿正视，不敢正视，在逃避中维护着可怜的自尊。现在不经意地说出来了，让自己克服了那一道心理屏障，就感到了轻松。我说："真的我这个人怎么就这么没有用呢？"幸亏是在半夜，夜遮盖了一切，赵平平看不见我的表情。赵平平说："难道你今天才知道自己不是个英雄？我早就知道了，你刚去读博士我就知道了。"我说："谢谢你的理解。还谈什么英雄，苍蝇屎那么一点事都搞不定。"就把选班干部和评助学金的事说了，前几天打水时发生的事也说了。她说："我还以为什么大事呢，吓得我！你读博真的读傻了呀，你？是个臭臭还是个傻傻啊，你？自寻烦恼！关你什么事？天下那么多事你管得着吗？"我说："有些事总得有人管。事情来了，都抽身站在干岸上以求自保，那这个世界还有公平公正？"她说："你那么想管事，你就把我的编制这件事管一下。你的公正之心也分给我一点。"我说："真还管不了，我这个人怎么这么没有用呢？"说着我心里抽搐了一下，太对不起自己的女人了。她说："我知道你管不了，我没要求过你。我的意思是，这件事你都得放下，那还有什么事放不下来？一个班干部的事值得你半夜在床上烙饼吗？"她这么一说，我心里轻松了一点，说："那也是啊，我有什么资格去心忧天下？"她说："你就是太把自己看成一个博士了，那只是一个饭碗。"我说："是的是的，我不能设想自己能够改变别人对世界的想法。"她说："更不能改变别人对世界的做法。"这话让我听得心痛，但我知道这是实话。我说："你想得这么透彻，你怎么给小朋友上思想品德课？"她说："我上得很好啊，我还是优秀老师呢。难道我跟他们说，赵老师教你们几年了还没有编制，这个世界太不公平了？心里想的是想的，嘴里讲的是讲的，那是两样的。"我说："这世上每个人都在演自己那个角色吗？"

这天晚上我以为自己会更难入睡，可第二天早上起来才想起，昨晚怎么那么快就睡着了呢？怪事啊，怪事怪事。

18

赵平平说我傻，这不是第一次了，可以前我都没放在心上想过。女人的话你不能认真，女孩的话就更不能认真。她的心就那么宽，视野也就那么宽，能把鼻子前那点东西看清楚就不错了，就像你不能要求一个高度近视的人一览众山小。我体谅她，也就原谅她。我不可能跟一个出门一定要描眉搽粉的女人去谈什么天下国家的事情，哪怕她也是学历史的。因此，当她说我傻时，我都不想跟她争辩，不屑于。要说傻，从孔子、屈原到曹雪芹，谁不傻呢？也许赵平平觉得把日子过好了就是人生目标，可我觉得这个目标不能成立；如果能成立，岳飞算什么？还不如秦桧呢。

可这一次她这么说，虽然也是随口说出来的，却让我感到了触动。既然对世界是如此无力，我为什么不退守个人的生存空间呢？也许，我跟万古千秋有关系，跟天下国家也有关系，但那只是一种理论上的关系，如果我当它没有，那就没有。可眼前的日子，你当它没有，那还是有。那一寸一寸的鲜活生动，你想躲也躲不开。生活伸出无数双手向你要钱，交按揭、交水费、交电费、交话费、买小菜、买豆腐、买肉、买衣服、买手纸……你往哪里躲？明年打算要孩子了，赵平平要我准备三万块钱，我还不知道到哪里去弄呢！理论是灰色的，生命之树常青。在市场之中，一个人的世俗化是多么合情合理啊。

如果我不是个知识分子，我就把很多想法放下来了。什么意义啊、责任啊、天下千秋啊，都与我无关，盯紧眼下的生活就可以了。这样看来，街边卖大饼的大叔是幸福的，把大饼卖出去就是意义；扫街的阿姨也是幸福的，把这条街扫净了就是责任。我把课上好，把工资领回来，既是意义，又是责任。也许我唯一的痛苦，就是要对学生讲更深的意义，更大的责任。如果我不想当个骗子，我得承认这种意义和责任的真实存在，何况我也感到了这种真实存在。这既是意义的渴望，也是内心的真实。以生存的理由把这种渴望和真实扼杀掉了，那我就对不起司马迁，对不起曹雪芹，对不起无数在某个历史瞬间茕茕孑立形影相吊的坚守者。

这些想法我都没有跟赵平平说，说了她会笑我自寻烦恼。她体验到的真实和我是不一样的。可我又不能当鸵鸟，把头埋进沙滩。你刚埋进去，银行提醒按揭的信息就来了，你说自己在考虑天下大事，需要缓交，那可能吗？于是赵平平的真实也就是我的真实。我不能骗自己，也没法骗自己。这样想起来，曹雪芹们真的是太不容易了，字字看来皆是血，那真的字字是血，血，血，血啊血。

也许我真的应该用赵平平那样的眼光去看世界，那没有什么不对。可我不能。这一点都不是矫情，也不是虚伪，一个人没有必要对自己矫情和虚伪。但是我一点展开的空间都没有，而现实生活对我却是步步紧逼。三万块钱还没着落，还有太多的事要钱去打发，这让我有很强的挫败感。犹豫了几天我决定暂时向生活妥协，也只能妥协。自我生存这么现实，现实到像阳台的棱角，坚硬、冰冷、粗糙，我没有办法设想它的温和柔软。我就生活在这里，在当下，而不是别处。我把这种妥协当作潜伏，关云长在曹营还隐忍潜伏了那么久呢。有朝一日我还是要东山再起的。这样想着，我又怀疑自己是在欺骗自己，给自己的自尊心找台阶。有朝一日，我真的不敢说，它的到来只是时间问题。

这样想着我调整了自己的生活。学生宿舍我原来每个星期都会去的，没事也去，跟学生说说话，有时到食堂楼上的餐厅小聚一下。我的想法，自己影响几个人还是可能的。我希望他们对专业有一种信念，对公正也有起码的信念。如果一个文科大学生都没有这点信念，那又还能指望谁能有这点信念？我跟他们提及最多的人就是司马迁，有时背诵《报任安书》中的几段话，似乎是随口而出的，却是我的精心安排。有一次我说到司马迁虽遭腐刑，"肠一日而九回，居则忽忽若有所亡，出则不知其所往，每念斯耻，汗未尝不发背沾衣也"，纵使如此而不移其志，"亦欲以究天人之际，通古今之变，成一家之言"。几个学生听了都很动容，说："聂老师，想不到几千年前会有这样伟大的人。"我说："人是要有一点精神的，因为他是人。"

过几天有个男生写了读这篇文章的心得给我看，这让我有一点小小的成就感。我很想他们能跟自己一样，对司马迁这样的人有一种崇拜，不但把他当作学业导师，也当作精神导师。一个历史专业的学生，如果这点崇拜都没有，那他这一生都不可能有最起码的信念。可有时我又非常怀疑这种努力，如果连我自己都要被市场裹挟着走，又怎能改变他们的想法呢？

好几个星期我没有去找学生。有几个学生试探着发信息来询问我是否很忙，我就回信息问他们有什么事。这让我有点愧疚，有点不安，一瞬间也就过去了。别的班导师曾对我说，评补助这么一点工作量，自己怎么能投入那么多？以前我觉得一个老师不应该这么想，现在感到这么想也能理解。这是市场时代的思维方式，做什么事都要算一算投入和产出，算一算性价比。我理解了别人，就解放了自己。

我眼前几件要做的事情，一是赵平平的编制问题，二是怎么筹起三万块钱，三是发表论文为评副教授做准备。还有其他一大堆的事。赵平平下个月就要考试了，催促我去找关系。她一说到这个话题，我就要脑袋爆炸。我拖延说："等你笔试过了线再去找吧，万一没过线，我不白找了？"说真的她如果笔试没过线，我心里虽然会很懊恼，可也会轻松一点。她说："你不想找你就别找，我前面都考过四次了，第五次会考不过吗？"我说："我说的是万一，万一，什么事都有个万一。"她说："万一我考过了，就来不及了。找人那不得拐几个弯？笔试到面试一个多月，成绩出来就只有十几天了，你又不是大人物，大人物咳嗽一声就搞定了，你怎么来得及？"

她说得太有道理，我根本就无处退缩，在生存的底线面前，实在是退无可退。我说："以后我们的崽生在厅长家里就好了。"她说："那还是你的崽不呢？"我说："那也是的啊，看来我得去谋个厅长干干。"她说："就别说厅长吧，那不是你这号人能想的事。一个小学老师的编制搞不定，当厅长？"我空洞地说："那不见得，那不见得，我这号人不见得是你想象的那号人。"她说："你是哪号人我们就不讨论了，怎么讨论也不能把这号人变成那号人。现在的关键是怎么去找人。"

找到能解决问题的人，这是最关键的事情，又是最痛苦的事情。怎么能找到这样一个人，又怎么搭上关系，再怎么让他帮自己说话，对我来说，这就像两万五千里长征，要过湘江，过大渡河，四渡赤水，再过雪山草地。赵平平说："书上有个'六人定律'，你想要认识任何一个人，最多搭桥六次，肯定可以达到目标。"我说："那我们搭桥去认识徐省长。找谁搭桥呢？你在学校系统有这么多年了，你应该认识他们。"她说："徐省长、刘市长我认识，电视里看到过，陈区长我也认识，听过他的报告，这三个人讲的话甩在墙上能打个洞。可他们怎么会为我甩出这句话呢？"我说："你们区教育局的万局长不是来你们学校视察过吗？你不认识？你认识了我就跟你去她家拜个码头。"她说："她说起来只是个科级哦，到我们学校来我边都拢不上，只能远远看一眼。凭着这一眼的关系她会给你一个编制？你以为编制是什么东西！"

编制是什么东西？这个问题我没有想过，那不言而喻是好东西，那不用想。可这个好东西硬是把一个学校的老师分成了几等，有上等人、中等人、下等人。在这个小学当个上等人，这是赵平平一辈子最高的理想，但这跟搭天梯摘月亮有同样的难度。我跟赵平平讨论了几天，就是找不到那条去摘月亮的天梯。我鼓足勇气去问院里几个关系好点的老师，你有什么人在白沙区政府和教育局当个什么没有？都说没有。再问，你认识的什么人，他认识的什么人在那里当个什么人物没有？还是没有。开始问的时候是羞愧万分，问多了那羞愧感也就麻木了。既然是求人，那就是求人，不可能昂首挺胸趾高气扬地求。李白当年就是昂首挺胸去求人的，求了一辈子也没求着。

　　这天在院资料室碰见蒙天舒，他在翻看杂志。我想，是不是也问一问他？心里实在抵触，就取一份报纸坐下来看着，犹豫着，一边又把报纸移开一点窥视他走了没有。过一会他出了门，我把报纸往桌上一放，追上他，把事情说了。说的时候我心里很抗拒，双脚在原地交叉移动。蒙天舒说："麓城的好多人我都不认识，但是总会有我认识的人认识。"我急忙说："你认识的那个人他认识谁呢？"我希望他说认识陈区长或者万局长。他说："白沙区教育局的赵局长，副局长啊，我是认识的。"我说："他是你的铁哥们吧！铁哥们，你的铁哥们。"他说："他是我老板的师弟。前几年出了本散文，请我老板写序，我老板怎么会干这毛细的事？就叫我写了，以老板的名义发的。"我马上说："那你们关系还是有这么铁，你请他出来吃个饭？今天晚上，我安排一下。"他说："现在要请别人出来吃个饭，那不是件容易的事。要我老板出面，那是灵的，可他怎么会管这毛细的事情？"我有点泄气说："人家是校长，怎么可能为我出场呢？你直接请请试试吧，说不定你请就请动了。"他说："那我下午给你一个信。"我希望他马上就打电话，说："现在打吧，现在，帮个忙吧。"他把手机按了一通说："没存他的电话号码，还得回家找名片。"

　　下午蒙天舒打电话过来说："赵局长他不肯来吃饭，他说这事情太大了，他搞不定，不敢赴这鸿门宴。"我说："你再请一请吧，老同学，关键时刻，帮帮忙啦。"我不由自主地捧着手机作了个揖："帮帮忙。"他说："除非叫我老板出面。我也不敢为这点事去惊动他，给他出难题的人太多了。你以为坐在那个位置上是件好轻松的事？"如果一定要惊动童校长，我也没信心了，站在大人物面前我都自觉气索，哪还敢惊动他？

我要蒙天舒把赵局长的手机号码给我。他说："他会骂我呢。"过一会还是发给我了。晚上我把事情告诉了赵平平，她说："一个电话号码有什么用？我又不是找不到他的号码。我又白高兴一场了，我的脑细胞禁不起这个折腾呢。"我把心一横说："置之死地而后生。晚上我陪你去赵局长家，一个重点大学本科生，教书都六七年了，要个编制很过分吗？是谁过分！"她说："我们学校七八年的还有呢，谁要都不过分，就是要不到。哭过的那不止我一个人，前年还有一个扬言要自杀的，结果呢，合同一到期就把她踢出去了。这样的人，哪个单位敢留她？"我说："你一定不去，那我一个人去，我这一辈子膝关节就软这一回。"她犹豫了一下说："那我还是陪你去吧。"

19

　　下了决心要去，怎么去又成了问题，空一双手去，那还不如不去。赵平平说："那就送钱。"我一听心就虚了，说："那太直接了吧，那简直就是……简直……简直就是不好。"她说："有哪点不好？现在都是这样操作的。难道你说一声拜托，那就拜托到了？"我说："真的送钱啊，你打算送多少呢？"她说："钱多少是跟着事情大小来的，这么大一个事，你不可能下毛毛雨吧，要下就下一场倾盆大雨。"

　　我心里憋屈得很，想往后退缩，想一想这件事实在也没有退缩的余地。我说："倾盆大雨那是多大的雨呢？"她说："那肯定要往万字上走才叫倾盆大雨吧。"我说："你那就不是送礼了，是行贿了。"她说："这点耳屎钱能叫作行贿？你也太小看行贿了。这是送礼，辛苦费。要说行贿，那多少才不是行贿呢？九千九就不是？"我说："我不能做这个事。"她说："你是什么伟大人物你不能做？你一辈子不求人，一辈子就被压在五指山下，不怕你才高八斗气吞霄汉七十二变。"

我垂了头坐在床上，心中刺刺地痛。我双手抓着床单，有着一发力撕成两半的冲动，那才痛快呢。怪不得那么多人拼了命也要往当官的路上走，上了道还要永无止境地往前进，都是从血泪中得来的经验和动力啊。你求人和人求你，那感觉是不一样的，捏在手中的东西也是不一样的，这种关系不可能靠一种道理颠倒过来。现实毕竟是现实的。我知道赵平平说得对，可这个功利主义的对，我很难接受。再想一想，一个人不以功利主义来决定事情的对和错，那又用什么决定呢？我知道那些圣人都不是这样想的，可是我不是圣人啊！圣人要有舍家舍身的精神力量，我什么都舍不了，我凭什么仰望他们？

我低了头望着地上。赵平平说："你倒是说句话啊，老望着地上干什么，地上没有钱，更没有编制。"我直起身子说："我不想说。"她说："我说错了吗？要说错了，那就是不该把这个事实说出来，至少是不该对你说出来。"我说："我也没说不求人，但还是不能那样去求，超出限度了。"她说："超出什么限度? 谁规定的？"我说："做人的限度，我自己规定的。"她一根指头颤动地指着对我说："聂致远啊，聂致远啊，你可以用几根绳子把自己绑起来，可是我要活啊！"

赵平平的话说得我心痛，我说："是啊是啊，你要活啊，那我们还是送吧，不送钱行不行呢？送钱实在太那个什么了。"我突然有了点灵感说："你不是班主任吗？请赵局长到你们班讲一堂德育课，你就把那一万块钱给他做讲课费，这样大家都说得过去了，我们院里要搞个什么事，就是这样操作的。"她说："万一没搞成，那一万块钱他真当作讲课费收了，你不吐血？"我说："没有那么坏的人吧，你们的局长，教育局长。"她说："一万块钱，那是我的肉呢，我血淋淋割出去要保证搞成，没有把握，我舍不得割，血淋淋呢。送到他家里，讲明的就是做这个事的。"我说："那还是送点东西的好。"

我们争辩了一会，赵平平最后还是听了我的，送点东西。送什么东西又为了难，赵平平说："烦不烦呢，东西不也是钱？还是送钱的好。"我说："那不一样。感觉着就很不一样。"她说："骗自己。"我说："那也得骗骗。"她说："小时候听过骗子骗自己的故事。"我给一个朋友打了电话，朋友说，送钱是最简单的，其次就是烟了。烟价格透明，他不抽他可以去礼品回收店退掉，那也是钱。酒和茶叶就没有那么方便了，酒折价很大，茶叶更大。

第二天，我花了四千多块钱买了六条中华烟。买的时候跟老板说明是送人的，没送出手，他得按九五折收回。老板只答应九折，争了半天我说："那我到别家看看。"他马上就同意了九五折，在每条烟上都做了暗记。我说："难道我还会换掉你的吗？"他说："看看你这个人还是像个君子，可有时候君子也会做小人的勾当。"听了这话我心里跳了一下，难道他有通灵术，知道了我想去干啥？

晚上去了赵局长家，在楼下为谁按门铃又跟赵平平争了半天，都不想按。最后还是我按了，说："谁按的人家又不知道，这还要往后退。"上了楼赵局长家的门已经开了，我隐约闻到房中有一丝烟气，茶几上烟灰缸里有烟屁股，就安心了许多。赵平平说："局长，没汇报就找上门来了，主要是担心您不肯接见！"赵局长说："我不是局长，万局长才是局长。你姓赵，我也姓赵。"我把装在黑色塑料袋里的烟放在茶几上，说："赵局长，今天太对不起了，就这么来了。"赵局长说："是小赵编制的事吧。"我说："赵局长，真的聪明。"

刚说出口就恨不得抽自己一个耳光，他一个五十多岁的人，是我能说聪明的吗？赵平平马上说："咱们那点小想法，赵局长还能不知道？"赵局长说："你们的愿望我特别理解啊，特别理解。"他的口气让我心里一抽，说："赵局长，您看平平重点大学本科，在白沙小学教书都有六七年了，还评过优秀教师，笔试也过了四次了，就是这个面试，赵局长您不挺一下，那永远也过不了啊！"赵局长说："跟你们说实话，编制的事找我，那没有找对人。区里每年这几十个编制，别看是小学老师的岗位，那也有太多的人在惦记。谁不想留在麓城？这都是万局长亲自把关，她一年手中要接几百张条子，不能说没有一张是可以随便打发的，那大部分都得交代一声。她也为难呢。她最大的愿望，就是条子上的那些人都笔试不过线，那还有几个特别要紧的人还要保证他笔试过线的。各方面怎么交代，这是她一年最重要的工作。"赵平平说："我只知道形势严峻，没想到形势还有这么严峻，一个小学老师，就争成这样？那我还考不考呢？"赵局长说："跟你们说真的，就算我自己的女儿来考，我会提出来请组织上考虑，那还不敢拍胸脯说肯定有编制。条子是从大人物那里来的，我一个副局长，太渺小了。"

他说得这么严峻，我感到很绝望，挣扎着说："赵平平她为这件事哭都不知哭过多少次了，为了这次考试，早几个月还做了流产，一个孩子都这么放弃了。"我这么一说，赵平平就抽泣起来。赵局长把纸巾推到她跟前，示意着抽了一下，叹着气说："我也想照顾你们这些人，真的是能力有限，你相信我这不是推脱，能力有限！要不你们去找万局长？陈区长？他们说一句话，那分量就不同了。"我说："我们这样的人，怎么找得上？"他说："你不是博士吗？有同学没有？学生的家长也行，小赵你们班的学生家长有得力的没有？要把情况仔细摸一摸啊！"我说："没有啊，要不请赵局长往万局长那里推荐一下？"他说："局长她焦头烂额，到那几天手机都不敢开，我还敢给她添乱？再说我的话能比那些有来头的条子更管用吗？"难堪地沉默了一会，赵平平说："不知道试卷是谁出的，是不是会漏题啊！"赵局长说："试题是从外省出过来的，应该不会吧，有专人保管呢。"赵平平说："就是担心这个专人呢，有些人是要保证他们过线的呢。"赵局长说："不会，大概不会的吧。"

话说到这里，就再也说不下去。望着茶几上那个黑塑料袋，我觉得现在唯一能够做的事，就是怎么把它拯救出去。我望着赵平平，眼睛往茶几上一瞟。她并不随着我的眼神把目光投向茶几。我发现赵局长似乎在观察自己，就把目光转向别处，心里想着反正没说里面有什么东西，也没说是送给他的，出门的时候老着脸，装着随意地拿在手中提着，也是个办法。到底是四千多块钱，快够我两个月的工资了。

赵平平站起来说："赵局长，没想到这件事有这么难，连你都为难，那我也就只能蒙在被子里想一想了。"赵局长说："你相信我，能够说上话，我一定帮你说，你相信我。"这话听上去很诚恳，可又很空洞，就像一个不太会游泳的人，踮起脚也没踩到河底。我也站了起来，似乎是随意地，把身子靠近茶几，感到那玻璃在日光灯下泛着炫目的光。就在我要弯下身子去捞那个塑料袋的时候，赵平平伸过手来，拉住了我那只准备出击的手，说："我们走了，打扰赵局长。"

走到门口我感到身后簌簌地响了一下，似乎是那塑料袋有了动静，忍住了没回头看。出了门转身想再说声"谢谢"，赵局长很随意似的把那袋子递到我手中，说："请你们相信我。"赵平平马上从我手中把袋子抢过去，塞给赵局长说："赵局长，知道您抽烟的，这是别人送给我们的一点烟，我们不抽烟，拿着也浪费了。"赵局长说："搞不得，搞不得！"赵平平说："跟那件事没有关系，请您帮个忙收下，不然我们拿着也不好处理，他又是个不抽烟的！"赵局长说："你这样就是不相信我。"赵平平把袋子往赵局长手中塞，说："拿都拿来了，帮个忙吧！"赵局长双手举上去说："心领了，心领了！你实在想表示一下，哪天我帮你做了点什么你再表示吧。"赵平平还要说，赵局长把手指放在唇上示意了一下，又指了指对面的人家，再挥一挥巴掌，把门轻轻关上了。

也许是赵局长刚才那个动作给了我们一种暗示，下楼时我们摸黑着，没有摁亮楼道的灯。黑暗中我们都不说话，我去牵赵平平的手，她甩开了。出了楼道，听见铁门在身后一响，我松一口气地说："幸亏还把这几条烟带回来了，我不那么望一下，他可能还以为我们送点什么小东西，忘都忘了。"赵平平："你别跟我说这几条烟好不好，老是望着它，你也敢望。拿进去了，又拿出来了，有这么丢脸的吗？"我说："丢脸不丢脸，几千块钱呢，两个月工资呢，两个月！那个面子是我们要得起的吗？"赵平平说："人家送掉半个家，没有结果那就是没有结果，那咬断舌子也不能吐出来，要把那血舌子生吞下去。"我说："你觉得自己能有那么豪迈吗？"她说："所以我说丢脸呢。"又说："活条命好难啊，天下真有这么难的事啊！"我说："谁都不容易。"她说："那不，那要看这个谁是哪个谁，是我这个谁那肯定是不容易的，换了一个谁，她怎么活怎么有。也难怪有些女孩，她们顾不了那么多，她们……"顿了一下："那些女人，那些……"又顿一下，叹口气说："活条命真的不容易啊！"我心中刺地痛了一下，没有说话。两人默默回到家里。

赵平平打算不考了，说："考了也是白考，绝对的。"我说："考了有两个结果，不考就只有一个结果。万一呢？"她犹豫了两天，说："已经复习这么久了，就去碰碰你说的那个万一吧。"复习时拿一些奇奇怪怪的问题来问我，如中国第一颗人造卫星上天放的是什么歌曲？荷兰的首都是什么城市？我告诉了她，她说："要是把你的脑袋借我用几天就好了。"我双手捧了头往前一推说："拿去！"又说："你一个小学老师，要知道那么多干什么？"她说："我要活啊！"

十一月底考试了，成绩公布出来，赵平平考了第五名。我说："招十一个语文老师，你第五名，就算面试一般，那也打不下去了吧！"她说："有人存心要打你，那没有打不下去的。他也不必打你，把别人提上去就行了，反正不会有戏的。"说这样说，她还是花四千块钱去参加了一个面试培训班，上课的是市教育局教科所的老师。那个曾扬言不给编制就要自杀的老师找到赵平平说，面试评委的名单，她都知道，给她八万块钱去活动，包面试通过，如不通过全部退还。赵平平动心了，回来对我说："八万块钱，搞成了我划得来，搞不成我也不吃亏。"我一听头就炸了说："又是钱又是钱，都是些什么人啊！"赵平平说："你不要感情用事，恨也好骂也好，都没有意义。没有钱办不成事是真的。事情来了，你跟别人说孔子孟子老子庄子都没有用，只有票子这个'子'才是真正管用的子。"

我有一种喘不过气来的感觉，像被一只恶毒的手扼住了喉咙。我想反击她，在头脑中快速搜索，可就是找不到有绝杀力量的话来。这让我觉得沮丧，这几年的博士是怎么读的！现实那么强有力地存在着，这不是几句什么话就能战胜的，就像一个人不可能用手捉住天上飞过来的导弹。我说："票子是有那么伟大，但它还不是最伟大的，有些东西比它更伟大些，至少对我来说如此。我也想活得更好一点点，但不想因此做个小人。"她望着我叹一口气说："你这个人不结婚可能更好一些。"幽怨地笑了一笑。我一下又没了勇气说："八万块钱，第一我们没有，第二这是个骗局。她看你考了第五名，有过的可能。她拿你八万块钱，什么也不做，你上了她纯得八万，你没上她退给你，还可以得几十块钱利息。我是说她还要点脸，会退给你。"赵平平蹙着眉想了一会说："真的啊，我怎么就没想到！有些人是专门杀熟的，不是熟人还杀不到呢。那就算了。谁叫我没有那八万块钱呢？"我说："你就凭自己的力量去碰碰运气吧！"她说："买彩票可以碰碰运气，这是有运气碰的事吗？"

　　面试赵平平没有通过，十九个人过线，取十一个，她的总分排在十二，比前一名差零点一分。她说："我早就说了这不是有运气碰的事情！我等了这么多年，想等那些人把关系户搞完，现在看来是永远搞不完的，我太理想主义了。"又嘟嘟囔囔地抱怨自己面试时哪几句话没有说好。我说："你知道自己没有运气可碰，你抱怨自己干什么？"她说："也是的啊，我凭什么要抱怨自己？"又叹气说："要是我准备得更充分些就好了。"我说："如果我说这个结果是有人精心设计的，你相信吗？零点一分。"她说："有可能。"又说："那是一定的。"我说："那你还抱怨自己？这棵菜就不是给你这条虫吃的，这个坑也不是给你这个萝卜栽的，你没吃到没栽进去那是理所当然，你骂自己干什么？"她低了头说："这个世界，要我怎么骂它才好！"又说："真的除了骂自己，我都不知道自己应该骂谁！"

　　就在我们放弃了一切希望的时候，赵局长打电话来了，告诉赵平平说，国家的编制没争取到，区聘的编制经他力争，争取到了。赵平平说："我就知道天不会绝我。以后至少那些区聘的老师在我面前就不能那样牛屎了，叫我做件什么事，像叫动狗子一样，那就不行了。"又说：

"我们还是买几条烟去看看赵局长吧，真的好人呢！不说感谢，那也要图下回吧！"

20

学院在公共平台上发信息来，通知我去开会。去了我才知道要放寒假了，开全院大会总结一个学期的工作。这让我有点恐慌，寒假要回鱼尾镇过年，我已经一年没回去了，可我还没有存下一点钱呢。想起这半年来，每个月都领了工资，可就两千块钱，怎么省着花，那也是流水落花地去了。一直想着下个月可以省出一点，到了月底又把这计划再往后推一个月。推到期末，那已经退到墙角了。看来我得到赵平平那里去讨点钱了。可她手中的钱满了一千就存进银行，誓死不肯动用，说："存折上那点钱就好比是我怀的胎，要拿出来，那就要做个剖腹产。"

散了会，办公室洪主任通知大家去领超工作量酬金，我这个学期一直在备课，一节课没上，更谈不上超工作量。看见大家堆在那里，我不好意思过去看看，就下了楼。就这么回去了吧，心里又抱着幻想，万一还有点钱呢？我在学院门口来回遛着，眼睛瞥着门口，看有多少老师出来了，准备走得差不多了，我再上去看看。

过了半个多小时，想着还有好些老师没出来，可再不进去，就要下班了。下了决心，我回到行政办，那里还有两个老师在签名。我就装着看墙上的世界地图，耳朵搜索着那边的动静。人都走了，我瞟见洪主任埋头在那里按计算器，我咳嗽一声，他没有理我。这让我感到失望，想着他是故意不理我，理了我他也难堪。我又用力咳了一声，自己也不明白地，就唱起了"我是一个兵，来自老百姓"。洪主任看到我了说："小聂，这里还有你的钱呢，两千。"我心中一喜，说："我没工作量也有钱吗？"

他说："每个人保底两千。"我说："那我吃劳保了。"就过去签名。签名时看见蒙天舒的名下是两万二，心一下就沉下去了。

领了钱出来，想起八九年前，被他恳求换了一个导师，造成了今天这么大的差别。当年的事已经烟消云散，有谁还会去追忆？连我自己都说不出口，他就更不会提了。可今天我拿在手里的东西啊，差别这么大，再说淡定，真的说不出口。这个果子我咽不下去那也得咽下去，还不能跟任何人说，包括赵平平。

回到家我把钱给赵平平，她说："咦，还有两千啊。我以为真的没有呢。"我说："那这个月的工资我只上交一半行吗？那一半让我跟三姑六舅拜个年。我奶奶种菜闪了腰，还躺在床上，送县里的医院送不起，只能在镇上的卫生院挂水。我真的有点不敢回去了。"她说："那你那一半工资也别给我了，这年肥是过，瘦也是过。只是谁都是想过肥年的。"我说："平平，委屈你了。"

过年前两天我带赵平平回鱼尾镇。本来按她的意思只待一天，然后去她家过年。我说："这是我参加工作后第一次回家，能不能过了年再走？"做了几天的思想工作，她答应了。我说："又委屈你了。"她说："我们这样的人，委屈惯了，不委屈反而不自在。就像什么小说中有个什么人，请他坐下，他说站惯了。老想着委屈了委屈了，还活不活？"

在长途汽车上我心里很不安，口袋里只有两千块钱，那场面怎么应付得过来？恐怕只能厚着脸皮意思一下算了。鱼尾镇的风俗，那是人情大过天，意思一下，真的非常不好意思，所以得厚着脸皮。唉，反正是要厚着脸皮的，为什么不学蒙天舒厚着脸皮去搞钱呢？我把自己给问住了。

远远看到家里那幢老房子，我心里没有欣喜，只有怯意。忽然想到陶渊明辞官归故里，归去来兮，载欣载奔，有点不理解。没了官一家人就没了生计，他怎么那样高兴？

爸爸坐在门口晒太阳，就坐在爷爷当年坐的那个位置，神态跟爷爷当年差不多，头往左边偏着，细眯着眼，活脱脱是二十多年前场景的翻版。

见到他，赵平平叫了声"爹"，我说："我们这里都叫爸爸。"她还是叫了声："爹。"妈妈闻声出来了，她又叫了声："娘。"我说："我们这里都叫妈妈。"她又叫了声："娘。"我妈倒是听懂了，喜得双手在胸前一阵拍打。

　　我进屋去看奶奶，走到门边看见房间里立着七八个人，妈妈说，这是奶奶的教友，他们在为奶奶做祈祷，愿上帝保佑她早日康复。我停在门口说："祈祷能康复，还要医生干什么！"这时他们祈祷完了，我走了进去，看见是几个老人，都还认识。奶奶躺在床上，想支起身子，说："老大回来了！"我跑过去扶住说："您躺好，别动别动！"奶奶对那几个人说："我家老大最有出息，"双手跷起大拇指伸到眼前，"读书就像喝蛋汤一样，哗啦哗啦就读进去了，读到北京去了，北京！还是个波士呢。"李家姨奶奶说："从小看着他长大的，小时候吵得很，那一年我送干娘上山打鞭，他还来抢呢！看现在都讨媳妇了。"孙家姨公公说："那个波士是个什么官，比镇长大些不？"我说："博士呢，那不是官呢，读书读得多就读成博士了。"他说："不当官那干什么要那么用力读？"我说："我是教书的，在省里教书。"李家姨奶奶说："他是谦虚呢，谦虚！"

　　那些教友在胸前画着十字，口中念念有词去了。我说："奶奶，您老人家怎么信这些，不管用的。我明天带你去县里医院看看！"她说："哪有那些闲钱作践！他们给我念经，念得我好些了，没那么痛了。"我说："祈祷是不管用的，不管用！你别说钱的事，明天搞个车送到县里去，我来安排。"赵平平在旁边瞟我一眼，我马上说："要不就到镇上医院住几天。"奶奶说："不去，他们念经已经念好些了。"又说："我要在家里过年！"

　　晚饭前致高回来了，手里提着几条鱼，用草绳串着。还有一块猪肉，大概有十来斤。我说："湖里钓的？"他说："都承包了，哪里有得钓？别人打上来的。"把鱼扔在地上："过年吃几条鱼还要买！"我说："吃鱼不买那还去抢啊！"他说："有的人有人送呢。"把鱼从地上提起来，扬得高高的："那就不是送这几条呢！送这几条人家当你是骂他！"又把那块肉提起来："别人家杀翻一头猪过年，分这一块给我。"我说："要

117

钱不？"他说："要不要钱你看那个人是谁就知道了。是我呢，不要钱，他怕我没吃得吗？"

致高小我三岁，在县里读了师范，在镇上教小学，有六七年了。他说："老兄啊，我教书这么教下去也不是个事，能不能想办法到镇上搞个事？"我说："你就是不珍惜，有个编还不知足，你嫂子'211'本科毕业，六七年了还搞不到一个编呢！"他说："不是个事呢，一辈就这么窝掉了。急得很！急得很！不动一动，明年后年过年吃几条鱼，那还是要买！"他双手在衣服口袋晃了晃："掏钱买！"我指着地上的鱼说："这几个钱，我来买行吗？"他说："真的是几条鱼的事？事多得很呢！你看家里的房子，什么样子了！谁会嫁到这里来做媳妇？歪瓜裂枣！"我说："那么功利的女孩你要她干什么？那会是个害呢！"他笑一声说："老兄，你莫跟我讲大道理，那是空的！歪瓜裂枣你也不想要呢！做噩梦呢！要不你要嫂子给我说一个？有她那个样子就心满意足了。"我说："你们学校就没有几个好女孩？女孩最重要的就是心里干净。"他轻轻笑几声说："身体干净不干净我都不能去想了，还想心里干净？刚从师范毕业的女老师，有呢！不歪不裂的，有呢！她怎么看得上我？"志高左手食指在鼻了上点了几下："我？人家都想到县上找呢，谁愿待在这个鱼尾巴上一辈子？人家心大着呢。"我说："心那么大的人心里怎么会干净？那样的人你找了，你一辈子脱不了身。"他说："现在的问题根本就不是我找不找她，而是她找不找我。明知她跟男朋友睡几年了又崩掉了，想着她掉价了吧，会低调了吧？麻着胆子放个气球去试一下，嗬，调子没低半点，说是家里不同意。心里干净点的有啊，歪的裂的，我不想要啊，做噩梦呢。"我说："那你也不要怪别人现实，你自己就有这么现实。"他说："我半点都不怪，不但不怪，还超级理解，所以说想到镇上搞个事。"我说："在镇政府当个办事员工资高些？应该差不多吧！"他说："理论上差不多，实际含金量那是天堂地狱，"他一根指头往上戳了几下，又往下戳了几下，"天堂地狱。谁都想上天堂。"

我知道致高说的都很真实，这个真实不是我可以改变的，就不再说话。沉默了一会，致高眼睛望着别处，自言自语说："急得很，急得很！"这时我对他的焦虑有了很感性的理解。二十七八岁了事业空间还没打开，急；女朋友不知在哪里，急。我说："急得很急得很，那个熊样！改变现状你要想办法。"他说："那要找人呢，哪里还有第二个办法？我那点墨水又考不上研究生。范岗不是你同学吗？他如今是镇办公室主任，你带我去他家拜个年吧！"

范岗是我高中同学，他爸爸当年是鱼尾镇的镇长。读高二时，范岗爸爸调到县农业局当局长，他就跟着去县里读书了。那年高考没考上本科，在麓城商业学校读了个大专，回到华源，到教育局当了个干事。早几年他爸爸提了副县长，他就到鱼尾镇的镇政府当了办公室主任。我说："范岗算个什么人物？镇长才是个科长，他也就是个股长。"我伸出左手小指头，拇指顶在指尖下："你去拜他的码头？"他说："股长在你们麓城是一根鸡毛，在鱼尾镇那硬是一条令箭。再说他这个股长后面有人罩着的，到鱼尾镇来下基层贴个金，前途那不是镇长打得住的。拜码头，那没办法啊！急得很呢！"捏着拳头一下一下砸着头，额上青筋都暴了起来："狠呢，狠呢！"

我看着他心里也急，说："我是从来不求人的，那我明天发信息给他拜个年，他不回信那就算了，回了信我带你去他家拜个年。"他说："要得，要得，你发信息要亲热点，把当年同学之情叙得动感情点。"我说："我跟他就同学了一年，记他是记得的，特别的感情那是没有的。他爸爸不是镇长我们可能还会走得近一点。"他说："你就是不注重养人脉，人家去县委党校学习，三分养文化，七分养人脉，将来都是用得上的。"

大年三十中午我给范岗发了一条信息，到下午四点多还没回信。我心里很别扭，想着，人一阔脸就变吗？他也没怎么阔呢！我还是个博士呢！又想着是信息太多，把我那条信淹没了。吃团年饭前致高回来了，问我信发了没有？我说发了，还没回信。他说："怎么发的？"我说："老同学啊，祝新年快乐。"他说:"不行呢。"我说:"那怎么才行，要我叙旧，我真的叙不起来，做不出啊。"他说:"第一要叙一叙当年的同学之情，你总记得当年的一两件事吧！最重要的是听说他高升了，同学大家都为他感到骄傲。"我想：同学大家感到骄傲的应该是我，怎么是他？我说:"一个股长，谁会为他骄傲？"他说:"你别把红薯不当水果，人家后面好歹也拖了个'长'呢！我现在的目标就是搞个教研组长，那是一场恶战呢！"

我按致高的意思又发了一条信息，回信很快就来了，真的说了同学大家感到骄傲的应该是我。致高说:"说了要提他高升的事吧，谁都有个痒痒肉，你搔不着，他怎么兴奋得起来？"又要我接着发信，把这条线索拉紧。我把手机送给他说:"起鸡皮疙瘩的话你尽管去说，那些屁话我说不出来。"致高说:"要得，要得。"喜滋滋地伸出双手把手机接了过去，坐在那里搞了半天。妈妈喊他去厨房洗菜，他一动不动说:"来了，来了！"又说:"人家有正经事！"

开饭了他把手机还给我说:"约好初三你到他家去。"我说:"我初二就要走了呢！"他说:"你初三直接从县城走好吗？我背着你的大包小包送到车站。"赵平平着急说:"我们初二真的要走呢，我家里晚饭都做好了。"致高说:"好漂亮的嫂子！就送给致高一个人情吧！"扬手用力打着自己的脸:"就给没面子的致高一个面子吧。好漂亮的嫂子！这么漂亮的嫂子！"

初三上午，我和致高进城去给范岗拜年，赵平平懒得去，就到车站等我。路过商场，致高说:"进去一下。"出来时双手捧着两条芙蓉王烟。我一看是软包装的，说:"一千几呢，你发癫吧！够过年杀个猪了！奶奶还躺在床上没钱送医院呢！"他说:"你以为我钱包胀得慌，怕他没吃得？没办法呢！"我说:"我真的不想去了，我发个信给他，你自己去。"他嬉皮笑脸说:"帮忙帮到岸吧。"把烟举了举:"看鞋都打湿了，不过对岸去？"

到了范岗家门口，我说:"别扭得要死！"致高敲了门，把我推到前面，我又去推他，正推搡着门开了，范岗说:"博士来了！我这个房子进来过省人大副秘书长、县委书记、县长，还没进来过博士呢！"我说:"这是我老弟，致高，在鱼尾镇丰渔小学教书。"范岗说："我们当年就是那个学校毕业的！"在门口换了鞋，致高把头晃悠一圈，朝我望一眼。我知道他在示意我这客厅很大，豪华，可我装着不懂。

致高把烟放在茶几上，用力拍得一响。范岗点点头表示看见了，往房里叫道："英姿，泡茶！"又解释说："保姆回去过年去了。"他老婆出来泡茶，是个美女。致高又望我一眼，我还是装着不懂。我说："好多年没看到你了！"就没有话说了。致高说："我哥昨天在家里说，说范主任读书的时候就与众不同。"这些屁话他说出来，既含糊，又到位，怎么致高也这么会说话。说了几句当年的事，范岗就开始说自己的政绩、自己的抱负，说一句致高就点一下头，偶尔插一句说："我哥昨天在家里说，早就看得出范主任是要干一番大事业的。"范岗说："那是将来的事，总应该一代比一代强。"致高说："范主任的爸爸他老人家是个副县长，我们已经是仰望云端了，范主任将来更要强上去的，现在才露出一个尖尖角呢！"范岗说："又有个尖尖角要露一下了，级别问题很快就会解决。"致高身体前趋说："要提镇长了？那是鱼尾镇广大人民群众的心愿和福气啊！我哥昨天还在家里说，范主任在我们那小地方当个主任，那是太屈才了！"范岗说："一步步来，可能要副镇长过渡一下。"

两人又说起鱼尾镇的人事纠葛，我在一旁发呆插不进话。我掏出手机看时间，如此三次。范岗说："博士还有事要忙吧！"送我们到门口又说："你老弟脑筋活，是个人才！"致高说："有机会帮范主任打个下手，那就是我最大的愿望。"范岗说："知道，知道，知道。"又转向我说："知道，知道。"出了门，致高说："老兄，他说知道，你顺势下楼说声拜托就好了，好话不收你的钱，不割你的肉，不要那么舍不得。"我没有理致高，自己往车站去了。

21

开学了，按院里的安排，我给一年级的学生上"中国思想史"这门课。三个班合上，其中就有我当班导师的那个班。我教了两年中学，给大学生上课还是第一次，有点紧张。这个年级有一半学生高考志愿都没填历史学院，而是填的商学院、法学院、文学院等等，由于填了服从分配，录到历史学院来了。上过课的老师说，他们的专业思想还不稳定。第一次课我打算谈谈学这门课的意义，跟他们对一下话，下次再正式讲课。我想起当年陆九渊在白鹿洞书院以"君子喻于义，小人喻于利"为题发表演讲，听者感动流涕，心中就升腾起一股豪迈之情。我不敢说让学生如醉如痴，感动流涕，但把他们的思想吸引过来的力量还是有的吧！让他们爱上这个专业，我就成功了。如果他们能够认同我的想法，我就更加成功了。我骑着单车往教室去的时候，就怀有这样一种使命感。

进了教室，我看着学生们的神态，和我前几年教的中学生差不多嘛，紧张感一下子就飘走了。黑板上是上一节课老师留下的板书，不知是物理还是化学的方程式。我望了望黑板，想等学生上来擦去，竟然没人上来。我想他们还太年轻，不懂得形体语言和眼神，这样也好，单纯、不世故。我拿起黑板刷想擦去，灵机一动，就留了下来。

铃声响了，我做了自我介绍，然后指着黑板问学生说："这是物理还是化学？""化——学。"他们齐声回答，跟中学生的神态一样。我觉得他们非常可爱，就更加有信心了，说："想一想学历史专业真的好啊，读一读《史记》、《资治通鉴》、四大名著，那就是学习，学习的过程就是享受的过程，"摊开双手，晃晃头，"享受。享受思想的深度，美感的滋润，享受。如果是学物理化学，看看这些符号，不知道你们是不是头大？"我双手捂着头，往两边分开，在肩膀上举着："我一看头就大了。这么大，"再分开，"这么大，爆炸。"我笑了起来，好些同学也跟着我笑了起来。他们一笑我就有了自信，说："人家学习这么枯燥，将来工作又那么枯燥，可能还有化学辐射，人家多拿点钱，那也是应该的，那点钱我宁可不拿，"把身子往前倾了一下，"你们想拿吗？"大家都不说话。我点了一个同学的名，说："马滨，你想拿吗？"马滨站起来四周张望了一下，缩了脖子说："有点想。"学生中爆发出一阵大笑。我也笑了，指头点了点示意他坐下，说："很好，敢于说出自己的想法，比说违心的话好得多。"我又点了一个女同学的名，她说："我跟马滨有点一样。"学生们又大笑起来。

等他们笑完了，我说："其实聂老师也不恨钱，钱拿在手中也是有感觉的，跟你们一样。但聂老师不会为了那点感觉，去做自己不愿做的事，不管是不应该做的事，还是没有兴趣的事。一个人能把自己的兴趣爱好和自己的事业结合起来，他人生的幸福就有了一半了。"接下来我按计划讲了学习中国思想史的意义，古人是怎么思考宇宙和时间、社会和人生的，他们的智慧达到了怎样的深度，这对我们现代人又会有怎样的启迪。快下课了我说："对这些思想的探索者，聂老师是高山仰止，心向往之。两千多年前孔子就提出了'仁者爱人'这样伟大的思想，跟现代的普世价值、人道主义能够天衣无缝地对接，让人钦佩！还有屈原，他不把现世的荣华富贵看成最高的人生价值，宁赴湘流，葬身鱼腹，也不向小人妥协，不以人格做交换。人格和原则不但高于富贵，也高于生命，屈原用自己的生命为中华文化树立了一个伟大的精神标杆，这是他比作为一个文学家留给后人的更珍贵的遗产。"我还想讲曹雪芹，这时下课铃响了，我抓紧时间说："屈原在《离骚》中想象自己奔向太阳，奔向光明，豪迈地说，来，吾道夫先路！那就让我们把他当作精神上的先导者，跟着他奔向光明，奔向太阳！"我伸出右手食指，往讲台下一指，"同学们，你们能够树立起这样的信念吗？"下面的同学齐声回答："能——够！"

课间的时候我待在教师休息室。本来我想留在讲台上，等着学生来与自己交流一下，可又想安静一下，想一想怎么把下一堂课讲得更好。反正一二节课与三四节之间有二十分钟，到那时再与他们交流不迟。我用茶几上的一次性纸杯泡了一杯茶，热水瓶的水不烫，茶叶没有泡开，喝下去我还是感到一股暖流顺着喉咙滑下去，在胸口化开，充溢到身体的每一个角落，带来温润的舒适。这时我放弃了把下一节课要讲的内容再疏理一遍的想法，反正是跟学生对话、交流，我非常自信，自己能够从容面对。对面的墙上是一幅中国地图，我从沙发上站起来，在地图上找到了华源县，再找鱼尾镇，却没有了。掏出手机看看离上课还有两分钟，就往教室走去，飞快地把那些早已准备好的话在心里过了一遍，打算在跟学生交流时脱口而出，也让他们知道，聂老师这个博士，可不是只有一个头衔。

我踩着铃声进了教室，在我的右脚踏上讲台的那一瞬间，铃声断了，好像是被我踩断了似的。我看见一个女生堵在另一个女生的耳朵边在讲小话，就用力咳了一声。声音被扩音设备放大，就有了一种威严感，两个女生的头迅速分开了。我说："这节课想跟同学们谈谈心，大家就当聂老师是自己的一个朋友，对于学习，对于专业，对于这门课有什么想法，有什么要求和建议，都可以敞开心扉说出来。既然是跟朋友交心，就要诚恳，说心里想说的话。"

我以为大家会抢着说话，可我等了半分钟，还没有一个人发言，这沉默让我感到了难堪的压力。我说："大家都没什么想法？"就望了范晓敏一眼。范晓敏举手说："我讲几句。我觉得中国思想史这门课是非常重要的，它能够让我们了解古人是怎么思考宇宙和时间、社会和人生，他们的智慧达到了怎样的深度，这对我们现代的人又有着怎样的启迪。总之是非常重要的。"我说："很好，如果能够结合自己的生活经验就更好。还有谁？"又没有人举手了。我承受不了这种局面，就点名说："马滨，你平时不是很能说吗？你说一下。"

马滨站起来，咧嘴四处环顾了一下，大家都哄笑起来。他说："老师，我能够说真话吗？"又是一阵哄笑。我说："难道你以前跟老师说的都是假话？"他说："有一个问题我入校想到现在，想了半年还没想好。学了这些到底有什么用呢？"我说："这些是指哪些？是聂老师这门课，还是整个历史专业？"他说："都是。"我说："聂老师上堂课讲了那么多你听了没有？"他说："听了。学习中国思想史的意义，就是要了解古人是怎么思考宇宙和时间、社会和人生，他们的智慧……""哈哈哈哈……"全教室的同学都笑了起来，那两个讲小话的女生笑着笑着都搂到一起去了。我也笑了说："如果是考试你倒是可以打一百分。那你觉得到底要怎样有用才算有用呢？"他嘴唇嚅动了几下说："老师，我能够说真话吗？"我说："是不是聂老师总是教育你说假话？"他说："聂老师没有……我家里是农村的，我爹我娘希望我将来多……多赚……多赚一点……那个。"教室里沸腾起来，女同学耸着鼻子学着马滨带乡下的口音的话："那个，那个。"我让大家笑了一会，示意大家安静，说："你是填了服从分配到历史学院来的吧？"他说："是的。"我说："你原来报了哪几个志愿？"他说："商学院、法学院。"我示意他坐下，说："那个……并不是坏东西，聂老师也希望多一点……那个。"几个女生捂着嘴"哧哧"地笑。我说："笑什么，难道你不喜欢那个？"她们把手放下，笑出声来。

等大家笑完了，我说："我们都生活在市场经济的大环境中，大家都感觉到了市场的诱惑和压力。我们进行的现代化事业，就是要大家都多一点……那个，"我双手伸出去做了个数钞票的手势，"那个。市场经济的前提，就是承认人的欲望的合理性，追求那个的合理性。这是我们这个时代的巨型话语，它如水银泻地，以自身的逻辑即功利主义，在很大程度上统摄了我们的价值观，对精神的价值发出了严峻的挑战……"讲了半节课我发现自己讲得太多，一直在讲市场的力量，简直就是顺之者存，逆之者亡，要转回来已经有点困难。这不是我想讲的，我也不明白自己的话为什么不知不觉就失控了。省悟到这一点，我又把话题往回讲，讲到我们是人，不只是一具肉身，应该为精神价值保留一席之地；我们又是知识分子，不能把现世的自我绝对化；我们还是学历史的知识分子，更应该以先贤们为伟大的精神先导。还没有展开，下课铃就响了。

我把讲义放进包里准备离开，几个同学走过来说："聂老师，大家觉得今天的课很好。"我询问地望着他们说："有那么好吗？我觉得你们没有被我说服。"一个同学说："不一定说服了才是好,最重要的是实话实说。"我说："难道有人要你们不实话实说。"他们互相望望,抿着嘴笑,一个说："要考试！"另一个说："总不能把自己天天想钱写在试卷上吧,还想及格不？"我说："你们有什么想法,下次课还可以说,聂老师不怕你们说得过分,只怕你们不掏心窝子说话,小小年纪就把官话套话都学会了。"

出了教室我有点沮丧,觉得自尊心受到了伤害。我没有说服这些学生,我太自信了。虽说这是社会大环境决定的,我还是有点沮丧。想起"奔向太阳"的豪迈,觉得太夸张了点。也许我本来就不应该抱有说服他们的想法,既然我说不服赵平平,怎么可以设想说服学生。我太自信,把事情想得太简单。也许,我不应该设想一种道理比市场更厉害,比生活经验更有说服力。也许,我不能希望每个人都是司马迁、曹雪芹的追随者,包括我自己。也许,我不能追求这么高的目标。但是我也不会放弃,为了职业的自尊,我都不会放弃,我在讲台上讲的话,我自己得相信。不放弃也许不能征服那些学生,但至少还有一种文化记忆,这是复活的种子。如果放弃,那不但丧失了职业自尊,连记忆都没有了。为了这点理由,我得做一个悲情的坚守者,在这个小小的阵地上坚守下去。

22

张维从广州打电话给我说："今年的中国思想史年会由我们岭南大学主办,我在搞会务,怎么没见到你的名字？"我说："我不知道这件事呢。"他说："怎么会？秘书组寄了几份邀请函到你们麓城师大,没给你一张？这里有你们院里老师的与会回执,一个姓蒙的老师。"我说："哦,蒙天舒吧,他没给我那个什么函。"他说："你问他要,他那还有。"我说："可能人家不想给我。"他说:"那我马上特快寄给你,你拿去请款吧!"我说:"我们麓城师大有那么穷呢,没有这笔开支。学校给我几万块科研启动金,我还没舍得用,准备留着出博士论文的呢。会务费多少?"他说:"才一千二,包出去旅游三天。"我说:"有点多,路费住宿七七八八堆在一起,没三四千下不来。我那点钱这么抖几下就抖光了,博士论文拿什么出?"他说:"学弟,你是办大事的人,窝在家里怎么办大事?这次名家会来一大堆呢,名刊的编辑也一大堆,你平时哪里去见这么多人?机会啊!"我说:"那我就去请点钱吧。"

过了两天我收到了张维寄来的邀请函。我想,找谁签字批点钱才好,就跟蒙天舒说:"天舒,今年学科年会在岭南大学搞,你去不去?"他说:"我还在犹豫呢,几个人凑一起,吃餐饭,胡侃几句,打几个哈哈,也只有那么多意思。"我说:"我倒是收到了一张会议通知,找谁批点经费?那么多老师出去开会,都是用自己的钱吗?"他双手摊开往怀里一收,说:"我是用自己钱,别人用谁的钱,我不知道。"我笑了说:"哦哦,忘记了,你是有钱的人,几十万呢。"他说:"你以为那点钱是我一个人在花?"

我坐在教研室,把邀请函摊在桌子上看了很久,心里"去,不去;去,不去"折腾了几十个来回。三千块钱不多,对我来说就有点多,舍不得。忽然记起上学期蒙天舒找我在发票和飞机票上签字,那是他暑假去新疆开会用掉的钱,报账要三个人签字,有好几千块。当时他无意透漏了这笔钱是龚院长批的。

这样想着,我下决心去找龚院长。龚院长把会议通知仔细看看,又仔细看看,我站在那里,汗一下就冒出来了,背上感到了一片湿热。龚院长说:"我们院里,哪有钱啊,开会都是自己有项目经费就去开。"我说:"就三千块钱呢,院长,就三千。"他说:"三千块钱多不多,那要看哪个学院,理工科学院那肯定是不多。学校不是给了你四万科研启动费吗?"我觉得没希望了,说:"是的,是的。"感到有些羞愧,自己有钱,还来问院里要钱,太自私了。

我打算走了，又想起了蒙天舒，就说："蒙老师他暑假出去开会也用了院里的钱呢。"他说："没有吧？没有。批没批钱我还不知道吗？"我一身的汗都暴出来了，挣扎着说："他去新疆开会，还是飞机来回呢。"他说："那他、他，你、你……我记不清了。这样吧，你们一个教研室的，我就一视同仁，批你三千。别的老师那里就不要说了，都来了我可受不了。"

　　我问蒙天舒哪天去广州，想着如果住一间房，就可以省几百块钱住宿费。他说："我得提前两天去，顺便去看看一个亲戚，火车票早就买好了。你呢？"我说："我肯定是报到那天去吧，早去一天又要我多花几百块宾馆钱。"

　　去白云宾馆报到那天，我在电梯口见到了蒙天舒，他正提着一个旅行箱送一位老先生去房间。我正想热情地招呼一声，他抢先点了点头示意一下，也不说话。见他这么默然，我只好把喉咙里的话咽了下去，也点点头。

　　不一会张维到房间来找我，寒暄一会他说："你们院里来的那个蒙老师，在我们这里当志愿者都有两三天了，去机场火车站接人都好几趟了。"我说："他不会什么人都去接吧？"他说："他去接的都是名教授、名刊编辑，我们院里搞接待的都要生气了，难道我们接待不周全，要你来插一手？他吧，女的送一只头饰，男的送几包好烟，摆平了。现在都成了我们接待组的核心成员。只是接待组的人谁都要接待，他只接待名人，一般的人不拢边。这两天在这里上蹿下跳的，比谁都忙。刚才就在送《历史评论》主编罗天渺回房间。"我说："怪不得见了我他不做声，就眨巴眨巴眼，可能是不想让我也认识了罗天渺。那些名教授、名编辑又不是一般的人，就读不懂他？"他说："懂啊，你我都懂，他们不懂？可谁又会拒绝别人对自己的殷勤呢？"我叹气说："这年头要成功，真的要把人性的弱点利用到极致。我怎么就没这个勇气？仔细想想，自己也不比谁傻。"他说："我去年暑假到乌鲁木齐开会看见他，上个月我们院里有人到沈阳开会也看见他，这人是空中飞人，一年到头在外面赶场子，关系网先编起来，再慢慢地织紧织密，前途不可限量啊！你得学啊！"我说："我这人没有用，真的没有用。"他说："说没用那是没有用的，那真的是没有用的。谁规定了他天生有用，你天生没有用？你老是跟自己说没有用，真的就没有用了，不然怎么说一个人最大的敌人是自己？战胜不了自己，几年几年就被边缘化了，再也没机会挽回局面了，你以为生活会永远提供机会？下午我们一起去拜访一下罗天渺吧？"我说："我们这些小青年一进门，人家就知道你是为了发文章套近乎来了，挺那个什么的。等吃饭的时候我们找个机会坐他旁边，那自然一些。"他说："你还是不能战胜那个最大的敌人。"

晚上我和张维去拜见吴教授，他房间里总是有人，信息联系了好几次，十一点过后，吴教授才发信息来叫我们过去。进了房间我说："吴老师连接见弟子的时间都没有了。"张维说："这是学术权威的历史命运。"吴教授说："哈哈，有几个人明年要报国家社科基金项目，希望我支持一下。"又说："他们也不能上来就谈项目吧，就坐久了点。小聂明年报个项目吗？如果过了通讯评审，到终评委这里来了，我应该支持一下的。"我说："国家项目我真的还不敢想，只想把博士论文精华再精华一下，在核心刊物上发两篇有点模样的论文，积累一点前期成果，那才敢报。"吴教授说："那我也可以推荐一下。"我说："这样的想法我都不敢跟吴教授提呢。"张维说："吴教授推荐的论文，对刊物来说就是最高指示。"吴教授说："指示不敢说，也就是个十之八九。"

我想着自己的导师冯教授都从来不敢承诺推荐论文，他老待在家搞学问，那个学问怎么搞得起来。时代变了，你不与时俱进，就会边缘化，而边缘化的结果，就是一无所有。又说了会话，张维说："老师太累了，早点休息。"吴教授要我们各自提一盒茶叶回去，说："他们送的，都是好东西，可我也不能都带上飞机吧。"提起一盒看商标："金骏眉，这净重才六十克，算下来要一万多块钱一斤呢。"我吓一跳说："我还没吃过一百一斤的茶叶呢，吴教授您留着自己吃吧。"他说："我有，我有。"张维说："吴教授让你拿着你就拿着，不然他不高兴。"

出了门我把茶叶提到眼前晃了晃说："金骏眉，一万多一斤！"张维说："你注意了吴教授茶几上的烟没有？软中华，六七百块钱一条呢。"我说："我一个月工资还不够他抽烟。学术权威，太刺激了。"张维说："你们那个蒙老师很有这个潜质，将来的天下不是他们的，那还会是谁的呢？"

进了电梯刚上一层楼，电梯停了，有两个女孩进来，描眉，涂口红，假睫毛，短裙，低胸薄毛衣，毛衣的边缘正好从胸部的尖尖头边掠过，胸的整个轮廓都出来了。张维朝我挤眼一笑说："真理。"我说："局部的真理。"两人对视笑了一笑。张维问道："小姐，上几楼？"伸手准备按电梯的按钮。两个女孩突然爆发出一阵大笑："哈哈哈哈！"一个说："先生怎么知道我们是小姐？经验很丰富的嘛！"另一个说："很能读懂我们嘛！先生上几楼我们就上几楼。"我和张维赶紧用力摇头。一个说："两位帅哥照顾一下生意嘛。我们都很温柔的。"另一个说："两位帅哥不愿享受一下超级爽的服务吗？爽歪歪。"张维说："这样不太好吧。"我说："为什么不去劳动？要劳动致富。"两个女孩互相望一眼，爆发出一阵大笑："我们的劳动就不是劳动？"

这时电梯到了她们要去的那层楼，电梯门开了一下，被她们摁住关门按钮，说："我们不漂亮吗？"摆了个姿势。另一个说："不性感吗？"也摆了个姿势，身子向我靠近了一些，胸几乎要顶到我的胸前。我双脚跷起来，靠紧壁站着，说："这样不太好吧。我要叫警察了。"两个女孩哈哈大笑："警察，他要叫警察，他还是男人呢。"松了按钮，走出电梯，其中一个在电梯门关上的一瞬间展开身体，孔雀开屏似的做了个姿势，抛过来一个飞吻，说："土鳖。"等电梯门重新关上，我和张维对望一眼，互相指着对方，同时说："土鳖，土鳖！"突然爆发出一阵大笑。

23

我躺在床上,想起张维说的"边缘化"的话,胸口被插了一刀似的痛。做学问也可能被边缘化,我以前也模糊地想过这个问题,现在陡然清晰了,感到了形势严峻。一篇论文、一部著作,好就是好,不好就是不好,圈子里的人都看得出,这眼神谁都有。那杆秤在人们心里,一分一毫都是清清楚楚的。认真做学问,写出了好文章,别人想挡住我前进的道路,让我边缘化,那怎么可能? 这是多年来支撑着我努力的信念。

可是现在,这种信念发生了危机。同样一篇论文,发表在权威刊物上是发,发表在一般刊物上也是发,论文还是那篇论文,发表的地方不同,它的分量相差那就太大了。我总是想着好论文肯定会发表在好刊物上,看来不是那么回事,根本不是那么回事。在这里,关系是那么重要,太重要,比论文的质量更重要。总之眼神已经不是那种眼神,标准也不是那个标准,一切都失范了。没有关系,论文就难上权威刊物,也获不了奖,争不到项目,评不上职称,涨不了工资,也就没有学术的尊严。我总不能对别人说,自己发表在那些不起眼的刊物上的论文是多么有水平吧。对学术水平的鉴定已经完全交给了编辑,我跟他连一面之交都没有,那论文投过去扫一眼都来不及,就湮没到浩如烟海的来稿中去了。这样想着,我决定这几天还是要接触一下那几个名刊的编辑,至少跟他们混个脸熟,以后投稿也有个说话的台阶,至少把我的稿子扫那么一眼。

快天亮时我才睡着,不一会就被手机闹钟惊醒了。我想着早点去餐厅等着,找个机会坐在罗天渺旁边吃早餐。还有别的几个名刊编辑,我连脸都不熟,打算上午开会时好好记住那几张脸。到了餐厅,还没几个人,服务员问我要用餐券,我就退了回来,到外面走走。过一会再去餐厅,人已经多了起来。我眼光扫了一圈,发现罗天渺还没有来,就放了心,拿了油条豆浆,在靠近门口的一张桌边坐下,眼睛瞟着门口。我看见蒙天舒进来了,却在那里晃着,就指着早点示意了一下,他点点头,还是那么晃着。

一会罗天渺进来了，我端着碟子起身想等他取了早点，就坐到他身边去，看见蒙天舒跟他打招呼，又挨着他身后拿早点。我忽然发现罗天渺前面那小伙子也在跟他说话，我想：应该是偶然站在那里的吧？罗天渺取早点时，蒙天舒和那小伙子一前一后夹着他，他拿水果他们就拿水果，他拿豆浆他们就拿豆浆。等罗天渺向桌边走去，我就朝他走去，那小伙子身子朝我这边一站，把我和罗天渺隔开，顺势在罗天渺身边坐下，另一边就是蒙天舒。我只好装着是来找蒙天舒说话的，问他住哪个房间，就离开了。心想：这两个人把罗天渺挟持了似的，也不知他自己意识到了没有。

上午是开幕式，主持者是《中国思想史研究》的主编汪寅。这名字我非常熟悉，早两年通过冯教授的推荐在他那发过一篇论文。以后又直接寄过两次稿子给他，就没有消息了。我盯着台上，心里盘算着散会时在门口等着他，跟紧，一直陪他去自助餐厅。台上的主题报告我都没认真听，心里想着中午跟汪寅说几句什么话，才能让他留下深刻的印象。想来想去竟想不出这几句话。"学界泰斗""如雷贯耳"，这样的话说不出口；"久仰大名""非常敬佩"，这样的话没有分量。我觉得自己真的是才情枯涩，没有出息那是理所当然。又恨自己事先怎么没做充分准备，把他们最近的文章找来看看，作为一个话题、一个切入口。散会时汪寅走到门口，已经有好几个人拥簇着他了。他们在说话，我也不能那么横插进去，只好看着他的背影消失在人丛中，在门边叹口气，摇了摇头。

那两天我都没有机会跟罗天渺和汪寅两位老师说上话，想找一个很自然的机会，那根本不可能，要削尖脑袋去找机会，抢位置似的，我实在也做不出。散会了，第二天会议组组织去罗浮山旅游。先天晚上我想着是不是把那盒茶叶给汪寅送去，这么好的茶叶，也不是我消受得了的。到了他房间门口，侧耳听见里面有人说话，就离开了。如此三次，后面两次有人就守在门口等，我只好装着路过，从楼道走过去。十一点钟再去时，门口已经亮了"请勿打扰"的灯。我在门边叹口气，摇了摇头。

第二天早饭后在宾馆门口等车，我看见那几个大人物身边都有人占位，就干脆放宽了心，不再做前去亲近的努力。蒙天舒帮罗天渺拉着行李箱过来，另一边还有一个中年人。看着两个男人拖着那个小箱子，我有一种滑稽的感觉，抿着嘴笑了。车来了，两人帮罗天渺把行李送到车旁，都说："我来，我来！"每人拉着拉杆的一边，都不松手。两个人抬着行李箱，塞进了旅游车的行李箱。两人放行李时，罗天渺走到车门口，蒙天舒不等行李放好，就追了过去。

车门口已经有个年轻人等着，等罗天渺上了车，身子一侧，把蒙天舒挡住了。蒙天舒还想挤过去，那年轻人双臂张开，把他挡住，上了车就顺势坐在罗天渺旁边。上车还有这么激烈的竞争，不仔细观察，真的就像什么事都没有发生一样。我上车看见蒙天舒坐在后面，阴沉着脸。我笑嘻嘻地招呼他，他"嗯"了一声。

那天晚上住在山上的宾馆。晚饭后汪寅和罗天渺几个人在山间小道上散步，蒙天舒和几个人左右陪着。早上的那个中年人跟在后面，几次想找机会插进去，都没成功。后来蒙天舒恼火了，并不回头，就知道那中年人紧跟在后面了，一边侧了脸跟罗天渺说话，一边在身后一下一下挥动着胳膊，示意那中年人离远一点，那胳膊似乎在一声一声地说："滚开！滚开！"那个中年人站住了，望着蒙天舒的背影，横眉冷对。我走过去说："罗主编呢？我想跟他说说论文的事呢。"他往前面一指，怒气冲冲说："你狠一些，你去说，看你去说！"我故作惊异地望着他，他连忙说："对不起，我不是说你，我是说你……你……你去说也说不上。什么人啊！"手往前面一指，"说他们呢，什么人啊！"

很晚了张维到我房间来，进门说："我们学校花了几十万办个会，这钱有一半是为你们那个蒙老师花的。我们搭了这个平台，在台上跳舞跳得最欢的就是他。我没有说他不好的意思，应该向他学习。君子不言利，那是古代的君子，现在是市场经济，适者生存。我看他很快就会在《历史评论》和《中国思想史研究》上发文章了，国家社科项目也快了，正教授也是捏着指头数日子的事了。"我说："从理论上来说，真的应该向他学习，不学的话，那就看着人家在聚光灯下跳舞，自己可能连在旁边伴奏的机会都没有。事情看都是看得清的，谁傻？就是做不出那个样子啊！"他说："做不出就替别人伴奏吧，那有点惨，所以做不出也得强迫自己去做。要主动出击，出击！"他右手握拳往前一击，又一击："出击！像李白那样躲进终南山，想等皇帝公主来发现自己，那是古代的故事。"我说："怎么强迫啊！不强迫自己吧，也没有什么理由，一定要给自己找个理由，说来说去只有一个理由，就是心里它不愿意。除了这个理由，难道还会有人来说你的好？无人见证。"他说："开个会吧，这是学术活动，开着开着就变味了，'学术'这两个字变成形容词了，'活动'才是主语。"我说："像我这样不会搞学术活动的人，将来恐怕真的只能当个伴奏的人了。"又说："我想着自己拼命把学问搞好，难道真的就出不了头？我还是抱有一点希望，不然就太没有希望了。不但我没希望，连学术也没有希望了。"他说："还是理想主义，害怕真实。那除非你真的把自己搞成了冯友兰、郭沫若。"我说："我还是抱有一点希望，这是对学术的一点信念。如果这点希望都没有，那我可能真的就真的没希望了，完全彻底。"他说："这个完全彻底真的可能是完全彻底呢，可能还要把'可能'这两个字去掉。"

两人盯着电视看了一会，他忽然问："现在经济情况怎么样呢？"我想说"糟透了"，又想要点面子，就说："一般。"又补充说："太一般了。"他说："想不想赚点钱？"说到赚钱我心里亮了一下，想象着有一堆红票子堆在眼前。又想起早几天赵平平告诉我她又怀孕了，当时她的眼神带着一种询问，让我想到了自己承诺的那三万块钱。我说："麓城不比广州，没有钱遍地打滚。"他说："那是想象中的广州。"又说："有件事本来不想跟你讲的，犹豫这两天还是讲了吧。我今年在省教育厅申请到了一个重点课题，关于广州这个城市的文化发展史，有五万块钱。最近我这个人心态很浮躁，沉不下心来写。能不能就请你帮个忙写了这本书，经费全部归你，五万！书归我去出，要赞助是我的事，稿费也全部归你。我也就挂个名，把课题结了。"又说："有的是人想接这趟活，我不相信他们，怕写出来不像个东西，把我的名声败坏了。"我笑一笑说："你就那么信得过我？"他说："那当然，我们是属于那种一起下过乡，一起扛过枪的。"

这个建议我本能地非常抵触，用自己的才情去帮别人写书，这让我的自尊心难以接受。可想到赵平平，还有那五万块钱，心里又犹豫了。我实在是太需要这笔钱了。我忽然对"雪中送炭"这个成语产生了有体温的感受，五万块钱，红红的一堆，那是冬天里的一盆炭火啊！我说："五万块钱对我来说是一笔巨款呢，不过广州这个城市我真的很生疏，没有情感体验恐怕写不好。"他说："材料我那里一大堆，你搞个文化史的构架把它填进去就可以了。"我说："让我想两天吧。"

那两天我在山上没心情看风景，也不再去想怎么与那些名刊主编接近。我把张维的建议在心中反复思考。为了几万块钱写本书，这事我以前也做过，这一次却特别地别扭。如果是一个老板请我写传记，那我挑明了奔钱去的，一场交易两相情愿，自尊心并不感到难堪。可这次要以学问的名义，学问也能拿来交易，这让我很难接受，觉得辱没了学问，也辱没了自己的职业。

有人告诉我，张维最近搞到了一个更大的项目，就是为哪个市的市长写传记，有三十万。看来他是知识转化为生产力，奔大头去了。这让我心里更堵得难受。可是，钱啊，钱啊，诱人又逼人的钱啊！有了这笔钱，生孩子前前后后的问题就都解决了。你说这钱是个老鼠屁，老鼠屁都不值，那是不行的。我没有这种豪迈，真的有，那也是矫情。可是我最后还是下了决心不接这一趟活儿，没有什么特别的理由，唯一的理由就是心灵的抗拒，不愿意。这不是理由，可又是最充分的理由。为了这个理由，也许我得做好准备，接受那样的命运，不但没有在聚光灯下跳舞的可能，连伴奏的机会都没有。

第二天就要下山了。下午张维问我想好没有。我说："回去跟家里商量一下。"他说："好的，好的。"气氛有点尴尬，他就叫着别人的名字，跑到前面去了。

我独自在山路上走着，忽然发现小溪对面的悬崖上有一朵耀眼的花，红硕地开着，孤独地开着。我跨过小溪，抬起头看那朵花。这是一株无名的花，矮矮的，生长在岩石的缝隙之中，只有一朵花，在这深山独自绽放。它就是它自己，它为自己绽放，并不在意是否有人欣赏。它开得这么饱满，这么鲜活，内敛孤傲，却无意向世界宣示。我踮着脚，轻轻摸了摸花瓣。

24

回到麓城，我推开家门，赵平平正坐在窗边的椅子上，眼睛望着门口，好像已经望了很久一样。看见了我，她还是那样端坐着，一动不动，像一尊雕像。我说："你怎么了？"她说："我怎么了？"又说："我等你啊！"我说："我没有觉得自己有那么珍贵。"她说："我不等你我又去等谁？"又说："辛苦了这么几天，也有点收获没有？"我说："有收获啊，看到了一些人，也看到了一些事。"她说："什么人？什么事？你说具体点好不好？"我说："要说具体也没有什么事。你那个具体是什么意思？"她说："就是实际的事，掉在地上砰砰响的。"我说："一百块钱掉在地上它不响呢。"

我弯了腰，伸出右手，手掌贴着地面飘了一下："它不实际吗？"她说："聂致远你是读过博士的人，斗杂嘴我肯定斗你不赢。我是说我们家里总要有个人在进步，我是一个女生，我一个编制都争不到手，你要我到哪里去进步？我才读了几句书？我又没有一个好爸好妈好哥好叔，好堂兄好表兄，连好表兄的堂兄和好堂兄的表兄都没有，怎么去跟别人拼？我只能靠你。其实我靠不靠你，我都没有关系，我养自己反正是养得活的，可是谁来养你的儿子呢？"她在腹部拍了一下，又拍一下："他，他，他马上就是一个人了。"

这话戳到了我柔软的痛处，我说："我想我还是能搞到钱的，我暑假到下面多上几次课。"我们学院在下面的市县办了十几个自考班，出去讲一次也有几十个课时的工作量，能赚一千多块钱。赵平平说："人家搞一个优博就是几十万，搞个国家项目就是十几万，评个奖就是几万，你几百几百地赚，这一根筷子伸到锅里，你什么时候才挑得起一碗饭，你？"我说："总比不挑要好一点吧！"她说："那何时能翻身哦！那几百块钱我不稀罕，你待在家里多写几篇文章，早点评个副教授，那不好点？"我说："你以为文章那么好发的吗，现在？"她说："所以我问你出去有点收获没有！那些人的马屁你也拍一下呢！"我说："现如今马屁是那么容易拍到的吗，你以为？再说我也不是那样一个人。"她说："这个世界你看清了没有？有些事你去搞了没人说你坏，不搞没有人说你好，可搞不搞对自己那就大不相同呢。蒙天舒的优博怎么来的，你又不是不知道，有谁说他不好？领导都表扬他，重奖他，你比他傻吗？"我说："我脑袋没人家那么尖，不能到缝隙中间挤啊挤，挤了我脑袋瓜疼。"她说："现在什么世界，你不挤难道还有一个空间等着你慢慢踱过去，从容优雅地坐在那里？谁不是挤啊挤，挤出来的。你不挤那我……我们家里就很挤，用钱要干抹布挤出水来，这就是我过的日子。我就算了，你的儿子呢，也算了？你这个人不适合结婚。"

赵平平把话说到这个分上，我就无话可说了。说实话我真的对不起她，我读博三年，她就这样等了三年，期待了三年，可博士毕业了，她的期待基本也落了空。落空不是最让她焦虑的，她最焦虑的是看不到希望，连我也看不到希望在哪里，又怎么进步。一个男人，他不进步，这个家就像一条船搁在浅滩上，远远近近的江水都看得见，可就是动不了。我说："慢慢来吧，慢慢来吧。"这话空空洞洞，一点接地气的感觉都没有。她说："你看我几件好点的衣服，都是别人淘汰了拿给我的，鞋子也是别人嫌过时了送的，我就盼着哪天你带我去买件像样点的衣服，让我在同事那里也有句话说说。我总不能穿着别人的衣服说什么吧，那我就只能沉默是金了。"

赵平平说的那个别人，是她的闺密高娟娟。高娟娟跟她同一年大学毕业，进了白沙小学。她上课不怎么上心，被谭校长停了上课资格，去负责学生的安全工作。她每天就在五楼的一间小房子里遥望学生的情况，哪里有学生打架了，或者有陌生人出现了，就在广播里通知老师到场处理。这样过了一年，她忍无可忍，对前途完全绝望，一天几次向赵平平诉说自己的沮丧和悲哀。

谁知命运忽然有了重大转机。她的一个堂兄，在教育部什么司当科员的，这时升了科长，跟随处长来麓城检查工作。市教育局熊局长请客，堂兄把她叫去了，在宴席上说了一声"拜托"。她堂兄也许是随口说一句，但市教育局就像接到了圣旨，马上指示白沙小学重新安排她的工作。谭校长马上把高娟娟调到校办公室，半年后考上了编制，提为办公室副主任。这是我考上博士那一年的事。当时赵平平跟我重修旧好，遭到她激烈反对。说起来她对我也没有偏见，不过是为赵平平好，要她无论如何也要找个当官的，哪怕是个科长。赵平平把她的想法告诉我，被我嗤之以鼻，说："我一个博士还比不上一个科长？她脑袋灌了水又被门夹坏了，你脑袋也被门夹坏了吗？"我的自信给了赵平平以信心，她就没有听高娟娟的话。

高娟娟的堂兄后来升上副处长，带了几个人来麓城视察。熊局长宴请时，高娟娟又去了。不久之后，高娟娟当了校办公室主任，年初调到市教育局办公室。去之前清理衣物，好多东西都给了赵平平，有两件衣服连标牌都没有剪下来，几双鞋也是没穿过的。我问赵平平，就算她在学校办公室工作，怎么这么有钱？她说，买东西开的都是文具的发票，全报销了。我说，领导怎么会签字？她说，领导怎么会不签字？

高娟娟发达了不忘旧情，经常叫司机接赵平平去聚会。她谈了一个男朋友，关系有裂痕了就叫赵平平从中调解。高娟娟把信息写好发过来，"她是一个很单纯的女孩""我从没看到一个有成就的女孩像她一样痴情"

等等。要赵平平以自己的名义转发过去，有时候一天要转十几条。她后来又来白沙小学几次，谭校长站在校门口等着迎接，车到了就示意赵平平前去开车门，又趋步上前，满脸堆笑说："欢迎市局领导来检查工作。"

高娟娟命运的逆转，唯一的原因就是她的堂兄在北京当了一个官。一个副处长，在北京硬是不算什么，可他几句话硬是彻底改变了一个人的命运。我不服，那也得服，因我不能睁着眼对眼前的事实装作看不见。有几次当赵平平说起高娟娟如何如何，我说："她有什么本领，她就是有个堂兄当了一粒绿豆官。这样的人，基本上就是长在社会肌体上吸摄营养的一个毒瘤。"赵平平说："这个世界多少毒瘤，谁割它呢！我也想成为那个瘤子，我能吗？那也是她的本事！这点本事我想有，我有吗？有人罩着她，那她就不一样了，我到哪里去找个人罩着我呢？"我说："她那么能干，你要她帮你把编制搞定嘛，她帮了你吗？"她说："那等她堂兄哪天又升了官，她也跟着升上去了，也不能说她就搞不定这个事。我就恨不得她那个堂兄明天就当了教育部部长。"

高娟娟的事情给了赵平平很大的刺激，生活上要向她看齐。赵平平说："我是一个女人，我要活得精彩点，你千万别跟我讲大道理，那我是听不进去的。看着别人过得好，自己过得不好，那心里就像猫爪在抓似的。如果别人的儿子过得好我儿子过得不好，我心里不但有猫抓，还有刀在割。我不知道自己还有点希望没有？"她希望我别教书了，到机关去工作。她说："我以前把博士看得太神秘了，现在看来还是有个位子实惠一些。你到政府部门去有学历的优势，当个科长总会有机会吧！"我噘起嘴说："高娟娟当科长，我也跟在她后面去当科长？我实在没有办法那么小看自己。"她说："小看还是大看，那不是嘴巴说的，我明天去买几千块钱衣服，把文具的发票开回来，你帮我报掉，我肯定大看你，大大地看你。"

要我看得起高娟娟，那不可能，可她能做到的事我做不到，这是事实。这个事实像一根鱼刺卡在喉咙里，噎得我要窒息。我忽然对赵平平产生了一种厌恶，以至憎恨，说："一个女人要能够安心做一个平凡人，安心过平平凡凡的日子，有那么多欲念是很可怕的。"她马上说："你得让我够得上一个平凡人，过得上平平凡凡的日子啊！我过上了吗？"我说："我就是这个样子，你要找那么精彩的生活那你去找，我就这个样子。"她说："我没有想过你会是什么别的样子。"又说："那我明天到医院里去。"我说："去干什么？"她说："你说去干什么？我自己过着不像生活的生活就算了，我不想让别人也过这种不像生活的生活。"我这才明白了她的意思，她要把孩子做掉。我知道她不会那样去做，她对这个没有出生的孩子寄托了太多的期待。可我也不敢说一万个放心，万一有个万一可怎么办？我说："你发疯吧，你不想想自己多大了？奔三了呢。流了一个再流一个，就会习惯性流产！"她说："没有总比看着他受苦好吧？别人的崽都是金枝玉叶，我的崽是残枝衰草，要我看到这个场面，我还不如把自己的眼珠子给抠掉。"

赵平平把话说到这个分上，我彻底无语了。她实在是应该得到理解。这样想着，我心中的那点憎恶消失了，对她产生了一种爱怜，以至歉疚。生存就是生存，这是人生的根本，也是人生的底线，在这个底线后面并无退路。人得活着，好好活着，活着是硬道理，好好活着更是硬道理。这样想着，我觉得没有什么事情不能去做。唉，再往前想，既然一切都终将归于寂灭，在时间的深处化为乌有，那么对具体的个人来说，绝对的终极并不存在，自己眼前的欲求就是终极。蒙天舒不是说过，地球的中心在每个人自己的屁股下面吗？一个人越是意识到了时空的无限性，就越是要承认世俗人生的合理性。

这样想着我有点后悔前几天拒绝了张维的建议。把他的课题接过来做了，五万块钱到手，就解了自己眼下的饥渴。我想着是不是给他打个电话，再把话说转回来。犹豫了两天，我在手机上翻到了他的号码，准备按键的时候，非常明确地感到了内心的抗拒。广州的文化史，这不是自己想做的课题，太别扭了。拿自己的才情去为别人脸上贴金，这也不是自己愿意做的事情，太委屈也太伤自尊了。我的拇指离开了手机的按键，我看见了细小的汗珠贴在按键上。唉，要说欲求才是真正的真实吧，这种抗拒就是真正的欲求，也是真正的真实。

那几天我偷偷地观察赵平平，生怕她真的发了癫去医院。看着她每天都在翻看那本《育儿大全》，就放了心。她正在精读这本书，重点的地方就用红色的笔画了记号。我发现她把每一页每一行基本上全画了记号，觉得好笑说："这全是重点你还画什么呢？"她说："第一遍看不是重点，看第二第三遍觉得还是重点，就画了。怎么谁规定了不让画这么多重点吗？"我说："读书有这么认真，你也考上博士了。"她说："这不是书吗？"拍一拍那本书："博士？原来还觉得是那么回事，现在才看清也就是那么回事了。"我越是放心，就越是觉得对不起她，也对不起还没出生的孩子。我的责任重大，我要努力。我想起陶渊明有五个儿子，他居然敢辞了官回家当个农民。他不可能没有意识到自己的责任有多么重大，他也为儿女忧虑，可是他还是辞了官。在冥想中，我感到了他内心的强大与悲凉。

25

上个学期院里分给我三个本科毕业班的同学，让我指导他们的毕业论文。有点资历的老师都是分五个六个，我刚来，就分了三个。教务干事小陈怕我觉得学生少，工作量少，说："这也不是那么简单的事，要慢慢来。"

两个女同学，一个男同学。第一次把他们约到教研室谈论文选题，两个女同学都选了大众化的题目，一个论孟子民为贵思想对后世的影响，一个论孙中山的知行观。男生武斌却选了宋儒的气理之说。我有点吃惊说："气理之说我读完博士还不敢说融会贯通，那太玄了，你还是找个脚踏实地的题目。"他说："好，好。"第二次约谈，武斌还是坚持那个选题。我要他谈谈对气理之说的理解，发现他的理解相当皮毛，又建议他改题目。

他说:"我就是想接受挑战。"到寒假前第三次约谈,他已经拟好了提纲,还像那么回事。我说:"你这两个月还是下了点功夫的啊!"他说:"我就是想选个有难度的题目,一定要争取评个优秀论文。"

这个学期开学不久,武斌说要拿论文初稿给我看。我要他发到我邮箱里,看了还真像那么回事。一个人进步可以这么快?我心里有点疑虑,就把他叫到教研室,说:"都是你自己写的吗?"他很肯定说:"是的。"我说:"那你谈谈张载是怎样论述气和理的关系的?"他讲了三点,都是论文上的。我说:"你对论文倒是很熟的。"他说:"自己写的,怎么不熟?"我说:"一个本科生能写出这样的论文,应该是可以打个优的。我看你论文最大的问题是章节之间的衔接不够圆融,是不是参考别人的多了一点?你拿去修改,重点解决这个问题。参考别人的观点可以,要用自己的话来写。引述别人的,一定要注明。我最后要核对的。"他答应着去了。

五月的一天,武斌发信息来说要把论文交给我写评语,我回信要他放我信箱。他说想亲自交给我,还请我指导一下。我想:都定稿了,马上就上交教务办,还指导什么?他坚持要见一面,我就约他下午到教研室。武斌来了,说:"耽误老师的宝贵时间了。"我说:"两个女同学论文都定稿了,这两天我赶着写好评语,就要交院里了。"他说:"聂老师,我的论文够不够评个优?"我说:"你就那么在乎个优?评个良也不影响你毕业。"他说:"我找工作是一家公司总裁的秘书,总裁找我谈话时,问我毕业论文是什么成绩,他自己十多年前的毕业论文是获了校优的。我当时就说应该是个优秀。我都不该说的,让自己没有退路了。他可能对写作能力特别看重。"我问:"什么公司?"他说:"中铁四局,总部就在麓城,现在的两条过江隧道,都是我们公司在做。"我说:"能对你找个好工作有帮助,我们当老师的也很高兴。不过要通过答辩才能最后定成绩,指导老师的意见不是最后结论。指导老师与答辩老师是错开的,你对自己的论文要非常熟悉才行。"他说:"自己写的东西,那肯定是熟悉的,只差不能背诵了。"

离开的时候，他指着桌边的一个黑色塑料袋示意一下，我马上说："什么东西？"他说："家里山上的山茶油。"我打开一看，一个塑料壶装满了油，有十多斤。我说："我不能要你的东西。"他说："聂老师，这是茶油，是真正的野山茶油，最好的植物油，有软化血管防脑溢血心脏病高血压的作用。"我说："有防癌治癌的作用我也不能要。"他急了说："这是我妈妈她自己到山上采的茶籽，用土法冷榨的油，是绿色食品，有软化血管防脑溢血心脏病高血压……"我打断他说："你家是农村的吗？"他说："是的，这是我妈妈她自己到山上……"我说："那我就更不能要。一个农村家庭收入能有多少？现在的茶油是什么价格？"他苦着脸说："我特地从家乡带来的，难道又带回去？我爸爸又要骂我不会做事。"我想一想说："你实在要给我，那我就付钱。这多少斤？二十斤？"他连连叹气说："说付钱聂老师您还不如骂我一顿呢。聂老师帮个忙吧，拿都拿来了。"我说："这跟论文没关系，论文的事你要相信老师，你一定要送油，其实就是不相信老师。"

我忽然悟到花钱送礼办事，其实都是对办事的那个人的极度不信任，不相信他的人格人品，因此一定要他把东西收下，心里才踏实。送礼是对受礼者的人格低评，以前怎么没有这样想过？这样想了我又说："如果你相信聂老师，你就把这壶油拿回去，硬是不相信，觉得聂老师不可靠，茶油才可靠，你就留下。"他说："相信，绝对相信。"我说："相信那你还拿这个来？"他说："老师辛苦了，谢谢嘛，不行吗？"我说："等你将来出息了，荣归母校，你那时送给我，我会收的，今天实在不能收。你要相信我。再说你的论文谈的是气理，虽然是形而上的，那也要在生活之中找到落地之处。聂老师今天收了你的茶油，那聂老师这几个月跟你说的话还能落地吗？"他说："聂老师您这样说，我就再也没话说了。我知道了。"又说："其实就是一壶油嘛。"我笑了说："怎么还有话说？自己刚刚说了没话说了。"他也笑了说："那我去了。论文的事……"我摇了摇手，他就打住了，提起油开了门出去。

武斌的论文，我本来打算最后浏览一下就写个评语打分的，看他这么重视，我不认真看看，也对不起他。这一看，就看出了问题。有一段话我有点眼熟，想了半天却想不起在哪里见到过。我想就这样算了，本科论文，大家都在借鉴，要他自己有创意，那也不太可能。翻到下一页时，我突然记起来了，那是李泽厚《中国古代思想史论》中讲过的话，就在"宋明理学片论"那一章。我找来书一核对，一字不漏抄了半页，有三四百字。这是他最后一稿加进去的呢，还是我以前没看出来？这让我非常生气。已经反复交代别他，可以借鉴，但要用自己的话表述，要引述就要标明出处，否则就是抄袭。

我把论文逐段认真看了，又找了有关的书来核对，起码有四段是明确的抄袭。一万字的论文，照抄的就有一千多字。我想是不是算了，自己一直没看出来，也是有责任的。我推给答辩小组去把关，反正最后的成绩由他们定。又想到如果那些老师看出来了，我不丢脸吗？再说武斌他想要个优秀，像这样的怎么能给优秀？对那些自己认真写的同学也太不公平了。论文明天就要交教务办，这让我太被动了。

我一边翻着论文，口里一边哼着"妈的""妈的"。赵平平说："你骂谁呢？"我说："骂学生呢。"就把事情讲了。她说："你认什么真呢？那么多大事情都没人认真，一篇毕业论文，你细眯着一只眼就过去了。"我说："都不认真，这也过去了，那也过去了，世道就这样坏掉了。他过去了那肯定别人就过不去。优是有比例的，我给他个优，就有人少个优，就像领导给别人一个编，你就没有编。世道这样你高兴吗？"她说："你那么想认真那你整他吧，可惜没有人去整占掉了我的编的那些人。"

第二天一早我把武斌约到教研室。我说："你的论文有几个地方是借鉴的，忘了注明出处，可能要注明一下。看你那么想打个优才来找你的，不然聂老师就真的不认这个真了。"就把引述李泽厚的那段话指给他看。他看了说："这是李泽厚的吗？我觉得是自己写的啊。"我说："自己写的？那难道是老师冤枉了你？"他说："那可能是我做的笔记，搞来搞去就忘记了，以为是自己写的了。"我笑了说："那你也该想想，你自己是不是写得出这个水平的东西来吧！这样的地方有好几处，你自己逐段查一下，不要等答辩时被别的老师指出来，坏了聂老师的名声。聂老师可丢不起这个脸啊！"我限他一天时间改好，重新打印装订。他连声答应着去了。

武斌发信息来，告诉我论文已经改好，放我信箱了。我特地去了学校，取了论文看了，有问题的那四处，已经改了三处，还有一处没改。看来他真的忘了是抄的了。我耐心把论文又看了一遍，发现至少有七八个地方改动了。看来还有几处是我没看出来的，他自己心里有数，把它删改了。可是经过这么一改，整篇论文水平就降层次了。我本来还想跟武斌打电话，再想想已经没有时间，再改又能改成啥样，就在教研室写了评语，给了个良好的成绩，交到教务办去了。陈老师说："总算来了，就差你了呢。明天就要分到各个答辩小组去。"我发信息把这个成绩告诉了武斌，他没有回信。这样也好，让我心里很踏实，我原来还有点抱歉的心情。

第二天我接到通知，到教务办去领毕业论文，准备答辩。我看了答辩分组的名单，我和龚院长是一组。我领了本组的十多篇论文，准备离开时，忽然看到初评成绩登记册上，武斌的成绩是个优秀。我一下就火了，问小陈说："这个武斌是我指导的，成绩是个良好，谁把它改成优秀？我指导的论文成绩都能改，那还要我指导干什么？"小陈小声说："昨天下午蒙教授把这篇论文拿去看了，可能是他改的吧，我只是照登成绩。"我说："武斌论文呢，我看看到底是谁改的？"小陈说："已经被答辩小组的老师拿走了。"我说："成绩评定表呢？看看是谁签的名？"她说："一起拿走了。"我说："我指导的论文，你怎么让别人来改成绩？"她嚅动着嘴唇说："他是院领导呢，副教授呢，难道我说不准他改？"我说："那现在改回来，这是聂致远指导的论文。"她说："那不好吧，是不是请聂老师打个电话给蒙老师请示一下？"我说："我指导的论文，凭什么定成绩要请示别人？"她小声说："我不是那个意思，我的意思是，他……他，是领导嘛。"我说："院长助理是很大的领导吗？那我也不为难你，我去找龚院长。"

我敲龚院长的门，他不在。我回到教研室等他。我坐下来又站起来，坐下来又站起来，根本坐不住，在房间里走来走去。走了一会我冷静了一点，想着自己是不是年轻气盛，太认真了？有必要认这个真吗？装着不知道，一个哈哈就打过去了。认这个真，那就是得罪人的事呢。转念又想，他怎么就不怕得罪我？太欺负人了。这样想着，我又到了楼下，敲开了龚院长办公室的门。

龚院长听了我的汇报，说："这件事我来处理，我跟小蒙说说，陈老师那里也由我去改回来。那些茶油学生没有转送给谁吧？"我说："那我就说不好了。"他说："论文是优是良也不是那么大的事，跟毕业找工作没关系，跟评奖学金更没关系。有些学生第一轮答辩评了个优，嫌参加第二轮推荐校优的答辩麻烦，都自动放弃了。"我说："武斌他抄袭了好几处，我反复指出来要他改，到最后还有二百字是抄的，大概他自己都忘了是抄的了。再说论文是我指导的，别人来改成绩，这实在稍微有点太欺负人了！实在有点太……是吧？当年还是我一个宿舍的同学呢，同班同学呢。"龚院长说："当年的同学，现在是同事，还是要安定团结。"我说："别人怎么不想想安定团结呢？我知道他是您的助理，可是总不能就这么过去吧。"他说："助理是童校长提议的，不是我自己选的。他是童校长的弟子，校长想培养他吧。你放心，不要想那么多。"

第二天我去教务办，想知道成绩改回来没有。小陈望我一眼，不说话。我询问地望她一眼，再望一眼，正想开口问，小陈说："龚院长来了，按你的意思改回来了。"我心里一轻说："那好，那好。"出了教务办我又想：明天周六，全院毕业论文分组答辩，如果武斌分在蒙天舒那一组，那会不会被他打个优？那就是终评了。我又回到教务办，看了答辩老师的分组情况，武斌的论文不在蒙天舒那一组，就放了心。

回到家里我想一想又觉得不对，万一蒙天舒跟那个答辩小组的老师打招呼呢？一个学生论文的等级是小事，一壶茶油也是小事，可他要办的事没办成，要他咽下这口气，那就不是一件小事了。这个想法像一口发霉的浓痰堵在喉咙里，看得见细菌密密匝匝在上面爬，想吐掉，可怎么也吐不掉。我觉得喉咙有点痒，轻轻咳了几声，越发痒了起来，再用力咳几声，也咳不出什么。犹豫了好久，我还是给那个答辩组的组长刘教授打电话，把论文的问题说了，请他把好关。刘教授说："啊呀，小聂你怎么不早说呢？"我说："有人找了你呀？"他含含糊糊应了几声。我说："他是副教授，你是教授，那还是以你的意见为主吧。"他说："我这个教授是一般的教授，人家那个副教授不一般呢。"我说："有什么不一般？一个小院长助理？他导师是副校长，他又不是。"他说："这些人前程远大呢，再说同事也要给个面子吧。"我想着这是学校，不是机关，怎么一个副教授有了个位子，连教授都这么顾忌他？唉，这官本位的意味在大学也是这么浓郁。我说："论文的硬伤摆在那里，出了问题大家都不好看呢！"他说："怎么办呢？其实你指导的论文得了优秀，你也有辛苦在里面吧。"我说："那我首先还得看事实吧！论文哪一段是抄的也向您汇报了，这是硬伤呢，我提醒他三次他都没改呢。您仔细看看吧。"他说："好的，我知道了。"

答辩完了，刘教授给我打电话说："小聂老师，昨天晚上那个武斌同学到我这里，把论文拿回去又做了修改，今天答辩之前拿过来，我看看需要修改的地方他都修改了，他答辩的表现还挺不错的。"我一听就懵了：你不提醒，他怎么知道连夜过来拿论文去修改！我说："这件事为难刘教授了。谢谢刘教授还记得我。我的意见，也就只是个意见吧。"他说："你的意见很重要，很重要的。你指导的论文也不错的。"我说："为难刘教授了。"

我心里的郁闷难得平复，想着是不是再向龚院长汇报一下。可再一想，人家把事情做得天衣无缝，我怎么说？论文不能修改吗？可以修改。答辩小组不能确定终评成绩吗？可以确定。那我还有什么话说？说了不是叫龚院长为难吗？不是让自己难堪吗？人家赢了，让你难堪了，你还无话可说，这就是高手。自己碰见了高手，根本不是对手。

26

期末了金书记打电话给我，说请我去他那一趟。见了我，金书记起身示意我坐在办公桌对面的椅子上，又到门边把门关好。听到门锁"咔嚓"一响，我想他又有个什么事要我去做了。回到座位上他说："听说有个叫刘沙的学生在你上课的班上？"我说："我没印象，好像有这个名字，三个班一百多人呢。男生还是女生？"他说："肯定是男生吧。这是个体育生，成绩肯定不怎么样。你是不是给他个六十分，让他过去算了。"我说："体育生又不是白痴，六十分还考不到？一年级的学生，我也不会出那么难的题目。"他说："这是个化生子，跟白痴也差不多，你是体育生，你基础差点你认真学啊，又不好好学。"我说："我课堂进行了两次小考，算平时成绩，没觉得谁差得那么差。"他说："正式考试监考严格，那就不一样了。你不让他过，他还要补考，补考还不过，那就彻底挂科了。多挂几门怎么办呢？留级。留下来怎么办呢？又不能开除他，还不是害了学校，害苦了我们做学生工作的人，烫手的山芋砸在手里了。"

我心里很难受。给学生打分就是老师最大的权力了，这个权力还要有人来插一手，这老师就当得太窝囊了，人格都没有。可金书记也说得很实在，烫手的山芋砸在手里，怎么办呢？我说："学校的体育生文艺生有一批，高考也还是过了一个最基本的分数线吧，怎么六十分还要吃劳保？劳保这一路吃过去，津津有味，毕业了也是个废物。"金书记说："推到社会上去就没有我们的事了，你还怕他家里不会给他找个地方待着？"我说："又是一个高干子弟？"他说："那不是，那肯定不是。"我说："那还好点。如果差那么几分，十来分，我就把他放过去。"他笑了说："政策宽松点吧。"我说："你是领导，领导布置的任务尽量完成。"他连忙摇手说："这个事不说领导，是我私人请你帮个忙可以吗？"我说："尽量，尽量。"他说："不说尽量啰，搞到位啰。六十分，少一分不好，多一分不要。"我说："金书记对他就这么没有信心？说不定他还能打七八十分呢。"他嘿嘿笑说："七八十分？哼哼，那我也只要六十分。"

还有两周的课就全校停课，进入考试周了。这天课间，我叫二班的学习委员顾莉到讲台上来一下。顾莉来了我说："你们班有个叫刘沙的男生吧？下课了要他留下，我跟他说句话。"她说："他今天可能没有来。"她望都没往台下望一下就说没有来，我想刘沙是不是长期缺课。我说："没来上课？你再看看，说不定来了。这就要考试了还不来上课！"她说："他应该是请假了吧，请假了。"我说："向谁请的假？向你吗？"她说："我怎么有权力批假？没来的还有好几个呢，不止他一个人。"我要她通知刘沙，下次课后来找我。

我本来是想向刘沙提示一下复习的重点范围的，他竟然课都不来上，我对他的理解就消失了一大半。那考试你自己去对付吧，不关我的事了。还有好几个学生没来上课，好的，好的。我临时决定把最后一次课堂小考提前到今天，不来的学生，平时成绩的这十分就没有了。我上课从不点名，前两次课堂小考，卷子都收齐了，这让我觉得学生到课率是百分之百。顾莉说今天有几个人没来，那难道前两次是有人帮别人代考了？这样想着，考试的时候我数了一下，九十七个，也就是说，缺课的是五个。

下课了我收了卷子准备走，有个男生走过来说："聂老师，你找我？"我说："你是刘沙？是顾莉把你叫来的吧？"他说："是的，老师找我有事？"我说："刚才考试你考了没有？"他说："应该是考了吧。"我说："再不考你总分又少掉十分，挂不挂科那就是你自己的事了。"他嘻嘻笑说："都说聂老师人特别好，上次教学评估，我还给聂老师填了个高分呢。"他这么一说，我又犹豫了。我刚上讲台，学生的教学评分，是我非常看重的。如果差评多，那对我就是个重大打击。是不是把复习的重点给他提示一下？

这样想着我感到了屈辱，那老师还有什么原则和尊严？看他还机灵，不至于考不到六十分吧？就没有提示。我说："以后不能缺课，我今天认识你了。"他说："那肯定的，聂老师讲课讲得这么精彩，缺了课是我自己的损失吧。"我看他个子不高，也就一米七，怎么是个体育生？我说："你是搞什么项目的？"他说："排球。"我想着打乒乓球、踢足球还有可能，怎么会是排球？我说："现在还在校排球队？"他说："后来没参加了。"我说："你家里是省政府的吗？"他说："是搞经济的呢，经济。"我看见门口有个女孩在探头探脑的，就是那个顾莉。看见我望着那边，她身影一晃就不见了。我说："有人等你，你去吧。你这刚进校，就有女朋友了？"他笑一笑，不回答。

我回家看了卷子，登分的时候发现是一百零二份，一份不少，也就是说，有五份是别人代做的。一百多份卷子，我没法一个个去核对笔迹，没有方向。唯一有方向的就是刘沙。我把他的卷子找出来，把顾莉的卷子一核对，果然是一个人的笔迹。我想着顾莉挺聪明的一个女孩，怎么会看上刘沙？有点为她惋惜。

下一次上课时我把事情说了，然后说："同学们都能考上重点大学，肯定都是聪明的孩子。可是聂老师从重点大学的本科读到博士，也有一点小聪明。"台下哗地一声笑开了。我说："我以为高年级同学才会做这样的事，谁知道一年级同学也会做。看来时代是进步了。"大家又哗地笑了。我说："是谁我都知道，我一个个核对了笔迹。下了课你自己发信息告诉我。还想抱侥幸心理混过去的也可以不发给我，我下次课在这里公布你的名字，看我公布的是不是准确。别人帮你答的卷，一分没有，没考试你还能得分？帮别人答卷的，每人扣五分。这是学雷锋做好人好事吗？前面两次小考，可能也有这种情况，卷子都发给你们了，我没法计较了。"

下课后有四个同学给我发信息，说有人帮自己答卷了。我回信息要他们把是谁帮的名字告诉我，他们又都打电话过来求情，说怕伤害了帮自己的那个同学。我说："你不说我就不知道吗？卷子还在我手里。让他们知道这不是学雷锋，不诚信是要付出代价的。"那几个帮考的同学也发信息来承认了错误。刘沙没打电话来，顾莉也没有。我等了一天，顾莉打电话来，说了几句就哭了。我说："我以为你会第一个来承认错误，没想到是最后。舍不得那五分吗？"她说："我实在不好意思，我昨晚一整晚都没有睡着。老师，我错了。"我说："是心里真觉得错了，还是说给聂老师听的？"她说："是心里。"

那几天我犹豫着这扣分的事是不是真的要执行。说起来吧，既然第一次课就公布了规则，那一定是要执行的，不执行就是打自己的耳光，也是对那些认真上课诚信考试的学生的不公。可真执行吧，就得罪了一批同学，十个呢，他们在网上评教给我打低分怎么办？我也想得个高分给大家看看啊，聂致远刚上讲台，教学效果还是不错的啊。犹豫了几天我感到自己是白犹豫了，其实只有一种选择，那就是执行，不然无法向讲诚信的学生交代，也无法向自己交代。决定后我非常痛苦，万一学生评教的分数在全院最后，那怎么办？

这天在院里碰到了陶贤副教授，我说："陶教授，一起吃个饭去，我还找你有事呢。"在学生食堂楼上的中西餐厅坐下，我就把扣分的事说了，问他是怎么处理的。他说："有些老师自己的教学有问题，生怕学生打低分，尽量迁就学生，考试给高分，也许会占一点便宜。这个便宜我不占，那是害他们呢。"我说："那好，还有人这么想，我就安心了。"

我又把刘沙的事情说了。我说："现在都变成组织交代的任务了。"他说："去年我也碰到过一件这样的事，是个文艺生，是从艺术专业考进来，再转过来的。也是金书记打了招呼。她还考得不那么差，五十二分，我想想她不能跟别人去争保研的资格，也不能去争奖学金，就把她放过去了，六十分。"我说："她真能搞文艺吗？真能搞文艺那也就算了，还可以在表演上为学校做点贡献，也勉强算个说法。像刘沙这样的，他能打排球？"他说："我们学校的体育学院、艺术学院就是两条下水道，多少乱七八糟的人都以术科的成绩考进来，然后转院到这边来了。高考分数线可以降一两百分呢。你说一般的人能搞到这样的机会？后面有两个字在操纵着，一个'钱'字，一个'权'字。"

我叹一声说："太恐怖了。你说那个刘沙吧，他爸爸要把他的名字塞进那支得了冠军亚军的排球队去，那容易啊？考术科要排球老师点头通过，那容易啊？当然，说不容易是对平头老百姓不容易，有钱有权的人还是容易的，真的像关云长过五关斩六将，他爸爸是关云长，他要过那几关还不容易？现在中国只有一个高考公平一点，是穷孩子翻身的唯一机会，还被权贵撕出这么大一个裂口来了。"他说："前任舒校长的儿子早几年也是这么进来的呢，从体育学院录了，马上转到商学院。说起来吧，学校的自主招生可以把录取分数线降到一本线，那也比别人低了三四十分吧。可这个不读书的儿子降了这几十分还不够，只能走体育学院这个渠道。他的儿子其实是个体育盲，怎么能通过术科考试？那一年就增加了一个新的科目：南拳。"陶教授握拳做出拳击的动作："南拳。一个科目至少有七个人报才行，就来了七个人报，那六个都是来陪考的。南拳科目设了那一年，第二年就取消了。一个考试科目就是为他一个人设的，还下了文件的呢。"

陶教授长叹一口气，说："舒校长他还是全国著名的教育学专家呢，道理一串一串糖葫芦似的呢，到了事情面前就作废了。"我说："有这事吗？"他说："那我编个故事哄你？"又说："我还听说，有家长为了儿子能以体育特长生降分录取，转了七个弯找关系，花了二十多万，搞定了。这是考学生还是考家长呢？"我说："真有这些事吧，肯定是不好，可也能理解。一个人如果不能确定自己碰到了同样的情况能够淡定，他最好不要抱怨，要怨也只能怨自己没有那个能力。他当校长他儿子连个大学都不读？或者要他不讲那些伟大的理论？都不行。道理不讲铁定是不行的，事情不做也铁定是不行的。这是世界上最公开的秘密。"他说："唉，现在太多的人都用价值理性来说，用工具理性来做。前年他儿子毕业，学校临时定一条，去下面支教一年可以保研，不受成绩局限，现在都在商学院读研呢。我看他将来要读博的，还可能当校领导。以后就是他们接班了。"

我用筷子敲一敲菜碟，说："吃啊，怎么不吃了！"他说："想一想，饭都吃不下了。看来关系网的局面就这么形成了，铜墙铁壁。天下算定了是他们的，我们的儿女怎么办呢？聪明点可能努力拼杀还有条缝钻上去，也可能缝都没得给你钻，铜墙铁壁。"又说："那两个学院都这样操作十几年了，把我们麓城师大的名声都搞臭了。新上来的卢校长想把这个局面扭转过来，阻力很大呢。不要说那两个学院，校领导都有人反对，说是要为改善办学环境留下空间。这空间留给谁了？老百姓？"我说："那么长一条利益链，是谁想剪断就能剪断的吗？可以推想改革是件多么艰难的事。"

陶教授端起碗说："那我还是吃吧。"又说："说起高考被撕出裂口，其实还有一个更大的裂口，就是重点大学的自主招生。去年一个大学同学请我吃饭，我说十几年没联系，怎么突然就请我吃饭？我问他有什么事？他说没事。我就去了。去了看到他带了一个朋友来了，那人儿子报了我校的自主招生，问我面试老师有熟人没有。我只好说去问一问。其实我没有问，后来知道我们学院是刘教授去的。那小子后来过关了，同学提了烟酒来送给我，还要给我一个购物卡，说是他朋友的心意。烟酒我推不掉只好收了，购物卡坚决不要。"我说："那小子后来招到哪个学院？"他说："法学院。"我说："自主招生说是要给有特长的学生一个机会，这些机会最后都被谁拿走了？有几个农家子弟？要我说，高考只能裸分录取。委屈了一个两个钱钟书不要紧，委屈了千千万万百姓子弟就不行。"他说："有人还在呼吁取消高考，历数了十几条不是，说这根指挥棒罪恶滔天。如果哪天把这个裂口又撕开了，那才是真正的罪恶滔天！到那天不要说普通老百姓，我们普通教师的子弟都岌岌乎殆哉！"

他招呼我吃菜，说："我们的儿女，是学霸就杀出一条血路，不是那就待在社会下层，就这两条路。你还好，儿子还在老婆肚子里。"笑一笑："也可能还潜伏在你自己身上的某个阴暗角落，这件事还远。我儿子过两年就要读中学了，压力一年年上来了。我羡慕你呢。"我说："我羡慕你呢，现在社会上的缝还有那么多，拼了命还可以钻进去，到我儿子那一天，那就真的是铜墙铁壁，无缝可钻了。"又说："有时候我也不怪学生不诚信，考试搞点小动作。说到底他只是个小动作，抓到了是要开除学籍的，真的不忍心抓他。搞大动作的人，从来就是毫发无损。"陶教授默默地吃饭，

153

不再说话。我不知道他是为这种局面担心呢，还是为自己儿子的前途担心。于是也默默吃饭，不再说话。

两个星期以后考试结束了。刘沙卷面成绩是四十三分，按百分之七十算是三十分。看来金书记的担忧不是凭空而来的，他真的非常了解这个学生。平时成绩三十分，他交了两次作业，都是九分。我相信这不是他自己的成绩，也只好算了。第三次是顾莉帮他做的，零分。这样他的总成绩是四十八分。我到金书记办公室把这个结果告诉他，金书记说："就差那么一点，提上去算了。"我说："上了五十我就提上去了，这叫我怎么提？要不我把成绩单交到教务办，要教务办的人去改。"他说："那怎么行？这是任课教师的权力。"我说："我们有什么权力？这些人是谁搞进来的？说他会搞运动，为学校的比赛做了贡献，那也是一个说法。除了运动关系，他还能运动什么？要是他家里给学校捐了几十万，那也是一个说法，捐了吗？可能捐了，但不知捐到谁那里去了。"

金书记连忙挥手说："这些话没有扎实的证据就不要随口说啊！"我说："那就说成绩，碰见这样的学生，还要放他过去，想死的心都有了。"他笑了说："你以为只有你一个人有这种心情？我也是没有办法呢，上面有人打了招呼呢。"我说："上面是个什么人啊！要不这样好不好，让他先挂着，下期补考，我交代他暑假认真看书，补考我一定让他过。这样的学生，不能让他太舒服了，他那么舒服，我们当老师的就太……"我想说"太没尊严"，又不想刺激金书记，就说："就太……太不舒服了。"金书记说："小聂，你这么认真，我觉得很好，很欣赏，我觉得一个人就应该认真。可是，上面交给我的任务，我也得认真完成吧？能不能体谅一下我的难处？你看呢？"我再也说不下去，于是说："书记是领导，我就不看了，书记怎么看那就怎么看。反正他也不能跟别的同学去争奖学金和保研名额，反正他终归还是要毕业的。"他说："毕不了业，烫手山芋砸在手心，不好受呢，你们当老师的又感觉不到烫。帮我了个难吧！"又说："只能给他六十，不能多给，多给了连我都不会同意的。这样的化生子，已经太便宜他了。"

154

27

大学同学佟薇薇发了信息来，告诉我说她要结婚了，请我去喝喜酒，请柬已经寄出。佟薇薇当年是历史学院的院花，这样的女孩我只能远远看一眼，搁在心里品味一下。她毕业以后去了麓城一家外资公司，不几年当了部门经理，属于极品"白骨精"之列。这样的女孩，倾慕者无数，可她眼睛生在头顶，看谁都不够高度，十年过去，成了"黄金剩女"。同学中流传着一种悲观的看法："黄金剩女"。"黄金"恐怕越来越成为一个虚伪的形容词了。有一次我跟蒙天舒谈到她，我说："哪怕是个经理，女人首先要把自己当作女人。"蒙天舒说："再这么下去，那问题就不是你是不是把自己当作女人，而是别人是不是还把你当作女人了。"想不到她居然也有结婚的这一天，这让我为她高兴，也感到了时间的力量是多么伟大。

赴宴的前一天，我想着这礼金该怎么送，我打电话问蒙天舒收到了请柬没有？他说："当然收到了。"我说："你去不去？"他说："当然去啊！这是我们班最后一个女孩了，其实应该早就是女人了。"我说："至少理论上还可以说是女孩。"他说："这年头说什么都只能从理论上来说，跟现实是两样的。"我说："那你准备送个多少？"他说："怎么样也得个小八百吧。"

这个数字吓了我一跳，我心里本打算送两百的，因为不踏实，才打了这个电话。我说："你送这么丰富，那不是害我？"他说："那难道我送两百？西湖宾馆，两百还不够人家酒席钱呢。你看看人家请柬有好豪华吧，这一张请柬都是十几二十的。"我想着那八百块钱实在有点心痛，说："要不我们统一行动，都送个四百好不好？"他迟疑了一下说："四百？我有点不好意思，人家当年是院花呢。"我只好说："那我就跟你走啊，你别临阵又讨好院花，还往上冒，陷我于不义。"他说："聂致远教导我说，不要再往上冒了，再往上冒就是傻冒了。"

打完电话我把钱包从屁股口袋掏了出来，握在手中感到了它的单薄，像冬天里在寒风中瑟缩的小瘪三。我用右手的拇指和中指捏了捏，一点弹性都没有，我有点气馁，又捏了捏，真的没有一点弹性。我迟疑着，鼓起勇气打开，往里面瞟了一眼，似乎是两张红票子。我把钱包放进屁股口袋，又想着还是要看看清楚才行，又把拇指和食指伸进口袋，把钱包夹了出来。平时我从没想过钱包是怎么从那口袋掏出来的，原来是这样夹出来的，两根指头，捏紧，往上一提。这么一提，我似乎体验到了小偷行窃时的感觉。我打开钱包看了一下，是两张，再数一遍，还是两张。我的工资卡是赵平平拿着，这两张票子是她前天发给我的这个月的零用钱。

等赵平平回来，我把事情跟她说了，请她支援一下。她说："那你要多少？"我说："申请个小六百。"她盯着我看，看得我心中忐忑，我说："我怎么了？"她说："你怎么了？大人物呗，小六百，这六百在我们家里是多少你不知道？"我说："同事家有什么事我就两百块钱敷衍一下算了，这是老同学呢，班上的同学都去呢，这礼金写在登记簿上那是刺刀见红呢。我也不是爱面子的人，总要过得去吧。"她说："你过得去，我就过不去。这几个月我糠饼中压出油来，就是要置办一台空调，这钱差不多了，你又想提走小六百，"她右手的拇指和小指跷起来，晃了晃，又掐着比划了一下，"小六百，小六百，这小六百真的有那么小吗？这天气看着就热起来了，这台空调我都想了几个月了。我自己反正是热习惯了，热了三十年了，我不想要人家也跟着我受这份罪，"她双手在腹部捂了一下，又移开了，"人家应该有不同的命运。"

赵平平一说到"人家"，我的底气就被挫下去了七分。我并不特别崇拜钱，这么多年来自己过温饱的日子也过惯了，没觉得有很大的不满足。小时候连温饱都没有，过生日能吃上个囫囵鸡蛋，窝在手心在牙齿上一点一点地磨，又在口中反复翻搅，才依依不舍地咽下去，从早上磨到晚上，还有小半个，才以英雄的气概一口吞了。有现在的生活我已经是很知足，对身边人的发达也不特别羡慕。无欲则刚，这让我有了那点淡然和镇定。我不会因为某种欲求放下自己那高高在上的自尊心，失去了很多也不觉得有那么大的遗憾。要说遗憾，我最大的遗憾就是不能带动赵平平跟自己想到一块，闺密对她的影响超过了我。赵平平的人生理想是"精彩生活"，其实我特别能够理解。因为理解，我从来没有想过要去改变她的想法，倒是她经常想改变我，现在更有了充分的理由，这就是"人家"。"人家"还要五六个月才来到这个世界上，可我已经欠下"人家"那么多。

那几天，我一直想看到谁那里去借几百块钱，再怎么说，这个关还是要过的。可是我一个大学老师，不论向谁开这个口，那都是难堪的。如果多借一点那还可以说家中一时周转不过来，借几百要多难堪有多难堪，男人啊，被几百块钱卡住了，真丢不起这个脸。没有钱丢脸，钱在老婆那里拿不到更丢脸。我后悔平时不该把所有的钱赎罪似的全交给赵平平，到了关键时候，才知道什么叫作一文钱逼死英雄汉。

这样拖了几天，赴宴的那天上午，我跟赵平平说："你还是支援我个小几百吧，过几天我还给你好不？"她说："一个同学，又不是领导，你就不会说有事去不了吗？你这样的人，根本就不是这个世界的人，你还讲那么多人情干什么，你？"我说："是领导我就不去了，是大学同班同学呢，这也是同学相聚的一个机会。"她说："你就说我先兆性流产，要带我去医院好了。"我说："如果是真的，那我不去心里很坦然，像这样的，我怎么说得出口呢？"她说："你横下一条心，发个信息就完事了。"我说："那我宁可就送两百。"她说："那你就送两百，你前面几个同学结婚不都是两百吗？"我说："这几年通货膨胀，都水涨船高了。再说这个同学也有点特别。"她马上说："我就知道有点特别，当年的美女，都快十年了，还有那么美吗？"我觉得她说的也有道理，可心里就是觉得过不去，说："就是蒙天舒，他把调子起高了。不过这也是我们班最后一个女孩了，下次就没有了，你放心，真的没有了。"她说："那她明年生了孩子还要做百日酒呢。"我说："那我绝对不去好不好？可以就写份保证书。"她说："我就是舍不得那台空调，我都看好了，格力一点五匹的。"我说："你那老本还有几万块钱吧，那么想那台空调，就从里面提一点出来，我一个月之内给你补上。"她急急地说："我好不容易凑出一个整数，留着人家出世时用的，我为了几百块钱又去拆散？给你一只有缺口的破碗吃饭，你那个饭吃得香吗？"又说："钱都在第二个抽屉里，你那么想拿你就去拿好了。"我说："谢谢老婆的恩惠。"

我轻轻走过去，轻轻把抽屉拉开，轻轻地把里面的东西翻了翻，看到了那一叠钱。我轻轻说："我拿六张啊，你看好啊，就六张。一二三四五六，六张。"我把钱举起来扬了扬："六张。"她赌气地把头转过去。我轻轻走到门边，轻声说："那我去了啊！"把门轻轻地关上。

出了门我长舒了口气，事情总算搞定了。这口气刚刚舒完，马上又感到了沉重，太对不起赵平平了。我先到了学院，跟黄老师说好了，搭他的车去。到了大门口，有好几位老师在那里等着，还有两位是退休了的，都是当年教过我们班的。看来佟薇薇比别的同学给老师们留下了更深的印象。一会蒙天舒开车来了，招呼了两位退休老师上车，又对我说："上我的车？"我说："跟黄老师讲好了。"

出发时黄老师的车走在前面，路上有点堵，蒙天舒看到左前方两辆车之间有点距离，拼命按着喇叭要后面那辆车让路，那辆车也拼命按喇叭示意蒙天舒别插。蒙天舒不管不顾，还是插进去了。在前面路口，黄灯闪起来，他一冲就过去了，我们的车就停在路口的这一边。一路上我们的车连续碰到十几次红灯，到了西湖宾馆，找停车位又折腾了半天。

在大门口，看到蒙天舒和几个老同学在说话，问我说："怎么才到？我都到了半个小时了。"我说："一路红灯，停车位又找了半天。"他说："一路红灯？我一路绿灯！车位也好找啊。"这件小事让我很有感触，找到一个小机会，强行插那么一下，抢个先手，只一个车位的距离，就是一路绿灯。黄老师让那么一下，就是一路红灯。唉，开始才一个车位的距离，那么一点点，可后来呢？

我去洗手间出来，他们已经上楼去了。我心里转了一下，就在沙发上坐下来，眼睛盯着大门。有两个女同学过去了，我侧了脸不打招呼。

又进来一个男同学沈东阳，我马上站起来扬手招呼他在沙发上坐了，说到他，说到我，说到这个那个同学。知道他还在教中学，我感到很安心。他掏出手机看了一下时间说："怕要上去了。"就一起进了电梯。我说："你打算意思多少呢？"他说："我正想问你呢。"我说："那个意思太少了也不好意思，太多了那个意思也没什么意思了。"

沈东阳把手扬了扬说："不多不少那是多少呢？我跟你走。"我也把手扬了扬说："我跟你走。"都不肯先说出数字。电梯到三楼了，我把关门的键按住说："快说个数字，反正就跟你走。"他说："我原来准备只送两百的，同事结婚我都是两百意思一下。下面大厅的气派把我镇住了，那就这个数。"他伸出四根指头。我大为宽心说："听你的。"就松开了那个键。出了电梯就是宴会厅大门，人特别多，这让我更加有了安全感，混在这么多人里面，谁会注意谁？门口有四张登记礼金的桌子，有两张是班上的女同学。沈东阳要过去打招呼，我拉了他一下说："这边，这边。"在另外桌子的礼簿上写了名字，把钱交了。

婚礼场面很大，有好几十桌，主要是男方的亲友。仪式完了，新人逐桌来敬酒，后面跟着一个人，塞给每人一个红包。我接了红包，望沈东阳一眼，有一种心虚的感觉。新人到另外一桌去了，沈东阳说："看一下不？"就在桌子底下把红包看了，告诉我回礼是两百块钱。我说："这几十桌，那不要回十几二十万？"他说："人家做电器生意的，根本不在乎这点钱。他是富江那边的人，那边的习惯是要回礼的。"我说："刚才写个六百块八百块就好了，四百，很不好意思的。这桌的茅台都是六百多一瓶的。"他说："你不要那么重视自己好不好？这么多人，谁会记得你？"他这么一说，我心中马上就轻松了，说："这么多人掩护我们，佟薇薇就算回去翻一下那本礼金簿，一晃也就忘了。这么多人，她去记谁啊。"

28

进了家门赵平平在看电视，我把那几张钞票捏在手里举起，旗帜似的挥舞说："看，这是什么？省下来的，给你！"递到她的眼前。她看也不看一眼，盯着电视说："给我？这个家是我一个人的吗？"我说："拿出来那么不高兴，放进去我以为你会高兴呢。四百，放回去了啊。明天我陪你去买空调吧。"她还是不理我。我说："又怎么了？"她说："没什么。今天看见韩佳了。"韩佳就是蒙天舒的夫人。我说："是不是她穿了一件漂亮衣服？那你也买一件。"她说："人家身上的衣服都是上千的，我买一件？她是谁我是谁？"我不高兴了说："你干脆说她老公是谁你老公是谁。"她说："这是你说的，我没说啊。我不敢说别人怎么怎么好，实事求是那也不行。"我心里被扎了一下似的，口里说："我有那么脆弱吗？那还有人当国家主席呢，亿万富翁呢，我电视里天天看见，天天被扎得疼呀？"她说："那些人隔得远呢，真在你身边你就没有这么潇洒了。韩佳她今天开了一辆车呢，二十多万的凯美瑞。女式的轿车，红色，可见人家在家庭中的地位。"我说："我看见了，蒙天舒他今天开去西湖宾馆了。"又说："你在我们家更有地位，你说买什么空调，那就买什么空调，我绝对服从。"她说："空调就不要说了吧，那跟车那是一回事吗？我到底比别人差了哪点？这个问题我不愿想，又不得不想。"

赵平平的话说得伤人了，这越过了我的承受底线。如果我把内心的压抑和愤怒表达出来，那免不了一场大吵。她是女人，她怀孕了，她的确也受了很多委屈。这让我只能压抑自己。我把嘴巴闭得紧紧的，像关住了百万雄兵。憋在里面的话如果冲出来，那就是浩浩荡荡，有很强的杀伤力。我听见自己的牙齿上下磨得"吱吱"地响，然后咬得铁紧。她说："你怎么不说话呢？"我不做声。她说："你说一句话啊，你想骂人也骂一句啊，你！"我说："叫我说什么？难道叫我说，聂致远是多么无能？我没有这样想过。"她说："我现在的想法就是快一点活完这一辈子算了。"我说："一个想快点活完一辈子的人，还天天往脸上抹这个霜那个霜？"她说：我是女人，女人目光就只有几寸远，就看这几寸远的事实。"我说："你说的事实那也是事实，人家的老婆是有编制的，是开了小车的，那是人家会来事。我不会来事，做不出啊，那有什么办法呢？"她说："会不会来事那是天生的吗？开个会人家就去当志愿者，那你也去当啊，当个志愿者是那么可耻的事情吗？那是奉献社会！"我说："那你还不如抽我的脚筋。"她说："所以说看不到希望。一个家就这么两个人，不从你身上看到希望，难道还从我身上看到？一个人总要给自己打开一扇希望之窗，一个家也要为自己打开一扇希望之窗。没有人愿意过没有希望的生活，更不用说一个女人。她希望能看到希望，这一点小小的希望你都不愿理解吗？"

　　她说的有希望的生活，就是那种精彩的生活。我想反驳她，为什么就不能做一个平凡的女人，过平凡的生活呢？我没有问她，问了也没有用。一个人要对自己诚实，精彩的生活我也想拥有，我只是不愿为了这种拥有扭曲自己罢了。赵平平望着我，不做声，似乎等着我给她一个承诺。但是这个承诺我不能给她，不要说我做不到，做得到我也不会给她，我不会向这种压力屈服，那太委屈自己了。她最后把眼睑垂了下去，轻轻叹息一声，微微摇了摇头。

　　那两天家里的气氛令人压抑，两人都不说话，好像谁先说话就是认错似的。我觉得自己还是应该做点什么。赵平平她是一个女人，她钱瘾重，她想过精彩的生活，她希望能看到希望，这不算什么特别大的缺点。我不可能改变她的想法，这让我看到了自己婚姻的一个根本性的缺陷，那就是在过怎样的生活上没有起码的共识。现在说这些都已经晚了。

　　想来想去，我还是要想办法赚点钱。这天我在路边看到阳光学校招聘中学补习教师的广告，有历史老师的需求，待遇从优。这些广告我从来就视而不见，从没想过自己会跟补习学校有什么关系，那是中学老师做的事，我是博士，是大学老师。我在那张广告前站了一会，掏出手机打了电话，问清了地址，就过去了。去了才知道阳光学校是全市最大的培训机构,在周末和假期开班,现在的招聘是为寒假开班储备老师。听说我是大学老师,又是博士,前台的女孩有点意外地望了我一眼,进去跟经理汇报了,经理笑眯眯地出来,把我迎进了他的办公室。

经理给我让座,倒茶,说:"聂老师您是博士?"我说:"今天没带文凭。"他说:"是麓城师大讲师?副教授?"我笑笑说:"工作证也忘记带了。"他说:"不是那个意思。我们学校硕士研究生很多,博士真的还没有过,很需要您这样的人才加盟,给我们撑撑门面。"

这让我觉得自己很有价值,像有一块糖在心间融了似的。我说:"我有时闲着没事也不好,也有点无聊,到你们这里来找个心里踏实。"他说:"我们订个长期合同好不好?我跟我们校长申请一下,别的老师上一节课六十块,你八十。如果是一对一的辅导,别的老师五十,你七十。如果可以您就填一张表。"我填完表,他说:"下次可不可以把标准像的底片带一张来,我们给放大了挂出去。宣传很重要啊!你看走廊上挂的都是我们骨干教师的照片。"我说:"能不能我的就不挂出来了?被同事知道了不好。"他说:"为国家培养人才,有什么不好?光荣!"我说:"一个大学老师到这里来上课,有那么光荣吗?"他说:"光荣!"送我出门时又说:"下次是不是把博士文凭带来让我们复印一下,备个案?要报市教育局搞资格审查的。"

回到家我把这件事告诉了赵平平。她应了一声,没说话。我说:"怎么不笑呢,一节课八十,一次就是一百六,一星期三次就是四百八,一个月……是多少?"我没说出那个数字,侧了头望着她,等她算,算出来让她兴奋一下。她叹息了一声,我说:"怎么不笑呢,一个月差不多就是两千块钱呢。"又凑在她身边悄声说:"比我现在的工资少不了多少,等于收入翻番了。"她又叹息一声。我说:"你真的不高兴啊?"她说:"这是让人高兴的事吗?别人几十万几十万地赚,你几十块几十块地赚,这能翻身呀?你还看不起人家,人家早就翻身了。"

她在暗示着蒙天舒,这让我心情一下子就落下来,跌到漆黑的深井中。我说："我凭自己劳动赚钱，脚踏实地，堂堂正正，用不着厚了脸皮往别人那里凑。"她"哎哟"一声，说："这个世界你怎么还没看清楚，谁凭自己诚实的劳动发家致富了？诚实的劳动有你说的那么光荣吗？你一点时间都这样贱卖掉了，我看你评职称啊、搞课题啊都轮不上了，一辈子就走上劳动致富的路了，那个富你致得到吗？混一口饭当然还是混得到的。你不搞这个事我还觉得你胸有大志，总有一天会与人家平起平坐，你这样一搞我真的就不敢抱任何希望了。你这样辛苦十年能买辆凯美瑞，这凯美瑞我忍心开吗？"

进门时还觉得有一线阳光照在心上，虽然只有一线，那也是阳光，也有温暖。这一下整个天都灰暗了。赵平平说得有道理，很有道理，我得承认，是我在情急之中看不清大局。我说："那我就打个电话把这份工作辞了，专心来搞学问。我就不相信老子搞不出来。"她说："路漫漫其修远兮，雄关漫道真如铁。你那边搞出来，我这边就老了。可是这个家实在也是没有第二扇窗户了。"我沮丧地摇摇头，做学问什么时候就这样变成了赤裸裸的谋生呢？我不想接受这个结论，可又不得不接受。

那两天赵平平总是沉默着在想什么，我询问地望她一眼，她马上就躲开我的眼光。这让我很疑惑，多望她一眼，她说："不认识吗？我姓赵。"我说："为什么不能想着我是在欣赏美呢？"她"嘿"地一笑说："你那是欣赏美的眼光吗？我又不傻。不认识了吗？"我说："认识，又有点不认识，还是以前那个小赵好，女人的心态要阳光一点。"她说："我知道自己已经不是那个小赵了，不然你也不会总这么顶着我。"我说："东扯西扯都是胡扯。我没有那个意思。我是说女孩的心里不要那么物质。"她说："女人就女人，我认了，你不用改口说什么女孩。"我说："东扯西扯都是胡扯。我没那个意思。"她说："一个女人她不可能永远不懂事。"我说："懂了那些不该懂的事那还不如不懂的好。"她说："该还是不该，那只能由她自己说了算。有的女人孩子都生了一个两个了，为了自己的追求，孩子都丢下跑了，你能说她心太硬了吗？"她一说我想起昨晚电视里的报道，山区的一个什么县什么乡，因为太穷，女人成批地丢下孩子跑了，就成了"无妈乡"。我说："她们实在是太穷了，我们这有吃有穿有住的，人比一比要知足啊！"她说："那你的意思是要我跟那些女人去比吗？"

又过一两天赵平平说："今天我要去医院检查。"我说："医生不是说满五个月再去吗？你还不到五个月呢。有什么不好的感觉？"她说："什么都没有，我就是想去一下。"我说："我上午有课，下午陪你去好吗？"她说："那你先去上课吧。"

快下第一节课时我看见手机闪了一下，有信息进来了。手机我已经调了静音，放在讲台上掌握时间的，平时信息来了我根本不理睬，今天心里挂着赵平平，就按下键瞟了一眼。这一瞟我头"轰"地响了一下，是赵平平发来的信息，说不想要这个孩子了。我站在台上愣了几秒钟，忽然明白过来自己还站在讲台上，有近百双眼睛正惊异地望着我。我呆了似的说："我刚才讲到哪里？"顾莉马上举手说："老师刚才讲到阳明先生游南镇，一友人指岩中花树在深山自开自落，于我心亦何相关？请他说明心外无物。"我马上记起来了说："心外无物，心外无物。"我心中闪出赵平平坐在手术室外等待手术的情景，心里一阵紧缩，口里机械地说："心外无物。"恢复了镇定我说："友人指岩中花树为心外之物，为什么阳明先生会说心外无物呢？"我又想起赵平平坐在那里的情景,思维断了线，阳明先生的论证也记不起来了。

幸好这时下课铃响了，我马上抓起手机跑到教师休息室，拨了赵平平的电话。我说："你发什么癫呢？"她说："你说我发癫是吧，那我今天就发个癫看看！"把手机挂了。我急得一身汗都出来了，马上又拨回去，她不接，拨了十几次她接了说："你找谁呀？我在交钱呢！"我说："你也不想想你多大了！你今天做了以后就习惯性流产，一辈子没有生了！"她说："你吓谁呢？吓白菜吗？我是白菜？"我说："这是两个人的事，你一个人无权做主，婚姻法这么说的。"她说："你以为谁是被吓大的吗？你明天去起诉我好了。"我说："求求你好吧？有什么事慢慢商量。"她说：

"我求了你多少次，有用吗？"又把手机挂了，我再拨也没有用。我不相信她真的会那样做，她是拿这个来降我，太残酷了。想到这一点我恨不得一咬牙由她去。

上课铃响了，我回到教室，说："为什么阳明先生说岩中花树不是心外之物呢？"后面的论证很复杂，我非常熟悉的，可现在就是记不起来了。我拖延时间说："心外无物，这是一个非常深奥的哲学命题。"心中想着的是赵平平的事，万一她真的发癫，那就不得了。下了决心，我说："聂老师家里临时有点急事，家里有人急病，马上要去医院一趟。这节课大家自习，不准离开。谁离开被教务处巡课的老师发现了，那就是聂老师的重大教学事故。请大家一定要坚持到打下课铃再走。"说完匆匆下楼，骑车去了三医院。

到了妇科的门诊室门口，我推开门就往里面冲。科室门口叫号的护士一把揪住我说："干什么？你干什么？"我诧异地望着她说："我干什么？我老婆在里面。"她指了大门说："出去出去！这是你来的地方吗？人家在里面搞检查，你往里面冲？"她把我揪到门外，指着窗上的字说："那是什么字？你认认看。"我抬头看见那里写着"男同志免入"几个字。我说："紧急情况！我老婆她没经我同意要做人流，我必须马上找到她。马上，马上！不马上就流掉了！马上，马上！"护士脸上缓和了说："你老婆叫什么名字？你别急，做那个那要预约的，你们预约了吗？"听说要预约，我心里一下就松弛了，说："帮我叫一叫，看在不在里面，她叫赵平平。"她进去叫了几声，出来说："没有。"

我想赵平平可能是吓我的，心里非常地愤怒。害得我把学生丢在教室里就跑来了，这是开玩笑的事吗？下了楼骑上车，想着是不是还来得及回教室把学生稳定一下，东一个西一个出来，被学校发现了，那我就要被全校通报批评了。掏出手机一看，时间来不及了，就心一横：算了，要通报就通报吧。

出了大门我又停下来，掏出手机给赵平平打电话，不接。这让我很不安，又回到妇科诊室门口，对护士说："能不能再帮我找找？她姓赵，赵平平，平平安安的平。"她说："没有这个人。"我说："上次早几个月就是在这里做的。"护士问清了情况说："上次一个多月那是门诊的人流手术，现在四五月那就是引产手术了，正经是一个手术了。"要我去手术室那边看看。我飞跑过去，上了电梯一转弯，一眼看见赵平平坐在那里。我过去气冲冲说："真的发癫了吧！我还在上课呢。"她说："我发我的癫，你上你的课，各人走自己的路。"我说："这里人多，我们回去说好吗？"她说："下一个就是我了。"我说："不是要预约吗？你不预约怎么排得上？"她说："我是计划外生育，单位要开除了，再不做就晚了，医生也同意了。"我说："连医生你也骗啊？我们回去慢慢说好吗？"就去拉她。她甩开我的手说："我钱都交了。"我说："看来你真的是发癫了，日子真的有那么过不下去吗？"她马上说："真的有那么过得下去吗？"我说："你想想好，我这样的好男人不多！"她说："你就是太好了，好得我到现在连一个编制都没有。"我说："那是我的责任吗？"她说："所以说不要你负责，今天把这件事做了，你就更加没有责任了。你不是想轻松吗？这样你就最轻松了。"我说："你别堵我，你知道我的性格，你堵我我真的走了。"她说："我拉着你了吗？"

我呆站在那里，眼中有眼泪，心里在滴血。我听到了心中的呜咽之声，像是窦娥在痛诉自己的冤屈。我长叹一声，真的想一甩手就这么走了，后果让她自己去承受吧！可心里又非常明白，这个气是赌不得的。

这时旁边一个女的说："你们小两口，这是第一胎还是第二胎呢？"我说："第一胎呢。"她说："你们第一胎还要做掉？你们结婚了没有？"我说："有指标的。"她说："你们有了还要做掉，我这里搞了七八年了，医院跑遍了，药都试尽了，钱都花掉一二十万，还怀不上。"听了这话，赵平平"哇"地一声哭了。我把她从椅子上搀起来说："你看看，上次你那个同学也是怀不上，你看看你多么地幸福啊。我们回去，回去，把钱退了，回去。"

那几天我心里惴惴的。课上了一半，丢下学生自己走了，这是重大

166

教学事故。被教务处巡查的老师查到就不得了，学生到校园网上去曝个光就更不得了。上学期因为小考的事，我批评了几个学生，现在自己有把柄留在他们手里了。我把赵平平那条信息留着，万一追查起来，我就说家里出了这么大的事，实在是万不得已。那几天我不时去院教务办去串一下，观察小陈的脸色。过了几天没有动静，我安心了，又觉得这些学生还是很不错的，上学期对他们是不是太严厉了？心里有点歉疚的意思。又过了几天，我把那条信息删了。

29

那几天我想着，赵平平跟我来这么一手，到底是什么意思？如果是对我太失望，铁了心要离我而去，她自己做了也就做了，不必发信息给我。真做了我又能把她怎样？除了分手也不能怎样。发了信息就是等我前去求她，想用这个办法降住我。可她真的是交了钱，也没告诉我她到底在哪里。如果我没回头去找呢？

不管她是什么意思，我心里都非常憋屈。可这憋屈不能说，得憋着。一说就免不了争吵，一争吵她又往医院跑，那真的是要了我的命。有几次我想：你跑就跑，要赌你赌得过我吗？真正吃亏的是谁？全部推倒重来，吃亏的还不是她？这个局面我看得很清楚，可我还是不敢赌。她吃亏我也不好受，比我自己吃亏更难受。说起来我真的很理解她，一个女人，看清了自己就这一辈子，青春就这一阵子，要抓紧时间过好日子，不能等。我不能给她带来好日子，她就要到别处去寻找好日子。凭她自己的能力，她在别处能找到好日子？唯一的去处，就是别的男人。想到这里，我心中有一种痛恨，恨完了又更加感到不能赌，更得憋着，不憋着放手一赌，那就害她了。唉唉，这恨原来还是因为爱呢。

想清楚了，知道自己唯一的选择就是憋着。这让我感到委屈，我憋着说到底是为赵平平好，可她不领这个情，认为我是欠了她的。欠债的人不憋，难道还要债主憋吗？两人对相互处境的定位有很大的差异，可实际上只能按她的理解执行。我捺下性子听她描绘将来的蓝图：五年之内要换新房，儿子出生了要吃进口奶粉，自己的工资只能保证自己的服装费和护肤品……说一条就问我一句："听见了没有？"我不置可否地"嗯"一声。她说："到底听见了没有？"我说："我长了耳朵。"

我双手揪着自己的耳朵摇了摇："这是耳朵，耳朵，你知道不？耳朵呢。"她"哧"地笑了，马上又收回去说："跟人家说话能不能严肃一点？人家跟你讲严肃的事情呢。"我说："不但跟你说话要严肃点，跟你做那个什么别的都得严肃点。"她说："做什么那个？"我说："就是做那个。"把两个手掌合起来放在左边面颊上，头也往左边偏了一下："夫妻除了睡觉，还能做什么别的那个呢？那也要严肃点。"她忍不住笑了一下，马上又收回去说："想得美。"又说："碰见我要求这么低的女人，那是你的福气。你换个别的女孩你试一试？我给你机会，你试一试，你试一试你就知道了。"我说："你不要跟在高娟娟那些人后面跑，那不是什么好事。一个女人她要学会做一个平凡的女人。"她一只手的食指在自己鼻子上点了几下说："我还不平凡吗，我？别人结婚带了摄影师到马尔代夫去照结婚照，还是潜水的，我拍了什么照？几百块钱的呢，都不敢挂出来呢。就那么两件上了千的衣服，还是以前买的呢。"她这么坦然地说到"以前"，好像那是自己的黄金时代。我摊开双手说："以前那么好，你为什么不待在以前呢？"把双手往前面一推："为什么？"

我想着如果她真的这么不给我面子，我也没有什么好低姿态的了，这已经是一个男人尊严的底线。她也意识到了这一点，嘟着嘴说："人家也不是为了人家自己好不？房子也不是我一个人住，奶粉也不是我一个人的儿子吃，衣服穿在我身上，护肤品抹在我脸上，那也不是我自己看，谁看得最多呢？"又说："我要是能达到一个平凡女人的水平就好了。看见打折的衣服眼睛就发亮，看得最多的是街边的地摊货，我达到平凡女人的水平了吗？那只是我的理想。"

我想想她说的也是事实，只怪我自己太赚不到钱了。我说："说一件毛衣吧，我这几十块的是穿，你那一千的也是穿，有那么大的区别吗？护肤品还要跟什么大Ｓ走，她是什么人？我们是什么人？"她说："她还不是博士呢，你是博士呢，护肤品那是一个女人要优先考虑的，我不想老得那么早。你如果嫌我花多了钱，我每天少吃一顿饭可以不？"听了这话，我苦笑着摇头说："无赖，无赖！"她说："女人她在脸上抹点东西她就是无赖？那哪个女人她不是无赖？这是一个大男人说的话呢！"我说："我说无奈呢，一个女人不吃饭都要先抹粉，真的是无可奈何！简直是无赖。"

接下来她跟我讨论改变现状的办法。女人的想象力丰富而夸张，一些不着边际的想法都被她想了出来：辞了职到广东去做灯具，开个心理咨询诊所，在小区开个现榨现卖的榨油坊……我知道这些都是天蝴蝶的想法，落实不到人间，也只得耐着性子跟她讨论细节。一讨论细节，所有的想法就全部熄火。这让我体会到外面那些做小生意的人是多么艰难。她说："你是一家之主，你要想点办法！一个人不能为意义而牺牲，意义要落到实处，不然就跟上帝一样，无所谓有，无所谓无，到最后，牺牲的唯一意义就是牺牲了你自己。"我说："按你这逻辑，全世界的伟大人物都是个零。"

说是这样说了，我还是静下心来跟她想想办法，毕竟生活是这么现实。想法多多，堆起来有喜马拉雅山高，稍微着点边际的还是她想办法搞个编制，我想办法评上职称。编制是多么严峻的问题，我已经领教过了；赚钱是多么严峻的问题，我有了新的感受；职称是多么严峻的问题，以前没有细想，现在不得不想。说人生淡泊明志，宁静致远，这离我的生活现实多么遥远。我没有办法做我自己想做的那个人，就像动物园的老虎，它没有办法做自己想做的那只老虎。

前年做了一年的博士论文，去年备了一年的课，我已经两三年没发表论文了。现在又把论文写起来，发现自己的心情跟以前有了很大的不同。以前写论文是怀着对学术的崇敬之心，现在想的却是功利冲动。我想把这种冲动对自己掩盖起来，这样赤裸裸的真有点不好意思。晚上我往书桌边一坐，赵平平马上就把房门关了，把客厅电视的声音调到最小。每次拿起笔我都在手里掂一掂，感到了它的重量，这是以前没有过的感觉。

晚上工作得晚一点，赵平平就会送吃的东西进来，甜酒冲蛋、豆浆、牛奶、汤圆，反正几天之内不会重复，她就有那么好的记性。有一次我开玩笑地说："怎么昨天吃了甜酒，今天又吃甜酒？"她马上说："你这个记性你能做学问你太让我失望了，你还是去街上炸臭豆腐吧，你！昨天是吃的豆浆，用那个绿色的杯子拿进来的；前天是红枣稀饭，用的是小钢精锅；大前天……"我打断她说："女人啊，女人，女人真的是天才啊，有这份天才你应该去国家情报局工作，在这里煮甜酒是太屈才了。"她说："到那里我就是个白痴了。所以我们跟你们是不同的，我们是我们，你们是你们。"她的手指灵活地来回指着："所以你以后不要跟我说，几十一件的衣服跟上千的是一样的，更不要把几十块一件的强加给我，我穿在身上浑身不自在，知道吗？"我说："那我下次几十块钱买一件，告诉你是几百上千的，我让你穿，我看你穿得出差别来？我真的没觉得有什么不同，所以人生其实没有必要去想那么多钱。"她哈哈笑了一阵说："那件衣服我不要穿，我也不要摸，更不要去翻什么标牌。我只要瞟一眼，我看不出差别我就是只小狗汪汪叫，从此不买一百块钱以上的衣服。难怪我们要吵架，你太不理解女人了。"

我喝了甜酒冲蛋说："好喝。你什么时候变得这么贤良了？"她说："你不要表扬我，我不要这个表扬。你早点进步赶上姓蒙的就是对我最大的表扬。"她这么一说，我的心往下一坠。她马上说："不说别人，你进步了把家里搞得好点，我给你打洗脚水一辈子。"我说："女人啊，女人，女人真的是只有一寸长的眼光。只有这点眼光，那就活了自己这条命算了。"她说："不活了这条命算了，那你还想改天换地？"我说："男人还是要有事业的吧。"她说:"有事业也要落实到活这条命上面来,那才是真实的真实,不然你那点事业再大,放到时间太空里面去,连尘埃都不是。我学历史几年,也没有学到什么,就这点是最深的感受。西夏一个民族都消失在历史之中,何况你一个人?"我说:"要说对那也是对的,肯定也不对,人总要相信那么多伟大的人他们都不是傻瓜。司马迁比你还傻吗?"她说:"是不是你也觉得自己也有一点点伟大?"我说:"向往一下也不行吗?"放下碗又说:"唉,这份贤良我怎么承受得起哦!"

赵平平的身材有了一点形态。她说:"读大学的时候看见那些怀孕的姐姐,很替她们难为情的,谁都知道她跟男人那个过了。现在我也到了这一天,我挺骄傲啊,我也是能当妈妈的人呢。"说着把肚子用力挺了起来,扭了一扭。我说:"你的同事都知道你被男人那个过了。"她说:"那又怎么样?我都三十岁了,我不该被那个过?"她要我陪她去买孕妇装。我说:"就这么几个月,混混就过去了。"她说:"几个月不是时间吗?人一辈子还只有几十年呢,混混就过去了?你能不能男子汉一点,别只想着省那点钱。人类历史几十万年了,还没有一个人是省钱省成了富翁的。"我把胸脯一拍说:"那咱们走!"

到了母婴商店,赵平平先去看婴儿用品,口里念叨着要买这样买那样。反正她现在不买,我就都应了。看了一会她要售货小妹拿来纸和笔,命令我一样样记下,什么品牌、什么型号、多少份。我说:"还早呢。"她说:"所以我现在不买。过一段时间我身子不方便上街了,你按照这张单子买就是。"

她精挑细选一个多小时,我写了二十多样东西在单子上。完了她又去看孕妇装,试了几件都说"不好看"。我说:"怀孕本来就是个不好看的事,你向衣服要好看那也要不来。肚子翘那么高能好看吗?暂时还没听说哪个国际名模是翘着肚子上台的。"售货小妹在一旁说:"姐姐移步到楼上精品区看看吧,那里的档次高些。"赵平平说:"还有精品区?你怎么不早说?"就拉我上了楼。她还是先去看婴儿用品,看一样就叹一声:"喜欢喜喜，还是有钱好啊。"比较了价格，将那张纸翻过来，把要买的东西重新记上。我说："一个奶瓶不就是一个奶瓶，怎么价格贵几倍呢？"她说："那一样吗？你感觉怎么这么粗糙？"我说："都是拿着喂奶的！"她说："矿泉水跟自来水一样吗？贵的肯定更环保吧！这个钱省不得。"又看了差不多一个小时，念叨着："这钱省不得，这钱也省不得。"把在楼下抄的货品几乎全换了。我说："只有两样没有换了。"她接过单子看了半天，跟我商量着是不是换回去几样，又舍不得，说："比一比就有感觉，还是有钱好啊！看了好的就不想看坏的了，你说人怎么会不变质？干脆把最后两样换掉得了。"我说："一次性的尿布，你买这么贵的干什么？"她说："知道你心里抽筋了。"又指着尿布说："我在琢磨啊，反复琢磨啊，这些东西肯定不是给猴子用的吧？"

看好了婴儿用品，她又去看孕妇装，一边看一边赞叹："喜欢，喜欢。不比吧，楼下那几件也还过得去，一比就跟渣一样的了。你说人怎么会不变质？"我说："一百跟一千能是一回事吗？"她说："嘿，你什么时候知道了一百跟一千不能比？前几天还说是一样的呢！"我说："这是孕妇装，就穿几个月的，才几个月。"她说："就知道你想让我穿垃圾。"

赵平平抚摸着那件粉红的孕妇裙说："臭臭，你来感觉一下这质感，穿在身上，贵妇人的气质哗地就上来了。"她问小妹能不能试，回答说可以，她就拿到试衣间换上，出来在镜子里反复看自己，指着镜子说："里面那个人真的好有气质啊！你以为伊丽莎白是天生的女王范吗？钱堆出来的呢。"又问小妹能不能打折，回答说不行，她说："那我下次再来看。"要小妹记下她的电话，打折了就通知她。小妹见她什么都没买，就向她推荐文胸，三百多一只，说是有保持体形的特效，要从怀孕时就开始戴。那文胸的确精致，但看不出有什么奥秘。赵平平看了好一会说："别的都能省，塑体的不能省。"就买了两只。出了门我心里难受得要命，说："这又能塑什么体，不是活活被人骗了吗？"她说："花点钱买个心理安慰也好啊！"

30

我花了两个月时间,在博士论文中抽了最有光彩的两节,反复打磨,写成了两篇论文,准备拿去投稿。文章打印好了,拿在手里,漂漂亮亮,忍不住再看一遍,越看越喜欢。有些句子就写得那么好,生动、深刻而又准确,有点不像自己写出来的,感觉写的当时有神灵附体似的。

这样的文章,我舍不得随便投掉了,要投个好刊物,就像自己的女儿,不能委屈了她,一定要嫁个好人家。我打算把一篇投到《历史评论》,另一篇投到《中国思想史研究》,都是权威刊物。寄稿的时候我犹豫了一下,是不是应该直接寄给罗天渺和汪寅?犹豫之后决定还是算了,我跟两位主编没有什么特别的关系,直接寄过去有点不好意思,也伤害了我内心的骄傲。我信心满满,这么好的文章,还怕他们看不到吗?下面的编辑肯定会推上去的。

文章寄出一个多月,《历史评论》编辑部来信了。看到那信封我的心跳了起来,一下,又一下,让我那么明确地感到了心脏的真实存在。我几乎断定这就是录用通知,这么快就回信了,是嘱咐我不要另投别处。拆信封的时候手有点颤抖,把里面那张纸撕破了。展开信我心里发冷,竟然是不录用的通知,我简直有点不相信,再看一遍,的确是的。我站在信箱旁,双手展开那张纸,眼睛盯着,对上面的内容再没有任何感觉,就那么盯着,用力地盯着。

好一会旁边有个声音说:“聂老师。”这声音把我拉回到现实,开始理解周围的事物,看见一个女学生正用异样的眼光望着我,就咧开嘴笑了一下。那女生又叫了一声:“聂老师。”我并不认识她,机械地点了点头说:“好,好,好。”就离开了。走了几步发现自己有点失态,就回头望了一眼,想解释几句。看见那女生目光中有点惊异,也不知怎么解释,含糊地说着:“好,好,好。”快步离开。走远了我在心里说:“好好好,好你个头呀!”我在自己脑袋上拍了一下,回头看看那女生不见了,又用力拍了一下："头啊！"

回想起来，寄稿子时的那份自信，真的太可笑了，自己都感到羞愧。这羞愧只能藏起来，默默品味，对谁都不能说，说了就是自取其辱。这样我特别想收到另一篇论文的录用通知，这样我可以平衡一下自己的自尊心，也对赵平平有个交代。我感到有个交代是件多么重要的事情。我没有进步，就是我们这个家没有进步，这是她不能接受的。不但这篇论文要有个交代，我的进步要有个交代，她的幸福，还有这个家的幸福，都要有个交代。这让我觉得，一个男人要守住那点清高，那他就不适合结婚，否则怎么面对老婆孩子。

回到家里，我掩饰地哼了几句歌，赵平平说："你今天什么事那么高兴？"我说："那我又有什么事那么不高兴呢？"她仔细瞧了我几眼说："你今天可能真的是不高兴。"我说："你怎么知道？"她说："读书我读不懂，读你我还读不懂吗？月亮下看影子，我都看得出那个人是不是你。"

晚上我把那篇论文从电脑里调出来，想仔细思考一下是不是有自己没有察觉的缺陷，看了以后觉得论证还是很严谨的。真的有那么大的缺陷，去年答辩的时候那几位教授也会提出来啊。正想着赵平平推门进来，我心里一哆嗦，赶快把鼠标往下一拉，让论文的题目退出了屏幕。她把牛奶放在桌子上说："又搞了一篇？"把手伸向鼠标想看看题目，我下意识地去抢鼠标，手肘碰翻了那只碗，牛奶倒在桌子上。我马上把书和稿子拿起来，用力地甩着，一边指着门口说："抹布，快点，抹布！"她顺手拿张报纸来擦桌子，我说："厨房，抹布！"她说："厨房，抹布！"我只好跑到厨房去拿抹布。清理完了她说："我再去冲点奶粉来啊。"我说："好的，好的，我喝得下！"她说："那我先看看你又搞了篇什么文章？让我满足一下好奇心吧！看着你论文一篇篇出来，我心里就很踏实的。"

这一次我不能再去抢鼠标，只好说："还是上次那一篇呢。"她移动鼠标看了题目说："是编辑要你修改吧？"我说："突然想起有个地方要修改一下。"她说："那他们问你要电子稿时，你要记得跟他们讲一声改得更好了。"我说："当然，当然啦。"

睡觉之前我在厕所刷牙，赵平平在卧室叫我说："快来看，快来看！"我吓得一惊，满嘴牙膏跑了过去。赵平平倚在床上，把毯子退下去，露出白白的肚皮说："刚才他动了一下，动了一下！他的腿踢我了，踢我了！"我看着她的肚子，已经明显地隆起，也没什么动静。她说："刚才，一只脚，从这边，到那边，"她的双手从右边比划到左边，"从西半球到了东半球呢。"我想用手去摸一下，她挡开说："你们男人手重，会压着他的。"我指了指嘴巴，把牙膏泡沫吐出来给她看，往厕所那边一指。她说："你去吧。"我刚想离开，她尖叫说："又动了又动了！"这一次我看见一个微微突起的一小块，从她肚子的左边缓缓地滑到右边，真真切切的一道弧线。

我把牙膏泡沫吐到瓷砖地上说："又回西半球去了。"她说："看见了吧，这么调皮，肯定是个崽。"我说："我以前也觉得生个崽好，不怕别人欺负是吧？现在想来想去，还是生个女好些。要他做个男人，他太累了。"她望着我说："我让你那么累了吗？"我说："心累，男人心累。做个女人不容易，做个男人更不容易。我不想他那么累，还是女孩好。"她说："女孩好，那是你们男人说的话，你自己真是个女人你就知道了。"我说："唉，你真是个男人你也知道。"她说："那你再累一次，去拿了拖把来，把地上的东西擦干净了。擦牙膏泡沫呢，好累呢，心也跟着累呢。"又指着肚子尖叫："你看你看，他又动了又动了！"

自己的孩子已经开始在这个世界上运动，这让我有了紧迫感。我要进步，要成功，迎接他的到来。第二天我把论文改寄到《中国古代史评》去了。这比《历史评论》低了一个层次，可怎么说也算核心刊物。心里又期待着《中国思想史研究》那篇论文会有消息。赵平平问我："你晚上怎么不工作了？"我说："让我休息一下嘛，酝酿一下情绪。"心里想着，如果这两篇论文都发不出来，再写又有什么意义呢？

我想这样等着也不是个事，总得有点进展才行，就去了学校的出版社，想把博士论文出一本书。编辑马上就同意了，但要交三万元书号费和印刷费。他见我有点犹豫，就说："这真的是最少的了，本校的老师才有这个优惠。"又说："你们刚进校的博士，学校不是给了几万块钱的科研启动费吗？你就用那个钱，反正是学校给的。"我说："那点钱我还想留着慢慢用，用完了以后出去开个会都开不成了。"他说："学校现在正在申报出版基金，你去报一个啊！"我说："好像似乎隐约听说有这么回事，怎么想怎么也轮不到我，就没在意。"他说："试一试嘛，又不割你一块肉。中了标就是四万块钱呢。"

我在校园网查到了有关通知，下载了表格填好，交上去了。过了几天申报名单公布出来，全校有四十多个人报了，竞争八个名额。历史学院有三个人报，蒙天舒也是一个。他前年拿了五十万的优博论文科研费，还到这里来伸手。慢慢地他也快要成为一个牛人了。一点资源就这样被几个牛人垄断去了，不知普通教师该怎么发展，又该怎么活？

看了这个名单我没再做打算，又打电话去了省教育出版社，希望那边出书能够优惠一点。回答是最少要四万，不能超过二十二万字。看来学校出版社编辑说的三万，真的是最优惠的了。我把这件事告诉了赵平平，她说："评副教授一定要一本书吗？"我说："人事处有这一条啊！"她说："评上副教授加多少钱一个月啊？"我说："那应该有四五百！"她想了一会说："那有什么搞头呢？你等明年申请到出版基金再说吧。"

投到《中国思想史研究》的那篇论文过了三个月还没有消息。我去资料室把那本杂志看了，封底的稿约中就有一条：三个月没有录用通知就可以自行处理。我有了一种恐慌。自己一定要前进，不前进不行；可是前进的路几乎全部被封堵了，寸步难行。年轻人成长真的太艰难了，像我这样的，还端着那种清高的，就更加艰难，寸步难行。看来我得把蒙天舒当作自己的榜样，我没有别的选择。

我打了个电话给冯教授，告诉他，自己快当爸爸了，"中国思想史"这门课也教下来了等等。然后，似乎是随意地，又说起发表论文不容易，成长艰难。冯教授叫我坚持不懈，对学术要有信心，却没有像我期待的那样，主动提出帮我推荐发表论文。我相信他已经明白了我的意思，但还是帮不了我。他在学界并没有一言九鼎的能量。幸亏我没有直接说出这个意思，不然就太让他难堪了。

我马上又打了吴教授的电话。我不是他的弟子，也就没有抱希望。他自己还有那么多弟子照顾不过来呢，回绝我那是名正言顺的。也正因为如此，我在电话中再也没说当爸爸的那些事，直接说了自己的难题，问他能不能帮忙。说完这个意思我心中有点难堪，甚至期待他婉言拒绝，那已经是给我台阶下了。谁知道吴教授说："你把论文发到我邮箱，我看看再说。看得上我可能推荐一下，看不上那就不要怪我。"

我回家把论文发给了吴教授，过两天他回信说，论文不错，已经转发到《中国思想史研究》去了，要我跟严编辑直接联系，他已经打招呼了。我想着这篇论文就是这个刊物没回音的，是不是要跟吴教授讲清楚？犹豫了一下，还是算了。如果上次投去编辑没有看，那我就太幸运了。赌一下吧。

没多久严编辑有了回信，说论文已经通过初审，可能录用，要我不要另投别的刊物。还告诉我，如果录用了，要交七千块钱的版面费。想着那七千块钱我有些心痛，一点高兴的感觉都没有。回到家我把事情跟赵平平讲了。赵平平说："这篇文章发了评副高有用没有？"我说："有用，权威刊物呢。"她说："有决定性作用还是一般性作用？"我说："肯定可以作为代表作拿去评审。"她说："那你还惦着这七千块钱？"我说："我们总共才有多少钱？你这就快生了。"她说："大事来了不能只记得钱呢。"我说："没想到你这么有气概。"她说："要看什么事来了。"我说："我的这篇论文讲的就是做人不能屈从功利冲动和内心欲望，人心有病，须是剥落，即得清明。做人要做个素心人，不能做杂心人。可现在我又是找人又是交钱，我不是抽自己的嘴巴？"

赵平平抿着嘴啧啧有声说："这个人读书读呆了，怎么得了？他自己说了什么，还真的想认那个真呢！My God。你看如今这世上谁能快乐而幸福？素心人吗？说了要你去做灯具去榨油，你又要搞学问，还要认真，这是能认真的事吗？我看楼下炸臭豆腐的大娘比你还清醒点，出租车司机也比你清醒点。他们起早贪黑，没节假日，真正五加二白加黑，还不要你告诉他们怎么学雷锋，他们是素心人吗？"我说："我好歹也读了几句书，我总该想一点别人懒得去想的事吧！"她说："你那么想想，想，你哪天评了教授，换了房子开了车，儿子也大学毕业有份好工作了，那时候你去想，我不反对。你要想通，自己跟别人没有什么不同，不同的只是她炸臭豆腐，你教书，别的都一样！一个人不能太历史了，哪怕他是研究历史的。"我说："一个人也不能太现实了，哪怕她生活在现实之中。"她说："真的没有必要把自己想成一个那么有使命的人，你的使命和大娘的使命是一样的。"我说："你这样看我就没有意思了。"她说："我也想往上面看，"她抬起头仰望着天花板，"那总得有个理由不？"我说："你的理由就是钱钱钱，我也理解你，可一个民族总得有几个不盯着钱，盯着天空的人吧。"她马上说："那么伟大的使命，我也理解，怎么说我也读过几年大学，还是学的历史呢，但那是你的使命吗？"我说："都理解，可都往别人身上推，那最后又推给谁去？"她说："推给谁去都可以，推给你，那不但你进步不了，我们全家都进步不了，那怎么办？我们全家，"一只手在腹部轻轻拍了一下，"我们全家。"

我心里有点郁闷，但也明白有些事情必须得做。晚上我在电脑上给严编辑回了信，请他一定帮忙使论文能够通过复审，告诉他，这对我评职称有决定性意义，又把能够想起来又说得出口的感谢话说了一大堆。他回信要我放心，说，吴教授推荐来的论文，我们是会认真对待的。这让我知道，自己一个小人物，就那么投稿过去，是不是有人溜一眼都成问题，又怎么会有人理睬？

第二天碰见陶教授，把投稿的事说了。他说："那你真的要感谢吴教授呢，他完全可以拿这个机会在别人那里做个人情，说不定还可以有个利益交换在里面。"我说："以为博士毕业了发文章会容易一点，没想到更难了。"又说："三年没投稿了，没想到游戏规则改了，要版面费了。"他说："那还算你的福气啊，有机会出这个钱。我现在堆了十几篇文章在这里，几年还没有发出去。"听他这么一说，我心里荡了一下，如果他提出要我引见他跟吴教授联系怎么办？我可不敢给吴教授添这个麻烦啊。我赶紧说："我也还堆着好几篇呢。"他没有提出这样的要求，我在心里感谢他，并不是每个人都是见缝插针的人。他说："实在发不出去，就让它们堆在那里，再堆高点就没有必要了。要我去求人吧，又实在拉不下面子。"又说："我以前也是个视学术为第二生命的人，这几年又是关系又是钱的，把心都搞冷了。"我想起关于他的一个传说，年轻时在家搞学问，蚊子多就把脚泡在塑料桶里，被学生看见，传了出来。我说："你对学术的执着还传为佳话呢！"他笑一笑说："那是当年！幸亏副教授还评上了。我吧，实在想歇歇，也就歇歇了，你可不能歇啊。"我说："歇歇歇歇，那是你们有成就的人说的话，我们这种人，想歇歇那能歇歇得了吗？"

31

离预产期还有一个月，赵平平提出好多问题跟我讨论。最重要的问题是，孩子生下来了，谁来带呢？我说："我妈妈来带吧，她是乡下人，她能吃苦，带自己的孙子就更能吃苦了。"她说："我妈妈就不是带自己的孙子吗？我跟自己的妈妈在一起，沟通顺一些，生了气也就生了气，脸这么一抹就没事了。"她左手在脸上抹了一下，右手也在脸上抹了一下，"这么一抹。跟你妈妈我敢生气吗？我坐月子肯定脾气不那么好，都是为了跟你们聂家传宗接代才这样的呢。"

我心里是不想让岳母娘来，来了我就会有一串不是，钱又不丰富，更会有一大串不是，那就活得太压抑了。我说："你妈妈天生就是个享福的人，你坐月子她带不下来，以后你上班去了，她更带不下来。"她说："那肯定还要请个人吧。"我一听几乎要跳起来，捺下性子说："还请个人？就两间房，她睡客厅沙发上？她不要保姆费？"她说："那是你考虑的问题，你是一家之主。"我说："谢谢你给我戴这么高的帽子，我都要飘起来了，嘿，"我张开双臂做出飞翔的姿态，"我自己的工资卡都没有见过，我是一家之主？嘿。"她说："你能不能不说工资卡，那上面有几粒米，你自己不知道吗？现在几个人靠工资生活？全麓城就只有你和我两个人。"

说不下去我就不说了。过几天想想这件事不定下来不行，总不能到生的那天才来人吧？这天晚上我看赵平平心情好点，就说："你小时候你妈妈带你请了人没有？"她说："当然请了，难道她自己照顾自己，还照顾我？那可能吗？"我说："难怪你也是享受型的，那是有历史依据的。我妈妈就是自己照顾自己，还照顾我，还要煮饭，还要种菜。我爸爸整天在湖上打鱼，把粮食换回来。"又说："你看我们家，请个人吧，钱也不丰满，又没地方睡，我妈妈来了就都解决了，她吃苦吃惯了的，能包打天下。"她说："你又说到这里来了？我不管你怎么说，我反正只认一条，我要自己的妈妈来陪我自己，别人的妈妈我不习惯。"我叹口气，笑了说："你实在应该嫁个千万富翁的。"

我不再提这件事，心里想提也忍着不提，让她去想。她脖子上不是结了个葫芦，事情这么具体，她总不能不想。一想到事情这么具体，我就感到了生活是多么真实，又多么现实，点点滴滴是多么真实而现实。如果有钱，又有房子，这些问题都不是问题。人们这么爱钱，那不是没有道理的。活着不容易啊！站在这么现实的土地上，想飘那实在也难飘得起来啊！要说这件事我真的从肩头甩到了地上，那也是假的，我只是忍住了不说，让赵平平来说。我知道自己有点无赖，可也实在是无奈。

那些天赵平平也不提这件事。她忍着，我也横下心忍着。我侧眼看着她肚子一天天隆起来，随时有情况发生的状态，心里急得不行。岳母娘打电话来问："致远，你怎么安排的呢？"我说："妈，平平说怎么安排就怎么安排，我全听她的。"岳母说："你是男人，你要顶天立地。"我说："妈，那也要平平让我顶我才能顶吧。"她说："过几天我就来了，我到老家去寻个人带过来。"我说："妈，那好啊。"她说："那她睡哪里啊？"我说："妈，我睡沙发。"她说："致远啊，沙发你能睡一年两年吗？你睡沙发平平怎么办呢？"我说："她跟您老人家睡大床。"她说："她没结婚她跟我睡，她结了婚她还跟我睡？还有保姆的工资呢？"我说："妈，我们家是平平掌握经济大权。"她说："她那叫大权吗？"我不做声，那边好一会没有声音，我试探地叫了一声："妈。"就听见了电话挂断的声音。

晚饭后我陪赵平平去楼下散步，她说："我妈妈今天打电话给你了吧？"我说："好像有这么回事。"她说："她骂了你没有？"我说："没有啊。她问找个人来怎么安排，我说我睡沙发，她还舍不得呢。我告诉她，我们家是你掌握经济大权，她还表扬了我呢。"她伸出小指头勾了勾说："我这叫大权吗？毛毛虫。"我说："在我们家，这还不是大权，那什么才叫大权？"她望着我说："你太抬举我了。"沉默一会又说："我妈要找个人过来，我想实在也不能找，各方面都没有条件，只好自己苦一点。"我说："实在不行你这几个月就住到你妈妈家里去。"她马上说："我不。你是不是想一个人在这里做什么坏事？我都这样了，你一个人偷偷去跳过舞没有，你？"我说："没有。怕被那些漂亮女孩纠缠，脱不了身。"她捂着嘴哧哧笑，说："好抢手的男人哦，臭臭！笑死鬼！那我要守着你。"我笑了说："我这样的人还值得守？我要飘起来了，飞翔，飞翔！"

又讨论了几天，最后赵平平决定还是她妈来，只带孩子，家务事就由我全包。我说："博士当保姆，只有你才有这个福分呢。"她说："跟我就不说'福分'这两个字好不好，那跟我有关系吗？"我说："本来这几个月还打算把博士论文整一整，出本书的，现在叫我怎么整？多一间房子做书房就好了。"她说："那你唱《国际歌》啊，救世主？没有。"

离预产期还差几天，赵平平觉得肚子有点动静，就住到医院去了，她妈妈也匆匆赶到医院陪她。去医院之前，赵平平把那张购物单拿给我，要我把婴儿用品买回来。我不知她是想买精品呢，还是想买一般的，就把那张纸翻了个边，问："正面？反面？"她说："按你的意思买吧。"我说："我没有意思，你的意思就是我的意思。"她说："我们这么穷的人，还真的买精品？你先买一罐最好的进口奶粉，就买惠氏吧，防止我没有奶喂他，其他的，那也只能将就了。"

　　到了妇婴用品店，那个小妹还认识我，叫我"大哥"。听说孩子快生了，就直接把我往楼上的精品区带。我把单子递给她，指着便宜的那面说："都在这边。"她有点不高兴，马上又转为笑脸说："大哥大老板，就生一个儿子，那是小王子，就买好点的吧。"我说："你看我像老板？"她说："太像了。大哥大老板，上楼去？"我说："不上。"她对着单子帮我拿东西，我推着小车跟在她后面。她说："你们家归根结底还是大哥你当家啊，说一不二。"我说："我有那么伟大？"她说："那你说一，嫂子要说二？"我说："我还是没这么伟大。我们家是她说一，我不能说二。"她说："那怎么她要买楼上的，还是买了楼下的？"她不说"精品"而说"楼上"，是照顾了我的面子，这是她的聪明。我说："那这也是她的指示。"她说："怎么可能呢？这些都是嫂子定下来的。"她把那张纸翻了个边，用笔敲了敲，发出一种清晰的声响："肯定更加适合你家小王子小公主哦。"我说："你看我像国王吗？"又说："你是女孩，不懂女人。女孩怎么说的就怎么做，女人说的做的那是两样的。"

　　岳母把我买的东西一样样清点，口里念念叨叨的，总之是不满意，配不上还没出生的孩子。她居然能说出一连串精品的牌子，从奶瓶到纸尿布。我装傻说："有吗？有吗？怎么就没找到？就只有奶粉找到了惠氏，绝对的精品。"她说："怎么会没有？"她指着病房门口："你自己到隔壁看看李老板的儿媳妇？"我有了很大的压力，说："那人家是老板呢。"她说："那你还是博士呢。"赵平平在一旁说："妈你怎么这么多话？东西都是我们上次看好了，我叫他买的。"岳母说："那你也不能委屈了孩子吧！"说着伸出一根指头在赵平平眼前晃一晃："只一个呢，"又转到我眼前晃一晃，"真的只有一个呢！"赵平平说："我小时候用过一次性的尿不湿吗？还不是害得你天天洗尿布！"岳母说："你那时候还没改革开放，现在改革开放都这么多年了。"赵平平说："我妈妈到了这个时候就懂政治了。"等岳母不在跟前，她说："我们实在是应该多赚点钱呢，生个女孩就更要多赚点钱，把她富养养起来。"又说："如今只有赚钱才是王道。"我没有做声，心想：古往今来多少英雄好汉都被你这一句话抹倒了。可马上又冒出一句连自己也感到意外的话：可是我算什么英雄好汉？

32

快到年底赵平平生了，是个女孩。接到电话我刚刚下课，骑车赶到医院，孩子已经抱到育婴室去了。我说："平产还是剖腹？"她躺在床上，眼睛望着我说："女孩。"眼神有一种很难描述的意味。我说："知道了，知道了。平产还是剖腹？"她说："你知道什么了？"我说："女孩，女孩，要那样养起来。"岳母说："剖腹就要喊你来签字呢。"我说："那就好，那最好了。"赵平平说："又给你省钱了，怎么不好？"我说："那主要是对你好，没有受伤。"她说："那主要是对你们男人好，没有疤印。"

回到病房岳母说："宝宝我先叫她安安啊，她这么平平安安就生下来了。主要是她妈妈的名字取得好，主要又是她自己听话，这么乖，"用手比划了一下，"这么乖。主要还是我一看情况不对，马上立刻叫了医生。"

过了一天赵平平还没有来奶水，安安只能吃奶粉。产科医生来了，叫我去买发奶的食物给平平吃，又开了药。过了几天还是没有奶，一个护士说："是不是给你们介绍一个催奶师来？"告诉我们，催出来了要收三千块钱，没催出来分文不取。赵平平一听钱就犹豫了，我说："到这个时候还管他妈的什么钱？"

催奶师来了，是个男的，头发向后面梳着，油光光的一丝不苟，说要用手接触身体才催得出。我犹豫地望着赵平平，她使劲摇着双手，不说话。催奶师说："这是我的职业，没有任何别的意思。你们是有知识的人，要相信科学。我带了手套的。"就从包里掏出一双白色丝光手套，手掌竖起来，以一种有舞蹈意味的优雅戴好。赵平平还是用力地摇手。催奶师说："有名的妇产科医生都是男的，那又怎么办呢？要相信科学，反对愚昧。"赵平平还是摇手，我说："让我们考虑一下，明天再给您电话。"他说："明天就不是三千了。"又说："我有没有这个本事，你们去问问隔壁李老板。"

他去了，岳母马上去隔壁病房了，回来告诉我们，这个催奶师真的是个有绝活的。为了安安能吃上母乳，我想着闭着眼忍一忍就算了。赵平平说："我不请他，要请他做什么你自己去做，跟我没任何关系。"我两个手掌贴在胸前，转圈揉着说："我这里能揉出母乳吗？"赵平平掩口笑了说："反正跟我没关系。"我说："跟你没关系跟你女儿有关系，那不是关系吗？你到底是放不下面子，还是舍不得钱，还是想保持身材？"她说："都舍不得！"我说："对一个要喝母乳的小朋友安安来说，这些都是小事了。"岳母说："致远这句话还是对的。"赵平平说："能不能不说了？人家怎么受得了呢？看不得他那个样子！"我对岳母说："妈，平平她要那个人是个帅哥才行。"

只好给安安喂奶粉，三百多一罐的进口奶粉，几天就喝完了。岳母把钱给我，要我去买。我说："怎么能要您掏钱呢？"赵平平说："是我要妈去取的钱呢。"我说："你妈这么辛苦，你还要害她多辛苦点。"岳母说："我不辛苦呢，下了楼几步就有柜员机。"我说："平平她怕我看见卡上有多少钱了，又怕我拿着卡就不给她了。"赵平平说："你那卡上能有多少钱，你自己还不知道吗？妈你把卡给他！"岳母作势把手伸进衣袋拿卡，马上又退出来说："致远你真的要啊？"我说："我对钱一点感觉都没有，还是平平管着的好。"

到了那家婴幼商店，我看着惠氏奶粉实在太贵了，半岁以内婴儿吃的又是最贵的，就打电话问赵平平，能不能买国产的？差不多便宜一半呢。赵平平说："你要动心思你到别的地方动心思，怎么能在自己女儿奶粉上动心思？"我又跑到超市看了，一样的价格，才知道是全国统一定了价的。我买了三罐，心里算了一下，这三罐惠氏奶粉钱就去了我月工资的一半了，如今的小孩这样养，怎么养得起？也不知道别人怎么养的。

赵平平的想法很简单，别人怎么养，那我们也怎么养，只能比别人好，不能比别人差。早两个月她加入了一个QQ群，结识了一大批年轻的妈妈和准妈妈，在那上面交流一切与孩子有关的事情。她把那两只文胸都发到群里去交流了，声称塑体的效果很好。这是胡扯，真正的想法是秀一下自己也有让人眼睛一亮的好东西。前两天她把惠氏奶粉也发到群里去了。她心里也知道有些东西打点折扣也没有关系，比如国产奶粉，那营养肯定是没问题的。可如果人家的孩子吃进口的，她也非要进口的不可，否则心里就过不去，面子也过不去。

不能在安安的奶粉上动心思，这是原则。那么别的心思就可以动一动，不能不动。比如尿不湿，设计好了一天只用两块，晚上用，白天就用尿布。我找了好些纯棉的旧衣服，剪成一块块，洗了，烫了，晾干，每天换洗。还有奶嘴，一块钱一个，人家懒得洗，用一次就扔了；我们每次用完洗了，开水烫了，晾干再用。这让岳母很不高兴，说："别人带个小孩用十分力气，我们要用二十分。这样会折我的寿呢。"我说："这都是我的事，我的事，"我双手一下一下往胸前搂着，"尿布你扔在盆里，叫我一声就可以了。"

一个孩子，大部分时间在睡觉，还把三个人折腾得像打仗一样。确实也有那么多事情，比如安安每次屙了尿也要用温水洗洗，就带来一连串的事情。我说："小孩不是这样带的吧，那以前农村男的要下田，女的要喂猪做饭，还要生五六个，那也都带大了呢。"赵平平说："那你的意思是不是要把她送到乡下去带？"岳母说："如今的小孩，你知道有多金贵，怎么能跟以前比？那旧社会米糊糊都没有吃呢，吃进口奶粉？本来还要请个人的，我挺在这里都没有请了，已经省你的事了。"

安安满月了。经过赵平平母女的讨论，我被批准在她们的监督下可以抱一抱孩子。批准之后，我马上去洗了手，把安安抱在怀里。岳母说我的姿势不对，右手臂要抬高点，小心扭着了安安的脖子。抱着自己的女儿，我很有感觉，到底是什么感觉说不上来，反正是很有感觉。我把这种感觉跟赵平平说了，她说："你这个爸爸做得太便宜了，放那点东西进去就生出来了，没花几个钱就带大了，我看你还好意思不做一点贡献？"岳母说："一个家是靠男人贡献起来的呢，总不可能靠女人吧？"

赵平平要我做贡献，洗尿布奶瓶那不叫贡献；岳母要我把家撑起来，买菜煮饭那也不叫撑起家。男人要赚足够的钱，让她们花得舒心一点。她们认为那是天经地义，仔细想想那的确也是天经地义。可这个天经地义在侵蚀我的自尊自信，还要把我逼成一个唯利是图的小人，这是我难以接受的。

在生活的重压下，我对钱有了更深的理解，拿在手里也有了不同的感觉。这天晚上，我捏着一小叠钱准备去买奶粉，感觉到它是活的，有着感性的生动，又有一种盲目的力量，不讲道理不守规则，见山开路逢水架桥，横冲直撞一往无前。这盲目中裹挟着快意，让人感到了恐惧。这是这个世界最本质的存在？是生活最真实的意义？无论如何，我都不能承认；可无论如何，我也无法否认。

我走到了阳台上，楼下的路灯流淌着黄色的光，那是时间之中的流淌；樟树在微风中拂动，那是时间之中的拂动。时间朝着唯一的方向缓慢而固执地流动。前面是生命的终点，也是生命的起点。恐龙曾在这个世界上生活了一亿五千万年，可我连一亿五千万分钟都活不到。一个人把自己当作一切事物的价值之源，有着多么充分的理由啊！

安安满月那天，我收到了《中国思想史研究》的通知，告诉我稿件

186

已通过了终审，即将发表，要我把版面费寄过去。总算发表了一篇有决定性意义的文章，这让我感到了欣慰。可是钱呢，钱怎么办？没有办法，我只好把事情告诉了赵平平。我以为她会不高兴，要钱就是挖她的肉。没想到她非常高兴说："臭臭，我总算看见你也做成了一件男人该做的事！"

对她的评价我有点受宠若惊，望着她扬了一下眉，嘴唇也似动非动地动了一下。她说："钱我肯定会跟你解决。存折上剩下最后一万块钱，我舍不得动，万一安安有个病痛怎么办？我明天到学校把这次住院的八千块钱报了给你。"我说："我只要七千。"她说："我也只会给你七千，你以为呢？"

第二天赵平平从学校回来，一进门脸色就不好看，换鞋的时候把一只鞋踢得老远，落在电视机上。我把那只皮鞋捡回去放在门边说："你把它摔痛了呢。"她坐到沙发上说："今天又受刺激了，别人生孩子就全报，我只能报百分之六十，没有那个编，那永远要低人一等。"又把脚往我这边伸着："我的脚都气病了，气肿了，看啦，看啦，气肿了呢。"

我给她捏了捏脚，说："你不是区聘的吗？"她说："比校聘的还是好一点，校聘的简直就是个临时工，报得还少一些。我这一辈子就芝麻大的一粒理想，想成为国家的人，那硬是实现不了。说人分九等那就是九等，一等跟一等那是不同的。"我说："你慢慢爬，慢慢爬，已经爬上来一等了，要有耐心。"她说："人能活一万年？活不了。再慢就没有一点意义了。"又说："我爬不动了，对自己太失望了，我们家就靠你了。"拿出一叠钱，数了七千给我。我说："不是有这么多吗？"她说："我把那一万扯动了，扯得我心里痛啊！"我接了钱迟疑地说："那……这……"她马上说："那这肯定是不能省的，不然就更没有钱了。"这让我感到评职称是一件多么重要的事情，简直就是历史责任。我把钱收好说："好，好，好。"含糊而坚定，自己也不知道是承诺，还是敷衍。

33

　　元旦过后不久就进入了考试周。这天我在楼道里碰见了金书记，他说："小聂，正好找你商量个事。"我跟他进了办公室，他示意我坐到沙发上，就拿了电热壶说："去打点水给你烧杯茶喝。"我忙站起来说："不用了，我口不干。"他说："难得来一次，喝杯茶吧。"就出去了。一会打水来了，我说："真的口不干。"他说："水都烧了，你要说正好想喝杯茶噻。"我笑了说："正好想喝杯茶呢。"又说了几句话，水烧开了，他去给我泡茶，我挡着他说："我自己来，自己来。"他说："我这里有三种茶叶，你又不知道哪种最好。"在书柜里拿出一个绿色的盒子，说："正宗的龙井呢。"我说："这么好的茶叶，给我这种不会品茶的人喝掉了，那是委屈它了。"他说："泡都泡了，你要说真的想喝杯好茶噻。"我笑了说："真的想喝杯好茶呢。"

　　金书记把热茶端在手中吹着，说："你们班同学的学习怎么样啊？"我说："还可以吧，他们的专业思想应该稳定了一点。我每次跟他们讲，有了高科技，没有人文精神，那就等于把原子弹塞在白痴的手里。"他说："那好。那你们班那个范晓敏学习怎样啊？"我说："女孩子读书那是很厉害的，考试也很厉害，男生都搞她们不赢。范晓敏吧，我真还不知道。"我忽然记起来了，又说："这个学期她好像没来上几次课，必修课呢。中间一次小考她缺了，按规定平时成绩那是没有了。"他说："是个问题，能不能让她补交？反正也不是闭卷考试。"我说："我开始就跟他们说了，我也不点名，但小考你没有撞上，那就不能补了。"他说："是个问题，是个问题。她想补交作业，不敢跟你说，跟我说了。"

　　我想着范晓敏也太过分了，一门课的平时成绩，还来惊动院领导，真的太把自己当回事了。我说："这点小事，还把你们院领导给惊动了？她也太不怕麻烦别人了。"他说："她可能有点特殊情况吧。"我询问地望着他，想等他说出特殊情况。他说："特殊情况，补习什么去了吧。"又说："那就让她补一份作业交给你？"我说："那次缺考的有三个同学，另外两个怎么办呢？"他说："都补也可以啊。"我说："我第一次课就宣布了没考就没平时成绩，不能补的。"想着如果都补了，那我不是打自己的耳光吗？我为难地望着金书记。他说："那不要扩大影响，让她一个人补得了。由我去通知她。特殊情况特殊处理，这也是人性化管理吧。"我叹气说："你们领导决定了，那我也只能执行啊。"他笑了说："这么一点小小的事情，小聂你叹什么气！"

我笑了一笑，没有说话，心想：这事情有那么小吗？记起有次他在学生大会上强调诚信问题，举了好几个历史上不诚信最终败亡的例子，教导学生说，人无诚不立，诚信是为人的根本，要求学生培养诚信的习惯，将受惠一生。谁知事情来了，理论就全部作废。又想着范晓敏到底有什么特殊情况呢？连我这个班导师都不知道。再说范晓敏的爸爸虽然是个官，离你金书记也有十万八千里，有什么必要这样贴心去帮她？范晓敏凭自己的聪明，把期终考试考好，及格应该没有问题，她又有什么必要这么在乎这点分数？会影响她将来保研吗？这些人对自己的利益就是这么敏感，一丝一毫一分一厘一点一滴寸步不让。

出了学院大门，走在通往校门口的林荫道上，我心里非常不安。范晓敏能把成绩补上，另外两个同学呢？太不公平了。万一她还去跟别人讲，同学们会怎么看我？我想跟范晓敏发个信息，要她把作业悄悄交上来，不要声张。想一想不妥，会留下证据，还是打电话好。我掏出手机查到她的号码，感到自己这样做有点下作，真的没有勇气开口。这样想着我回到教务办，在小陈那里找到另外一个缺考学生的手机号，发了个信息，要他通知其他缺考的同学补交作业，下不为例。那个同学高兴得要命，连声说"谢谢聂老师"。

第二天金书记又打电话给我，说："小聂，在院里吗？"我说："在家里啊。"他说："什么时候到院里来一下？"我想着是又有什么事情来了，当面说更加难堪，就说："书记有什么指示？电话里交代是一样的。"他说:"说话方便吗?"我说:"方便方便,我一个人。"他说:"有这么个事,还是那件事。范晓敏她有特殊情况,这个学期没有时间来上课,能不能把复习的范围给她圈定一下?"我说:"那不好吧,万一传出去,那就不是一般的教学事故。"他说:"你什么时候到我办公室,我把她叫来,你给辅导一下。就你们两个人。"我着急说:"书记,这不是一般的事情呢!传出去了谁在校园网一捅,那我就只能跳楼了。"他说:"说了只有你们两个人,我都不听!说了只讲范围,不直接讲题目。"我说:"范晓敏她可聪明呢,借同学的笔记复印一下,看一两天,及格那是绝对没有问题的。"他说:"考试周差不多天天有考试,她可能来不及。"

他这么一说,我才想到,范晓敏大概其他的课也没上,金书记下了大功夫,帮她逐门地解决问题。别的课程我管不着,我自己这门课我实在是做不出。我说:"书记是这样好不好,也不要让我提心吊胆,我保证她能及格。"他说:"问题是如果及格就可以了,我就不会来麻烦你了。"

这让我非常气愤,不来听课,不参加小考,还想拿高分!太气愤了!一个学生,有这么不知足的吗?你想拿高分,就来逼我?就不怕老师颜面扫地?金书记见我没有一句踏实的话,就上下左右跟我做工作,说来说去让我觉得,这真不是一件多么大的事。最后我只好同意下午去他办公室。

下午我敲金书记办公室的门,开门的竟是范晓敏。我说:"金书记呢?"她说:"聂老师好!书记他要我在这里等您。"我在金书记的座位上坐了,说:"你这个学期怎么没怎么来上课?有什么特殊情况吗?她说:"我补习英语去了,准备下半年出国。"我问她哪个学校,她说是加州大学。我想起去年也有个同学读了两年,自费出国去了,就说:"这是好事啊,你这两年的成绩到那边还会有效吗?如果没有效就可惜了。"她说:"我们是'211'大学嘛,成绩那边还是认的。"又说已经通过了托福考试,直接过去读三年级。我说:"不错,不错,那老师应该支持你,这也是老师的责任。"就把复习的重点跟她说了一下。她拿笔记了下来,说:"还是稍微太宽泛了一点点,我这几天要准备几门考试呢。"我说:"再细说就不好了,反正你的卷子是我看的。"她不再说什么。我说:"记在本子上的那些东西,自己知道就可以了。"等着她离开。谁知她还是坐在沙发上不动。我说:"你还有事吗?"她说:"金书记要我等他一下。"我就站起来走到门边,说:"你家里投这么大的资,你要好好学习,别辜负了他们。"她站起来送我,说:"就是的啦,我好大的压力呢。"

我去资料室翻看期刊,又去书库找了两本书,办了借阅手续。出了门看见齐老师从金书记的办公室出来,我突然想起,他不是在上这个年级世界通史吗?那么他也在辅导范晓敏?齐老师并不跟我打招呼,低着头匆匆走了。我想着难道所有任课老师都来辅导?他们看见我又会怎么想?觉得这个门口是个是非之地,就赶紧离开。我不想让齐老师给我留下那样的印象,就在楼梯口追上了他,招呼一声,说:"借了两本书。"把其中一本亮给他看:"李泽厚的《论语今读》,催资料室进书已经好久了,今天总算到了,打电话要我来拿书。"齐老师说:"这书我也听说过了,什么时候也找来看看。金书记他约我有点事,怎么去了他又不在?那我还得跟他打个电话。"就拿出手机来翻找号码。我赶紧说:"您忙,您忙。"就出了学院的大门。

过几天考完了,我还没有改卷,又接到金书记电话说:"聂老师,说话方便吗?"我说:"方便,很方便。"他说:"什么时候一起吃个饭?"我马上说:"领导有什么指示,吩咐就是的。"他说:"就在学校餐厅吃个便饭,跟你说个事。"我说:"现在说也可以,我这里很方便。"他说:"给个面子啦。"我就同意了。

晚餐的时候我去餐厅,金书记已经在那个小包厢等着,蒙天舒也在。我说:"天舒也来了?哦,你们是老乡。"坐下来东扯西扯一会,菜上来了,以茶代酒碰了杯,金书记说:"还是那事,要麻烦小聂老师。"又指了蒙天舒说:"你跟小聂老师是同学,你,你们容易沟通一些。"蒙天舒说:"书记说,书记说是一样的。"

推了一会,蒙天舒说:"致远啊,范晓敏的事你也知道了,她下半年要出国。我们学院只有这一个国际交流的名额，给了范晓敏，成绩上要好看一点，我们的推荐是凭成绩的吧，公布出来不要让大家有什么议论。这就要请聂老师帮个忙。"我这才知道范晓敏出国是公费，心里很难受，怎么机会总往一些人身上钻，另一些人怎么争也争不到？我说："成绩就不要公布了吧，公布出来她会不会在年级前十？"金书记举起茶杯说："干一个。"又说："不公布是不行的，学生马上就会捅到校长信箱，那不是让校长难堪？这个名额是学校直接下来的，我们的责任就是把事情办到位。有什么办法，难道我们不办？"蒙天舒说："请致远为我们了难呢。"金书记说："其他几门课辅导还比较到位，小聂老师的这门，可能没那么具体。范晓敏也可怜呢，又要考托福，又要把专业考到名列前茅，你看她人都考瘦了，脸都变形了。"我想一想也是的，那天觉得她真有点憔悴。这样我又有了一点怜悯之心，说："尽力而为，尽力而为。"蒙天舒说："致远啊，既然为了，那就为到位啊。这也是为学院了难呢。"我说："范晓敏家里有点背景，大家都是知道的。突然有了这么一个事，又突然她没怎么上课成绩又蹿到最前面来了，学生就不会想吗？你们也是为难。"金书记说："想那也只能由他们去想，我们把前期工作做好，谁又能怎么样？"又说："聂老师知道我们为难就好了，我们也需要理解啊。"

金书记去柜台付钱，蒙天舒说："致远啊，你下半年也要报副高了吧？"我说："有几篇 C 刊的文章了，准备把博士论文出了，试着报一下。"他说："致远啊，竞争激烈，那还是需要学校领导支持的呢，你也要支持一下学校的工作。"我嘴上应着，心想：难道我不支持领导，领导还会为难我吗？蒙天舒说："金书记压力好大，生怕搞砸了，搞出一件什么事情来，就把我叫来帮他站个台。可能是他知道你不喜欢搞这些事吧。"

回家的路上我一直想着这件事。金书记其实也很可怜的，我不能让他太为难了。又想起前几天晚上十一点多钟，我校对完论文从教研室出来，听见金书记在楼道打电话，很焦急的口气，似乎是谁病了。一问才知道有个女生突发急病，被 120 救护车接走了，他正准备去医院看看。

当时就觉得他的工作也不容易。范晓敏这件事吧，肯定不是他在掌控，他只是个执行者，也真是为难。

　　这样想了，我心里虽然别扭着，还是希望范晓敏的卷子能够答得好一点。这样我可以问心无愧地给她一个高分。回到家我马上把她的试卷翻出来浏览了一下，感觉是不理想。我没有给她打分，想先看了别人的试卷，找到准确记分的感觉再说。晚上我加班到深夜，把试卷看完了。这次考试，答卷的水平都不错，有七八个同学可以说是精彩，除了完整严谨，多少还有点自己的想法。还有学生学习这么认真，这让我感到非常欣慰，觉得当个老师发不了财，那也并不吃亏。这几个同学我都给了九十以上的高分。到最后又看了范晓敏的卷子，前后翻看几遍，按实际水平打，怎么也难上八十，是中等的分数。金书记布置的任务要完成，难道把那几个同学的分数拉下来，以突出范晓敏的成绩？那不可能，绝对不可能。成绩会在网上公布，大家都看得到的，那学生会怎么想我？

　　院里一个公费出国的名额给了范晓敏，这不是院领导定下来的，也不是我能够改变的，我给她多少分，那名额都是她的。老师们给了高分，院领导的工作就好做一点；给了低分，他们就有点难堪。但怎么难堪，也不会改变最后的结果。我忽然想起麓城几个重点中学的校长有权力推荐几个学生直升清华北大，这实在是一件无法叫人放心的事情，无法放心。唉，既然不能改变最后的结果，我又何必让金书记他们难堪呢？跟领导过不去，就是跟自己过不去，这个道理傻瓜也懂。

　　我捏着笔在那份试卷上转来转去，像一只苍鹰在草原上空反复盘旋。我在虚空中划出了好几个不同的分数，最终觉得落下去还是太沉重，就把笔扔下了。说起来吧，大学最重要的使命，就是要培养学生正确的价值观，总不能说学历史就是为了让学生知道几个历史典故吧！可如果当老师的、当领导的都把事情这么做起来，要学生怎么去有正确的价值观？他们傻吗？没眼睛没头脑，不会看不会想吗？这样想着，我觉得自己很失败，心里像被一只无形的拳头猛击了一下。赵平平在床上催我睡觉，我躺下去，忍不住把事情告诉了她。

赵平平说："这样的事你还拿来折磨自己，你不是发癫，你？当然听领导的吧！"我说："那我还听不听圣人的呢？"她说："圣人给你发工资评职称，你就听他们的。"我说："你这么功利，那我也讲点功利。范晓敏的状态谁都知道。现在的学生可精呢，眼睛都睁得圆溜溜的。让她补了平时成绩，我已经甩了自己一个耳光，难道我再甩自己一个更大的耳光吗？我自己都听到了那'啪'的一响了，我也怕痛呢。不要说学生看我是伪君子，我自己看自己都是伪君子。我心里真的承受不了呢，凭什么要我为了别人的乌纱付出这么大的代价？"她说："别的老师也承受了，偏你就不能承受？"

她这样一说，我的心理压力又小了一些，说："那我猜想别的老师不见得个个都给了她高分。"她说："人家评了教授副教授了，承受能力也强点吧。"这让我想起蒙天舒关于评职称的那些话，觉得这个脸是丢定了。不但脸丢定了，这一年的课也白上了，谁还会相信聂老师慷慨激昂地说的那些话？那些话真的是真话，可这事情也真的是事情，怎么才能捏到一起？唉，知行合一，合不拢啊。

我又想起公费这件事，说："平平你看你为了一个小学老师的编制，奋斗了七八年还没解决，可人家天上的馅饼都要不偏不倚砸在她怀里，这公平吗？对那些成绩更好的同学也不公平。要她是自费，我给她打一百分，毫不犹豫！"赵平平："我不能跟别人拼爹，我就认了。公平不是我想要就要得到的，我也认了。我不认我还活不活？拿头撞墙去？捡石头砸天去？我不想惹自己生气。"又说："我唯一担心的是，照现在的形势，我的安安都不知道前景在哪里啊，她有爹可拼？"我说："我的女儿还要拼爹？她将来肯定是最优秀的。"她说："你不优秀吗？不努力吗？你不像姓范的有爹可拼，又不像姓蒙的有导师可拼，还不是这个样子？难道安安将来读了一个博士，再读一个天士？人家还是个女孩子呢！"

这话甩在地上叮叮当当地响，让我心里发虚。我说："一代肯定胜过一代的。"觉得自己的话像踩在棉花上说的。赵平平说："你就骗自己吧，"她把安安的脸拨过来让我看，"骗到最后，都是骗了她。"看着女儿的脸，我觉得心里简直就要发疯，想象着自己手执一把砍刀行走在深山之中，见着什么就一路砍过去，为的是开辟一条生存的道路。我感受到了心中的那匹饥饿的狼，它龇着牙以那种不顾一切的姿态向前冲去。我清楚地意识到自己必须用绳子套住它，否则它就要吃人了。我想到了那些贪官，这是我最痛恨的，可现在也有了一点理解，至少我知道了他们心中曾经发生过怎样的故事。

第二天上午，我坐在书桌前把那份试卷又翻来覆去看了几遍，想找出一个给高分的理由。看来看去自己的头脑也乱了，不知道上面写了些什么。最后我不再看试卷，反正给多少分跟试卷已经没有什么关系。我开始写了个八十分，涂掉；改成九十，又涂掉；最后给了八十六分，在改动的分数旁签上自己的名字。这个分数没有给其他同学很大的伤害，也不至于让他们来戳我的背脊。金书记他们不会满意，可实在也没有别的办法。

我发信息把这个结果告诉了金书记，说明已经是照顾了，不能给一个超高的分数，那样会引起学生议论，对我不利，对院里也不利，万一有同学在网上发帖子怎么办？我等着金书记的回信，到了下午也没有回。我不知道他是接受了呢，还是很不高兴？这让我非常不安。想想这件事真的做得窝囊，金书记不高兴，蒙天舒不高兴，范晓敏不高兴，连我自己也不高兴。还算对得起那些学生，可是他们谁也不知道。也说不定还有学生看了这个分数会在心中看轻了我，范晓敏平时成绩没有的，怎么忽然又有了？她一个学期没上几次课怎么还考了个中上成绩？既然如此，还不如讨好一头，当然是强势那一头，学生算个啥？难道谁傻些，不知道自己的利益在哪里？

可真的把范晓敏的成绩提到最前面去吧，我实在又做不出，那我以后就不要再说那些圣人之言了，说了也是个让学生在心中鄙夷的笑话。我去了学校想找金书记解释一下，我不说公平，说公平等于在骂领导，难道他就不想给学生一个公平？我置领导于何地？不说公平我说自己怕学生骂总可以吧，说不要刺激那几个成绩最好的学生给校长信箱写信，那也可以吧？这也是为领导着想呢！唉，我心里想的是公平，可是我就是不能说。走到他办公室门口，我伸手去敲门，犹豫着又缩了回来，一狠心就走开了，去教务办把成绩登记表交给了小陈。

34

学校一年一度的职称评定开始，我申报了副教授。在全院大会上龚院长说，历史学院今年只有一个副教授名额。我心里盘算一下，觉得大概是轮不到自己的。过几天龚院长又说，他到人事处反复要求，又增添了一个名额。这样我就填表报了，反正也不抱多大希望。

填了表看看自己的材料也还可以，博士论文赶在暑假前出版了，这就有了一本著作，上半年申报了一个教育厅的课题，虽然没有资助，是自筹经费，那也算一个省级课题。论文有《中国思想史研究》上的那一篇，加上读博时发表的那几篇，也还拿得出手。交材料的时候，我在小陈那里看到前面已经有两个人交了，就问她今年有几个人报副高？她说三个。我说："看一下他们的材料啊！"就从牛皮纸的文件袋中把材料抽出来看了，觉得自己的材料比别人也不差，就萌生了一点希望，像初春树枝上的一丝嫩芽。

材料交上去了，刘教授提醒我说："你得打听一下哪些人是评委，要拜托一下，投票前的评议，没有几个人帮你说话，形不成氛围和共识，那是不行的。"我说："我到哪里去打听？人事处的人会告诉我吗？"他说："要打听总是打听得到的。"我说："打听到了对我也没有用，难道我提一网兜水果去评委家敲门？"他说："现在谁还要水果哦！"我说："那送点什么好呢？"他说："送什么我不知道，反正不是水果。"我说："那就更没有用了，我总不能提着烟酒去敲门吧，更不能怀揣信封去吧。这事我也听说过，没想过会轮到我自己。"他笑了说："跟我一样倔。别人做了什么，我觉得也没什么，要我自己做，我就趴下了。我这个教授当年是报了五年才报成的。难道你也准备个几年抗战，让评委觉得再不评都对不起你了，太委屈你了，放你过去？"我也笑了说："到了那一天，这就是我最大的优势。"

十月底结果出来了，我没有评上，这是早就预料到的结果。我以为自己会很平静，得到一个预想的结果，有什么可沮丧的呢？可真正有了结果，心里还是非常难受，有一种嫩芽被一只陌生而粗暴的手摘掉的感觉，痛。我似乎这才明白了自己，深心是多么希望有一个意外之喜啊！说旷达吧，写在书上是多么豪迈，现实中的展开又是多么艰难。

我想有一个意外之喜，也不是凭空的念想。上报的三个人之中，我的材料跟向老师差不多，可比杨老师还是明显好些。杨老师是龚院长的弟子，龚院长去人事处争来一个名额，就是为他争的。这我知道。可学校评委有十多个人，我抱有幻想，就是希望他们看着材料投票。这样的奇迹没有出现，这让我体会到，刘教授说评议时能有人说话，是多么重要。对于我这样的人来说，材料占有明显的优势，甚至绝对的优势，才会有点希望。忽然又觉得高校还是个好地方，无论如何，材料还是绕不过去的。怎么说也有一个东西摆在那里，硬邦邦的几条。如果在机关，没有几个硬指标，好坏都在别人嘴上，那我就更没有戏了。

虽然早就跟赵平平吹过风了，当我真正把这个结果告诉她时，心里还是很内疚的。我跟她说的时候脸上挤出几丝笑意，似乎真的是一件很小的事情。她一边哄孩子，一边似听非听地听着，说："跟不跟我讲没有关系，我也没有什么想法了。我的想法就是安安，你跟她讲清楚就好了。"我脸上那几丝笑瞬间就变成了哭，嘴里"嘿嘿"地敷衍着，感觉着自己脸上的表情很怪异，也不知这是笑呢还是哭。

幸好到年底学校涨工资了。卢校长说向年轻老师倾斜，我们增加的数额跟教授差不多。这样我对卢校长有了好感。我对赵平平说："你看看工资卡上是不是有多的钱进来了，应该多了有那么多呢。"她说："就算真的有那么多，那是很多吗？当然买纸尿裤还是够了。"我说："这是国家政策向知识分子倾斜，懂吗？知识分子，懂吗？"她说："有那么得意吗？又不是你一个人涨了。"又说："这年头知识要变现，那才叫知识。一堆观念装在竹篾箩筐里，烧火都煮不熟一餐饭。"我摇头说："天呢，这是一个文科大学生说的话呢。"她说："我的话是接地气的，悬着，浮着，飘着，飞着，抵不上一罐惠氏奶粉。"又抱着安安："是吧，是吧！"一根指头在她脸摸了一下。安安甜甜地笑了，赵平平说："你看她都说是的。"

接下来一年，我把职称当作核心目标来追求。像我这样的人，材料跟别人差不多，那肯定是没有戏的，一定要强，明显地强，那才有可能。我想让材料强些，是不想求人。千方百计地搞到评委名单，然后上门去拜托，搞得跟江湖似的，那不是我愿意做的事情。大学也江湖了，那还叫大学吗？

可是我想把材料搞得丰富一点，这本身又是一件要求人的事。评个课题，没人为你说话，那就评不上；发篇论文，没人为你操心，那也发不出。可是别人凭什么要为你说话，为你操心？面对这样的局面，我真的有些灰心了。可想起蒙天舒，我就不能灰心。他几乎是要风得风要雨有雨了，再过两年就要评教授了，而我呢？我呢？想起安安，我也不能灰心。眼前这条路，就是展现在我眼前唯一可走的路，不然就无路可走了，那怎么对得起她？我是个男人，我躲到哪里去？无处可躲。这唯一的道路，再多荆棘，再怎么陡峭，那也得往上爬啊！我感到了心酸、委屈，可这心酸委屈只能细细嚼碎了，用力咽到肚子里去，连赵平平也不能说。一个男人，向自己的女人倾诉委屈，那就太可悲了。

我把博士论文反复看了，在其中又挖出一个题目。本想在原来的基础上做一点修补拿去发表，忽然又觉得思维大有进展，干脆就重写了，反复打磨，打印出来觉得赏心悦目，就投到上海一家一级刊物去了。没有多久就收到了编辑回信，说论文很好，可他们刊物一般只发有高级职称的人的文章，刊物到年终要统计的。总之是发表不了。说起来编辑也算负责任，居然回了一封信，还这么快。平时都是等三个月，没有消息就自行处理的。我想着自己陷入了一个怪圈，没有一级刊物的文章，学校不给评高级职称；可没有高级职称，一级刊物不发你的文章。这要到哪里去讲道理？不知道。

我又把文章寄给了《探讨月刊》。这刊物本来是我看不上的，每期发一百多篇文章，目录都是几页，收几千一篇的版面费。可它是 C 刊，只有发表在 C 刊上的文章，学院才在年终时算作成果统计。编辑很快就打了电话来，说文章很好，马上可以发表，但要收八千的版面费。见我犹豫了，又说："版面费你可以从别的地方找回来，你在别的刊物发文章，只要引用了《探讨月刊》的论文，就奖一千块钱一条。引用率是我们的生命线。"我说："问题是要把你们文章的段落插到我的文章中去，不一定能够插得进呢。"他说："所以你要动脑筋。"又说："还告诉你一个办法。实在插不进去，在注释里写上就行了。"我说："那不是个空城计？"他说："统计引用率的人只看注释，不会翻到论文里去核对的。你放心！"我说："好，好的。"过几天他又来电话催我交版面费，我说："好，好的。"他说："要快点，我们的版面很紧张呢，等着评职称的人很多。"我说："好，好的。"觉得没交那几千块钱，有点对不起他。他催了几次，就不再来电话，我如释重负。

尽管有点舍不得，无奈之中我把文章送到学报毕老师那里去了。过几天他告诉我，考虑发表，但是要等，教授的文章还在那里排着长队。我恳求他在八月份的第四期之前发出来，不然就赶不上评职称了。他说尽量争取。我读博士的时候发表文章还没有这么艰难，才三四年，形势就大变了。

文章在第三期就发表了。我想着怎么感谢毕老师才好，赵平平说："他抽烟的吗？"我说："好像是抽的。"她说："那就送烟，送烟是最好的。"

我说:"那太俗了吧!"她说:"你不俗你买套《四库全书》送给他,看你买得起不?看他一辈子又会翻那么一次不?人家往哪里放啊!"我想想也是,世上的事哪有那么优雅?就买了两条烟送给他。这是事后的感谢,真心的,没有交易在里面,我心里没有纠结。送去时毕老师对面的办公桌还有一个人。我接过毕老师给我的几本学报,在桌子下打开装烟的塑料袋示意了一下。他瞟了一眼,仍然跟我说话。他没有拒绝,我安心了,心中很感激。

出来了我忽然意识到,这虽然是事后的感谢,也是真心的,可还是不能说真的就那么纯粹,有点为下次发表文章埋下伏笔的意味在里面。幸亏我开始没有这想,不然哪有勇气提着塑料袋走进那张门。一个人吧,有时候也得把深心的想法对自己也掩盖起来,然后才能像个君子那样,平静地走到别人跟前去。

九月份开学,蒙天舒对我说:"致远你不错啊,人大复印资料全文转载了。"我没听懂,追问之下才知道是说学报那篇文章。这真的是意外之喜,等于是发表了一篇一级刊物文章。毕老师打电话过来,连声说"谢谢",说:"聂老师以后还有什么好文章,一定要支持我的工作,优先考虑本校的学报!"我把转载的文章找来看了,对远在千里之外那个不知名的编辑充满感激,对学术也多了一点亲近感。成长如此艰难,几乎寸步难行,我总算又迈出了一步。

出版的那本博士论文就没有这么好的运气了,像泥牛入海。我送给院资料室两本、校图书馆教师阅览室两本。送的时候动了一点心思,前面两页叠起一角折了印记,如果有人读了,肯定就会把折着的一角展开,至少会把重叠的折印分开。过了几个月,我去校图书馆找到那两本书,折印没有人动过,心中一冷。再到院资料室看了,也是如此,心中就更冷了。这书本院本校都没有人看,我还能指望远方不知道的什么角落有人看吗?没有人看,那出版了又有什么意义?难道真的就是为了报职称填表时那一栏不要空着?以前觉得自己的委屈总有一天能够在学术上得到疏解，像这样又怎么疏解？这让我心中有了太大的疑惑。花几年时间写了这本书，又花三万元出版了，竟是这个命运，那到底又是为了什么呢？赵平平说，这一切都是稻粮谋，用时下的话说，是混碗饭吃，其他幻想不能有。这个结论我不愿承认，可也无法反驳。

35

过去的一年，我一直在为评副教授做准备。说起来吧，这也只是指甲那么大的一件事。好几次我剪指甲的时候，看着剪下来的指甲一弹一飞，就不见了，想着，就这么一丁点大的事。可是，这么一丁点，就是我在这个世界上唯一的前进方向了。不从这个方向前进，又还能从哪里前进呢？有时觉得，男人的事业是一件多么伟大的事情，父母望子成龙又是一个多么迫切的愿望，努力二十年，真的到了跟前，就是这么一丁点。

一丁点是一丁点，可还真不能小看了它。小看了它，不拼命努力，那就没有。努力又是一件多么艰难的事情，我努力了一年，进展也就那么一小步——发表了两篇文章。想申请一个层次高点的课题，不可能；获个奖，更不可能；找个好点的刊物发表文章，那就跟中彩差不多，难难难。学术是年轻人进步的阶梯，可学术资源已经被各个圈子中的大腕们所垄断，像我这样的人想往中心突进，难难难。要突进也不是完全没有机会，那得去跟掌握资源的人套近乎，这对我来说更是难难难。唯一容易一点的就是出书，可那是要钱的事啊。几万块钱出本书，对我来说还是难难难。

这些事对我难，对有些人不难，比如蒙天舒。蒙天舒是那种有人罩着的人，那就是他的导师童校长。童校长全面安排他的前程，发表文章，申报项目，评各种奖项，以至安排位职等等，都帮得上忙。童校长是副校长，活动能力超强，手里资源多。可资源再多也是有限的，不可能把每个弟子都照应到。能够得到全面安排的，那大概就是他选定的接班人了。校长有一天要下台的，要退休的，到那天就要靠接班人来贯彻自己的意志，安排自己的方方面面。不考虑这件事，退休了就彻底出局了。一个人参与了一辈子，参与已经成为本能，忽然就无处参与，这个世界不需要自己了，那是怎样一种心情？心灵无处寄托，自尊也无处安放，难道真的要他去寄情山水？

传说邓副校长，是个老实人，在位时没有安排接班人，退休了就真的退休了，到处都插不进去。给自己找了件事做，就是参加退休职工的门球队。可他打得不那么好，比赛时哪边都不想要他。有次他加入的那一队因他发挥不好输了，球友生气说："这么近都打不进去，蠢得死！以前当校长是怎么当的？"以后他连门球也不打了，整天在家看电视剧，身体很快就垮了。

对童校长来说，接班人是提前十几年就要考虑的事情。有迹象表明，蒙天舒就是他选定的接班人了。也许只是其中之一，童校长还在观察，可蒙天舒成为最重要的人选的迹象是越来越明显了。有传言说，十年后历史学院是蒙天舒当家。我看着童校长志不止此。历史学院将来由他的弟子当家，这没有什么悬念；其中还有人去学校职能部门主政，这也没有什么悬念。唯一有悬念的是，会不会有人去校一级的岗位。他的弟子之间也有竞争，有没有人胜出，谁能胜出，现在还看不出来。龚院长呢，他手中的资源就有限了，也许把弟子推到副教授，就是他能力的极限。省里评奖，他自己还不一定能走在前列，更谈不上照应弟子。

像我这样，没人照应的，导师就是个普通教授，在圈子里话语权有限，自身发篇权威刊物文章都千难万难，怎还能照应弟子？张维曾问我，是否考虑去北京或者什么地方，找个有资源的导师读个博士后，不为别的，就为前程有人托起。再怎么样，至少也可以在名刊发表几篇论文。这事我跟赵平平说过，她马上就同意了，说："你又算不上学霸，这年头你靠自己的力量怎么挣扎得出来？父母没办法选择，拼不了爹，那是命，导师也没有办法选择吗？爹拼不了，导师还可以拼命拼一拼啊！"我说："动机严重不纯，怎么好意思？"她说："你就不会说崇拜他的学问？人家学问本来就比你好。"又说："要么你就近水楼台跟童校长读得了。"我说："我才不会去做蒙天舒的师弟呢。"她说："人家原来是当老师的，学生进步快，当博导了，他去考学生的博士都有，你的脸皮不要那么薄。"我说："我的心理承受能力实在是太差了。"她说："那你就自己就这样呆着吧。"也不再劝我。这让我对她有了感激，她对我还是有理解和宽容的。又想起宝钗和湘云劝宝玉往仕途经济的路上走，宝玉说这是"混账话"，今天赵平平拿这些话来劝我，我并没觉得有那么"混账"，还很有道理。自己还没有宝玉那么潇洒呢。

真的就这么呆着，那是不行的，这不是潇洒。我还得通过自己的努力进步。说是为了钱多一点，改善家里的生活吧，那也是的，更重要的那是为了自尊。一个男人，自尊就是他的命。自尊不能说要自尊就有自尊了，那得靠实际的东西撑着。蒙天舒副教授已经评了三年，按程序要五年才能报正教授，可他今年都放出口风要破格报正教授了。同班同学，又在一个单位，职称差一级已经非常难堪，如果差两级，那真的让我要把头往尿桶里扎了。班上的老同学会怎么想？当年你聂致远的成绩不是比蒙天舒好一大截吗，怎么沦落到这个地步？万一有人发起同学聚会，那我怎么前去？这样想着，我都要惊出一身汗来。

人事处今年给我院下的指标是正、副教授各一人。院里有四个年轻老师申报副教授，形势很严峻。我把另外几个老师的科研成果在心里仔细衡量了，自己的优势还是很明显的。看来我出点成果不容易，别人也不容易。另外两个男老师，小蒋和小彭，今年应该是来挂个号的，属打酱油的性质。真正来跟我竞争的，那就是古代史教研室的汪燕燕。要说成果吧，我也不担心，她差得远，太远。汪燕燕比我早进来两年，这几年她生孩子带孩子去了，成果很少。可她是童校长的弟子，蒙天舒的师姐，有了这层关系，我就不能不担心。

说起来吧，材料摆在那里，白纸黑字，评委总不会睁着眼睛说瞎话吧？可发生过的睁着眼睛说瞎话的事还少吗？真到了利益面前，那真正起作用的就不是材料了。范晓敏怎么公派出的国？蒙天舒又怎么评的优博？背景是清清楚楚摆在那里的，有眼的人都看得到。可是再担心我也没有办法，童校长如果一定要顶汪燕燕，他不参加评审也能够找到代言人，可又有谁会为我代言呢？没人代言就只能寄希望于公正了，学校十几个评委，难道都会昧了良心说话吗？我没有办法，只能一赌。其实也不是赌，是听天由命罢了。

谁知汪燕燕晚上给我打电话来了，问我说话方便不？妻子在家不？我说方便，妻子在另一间房。她说："聂博，今天是请你帮个忙来了，我想你人这么好，会答应我的啦。"我说："一个院的老师，能帮的忙一定帮。"她说："知道你是这么仗义的人，有男人的豪爽，历史学院有这种仗义和豪爽的人不多啦。"

这话听着，我觉得自己是江湖上的一个什么人物。她告诉我说，人事处正在草拟一份文件，从明年起，评职称就要几个硬条件了，比如一级刊物的文章。她说："这么高的条件，我怎么能达到？对你来说那是一碟豆腐，豆腐一碟，我们女人，家庭拖累，怎么跟你们男人比？就更不能跟你比了，历史学院有几个能跟你比？你是历史学院的后起之秀，才华横溢，人杰地灵，鹤立鸡群。"我说："那你有什么想法呢？"她说："我的想法就是想今年能评上就好了。"我说："那你评啊！"心想难道她想要我退出？那不可能吧？她说："你知道啦，只有一个名额。"我说："那你有什么想法呢？"她说："我的想法你也知道啦。"难道她真的那么想？那不可能吧！我说："我真的不知道。那不可能吧！"她说："真的不知道？那不可能吧！"我还是有点疑惑，她真那么想，不可能吧！

汪燕燕绕着弯把意思表达了，真的就是那个意思。我说："燕燕，我知道你不容易，可别人也不容易呢！男人还要点脸做人呢！"她说："你吃亏就吃一年，明年是铁定的。我吃亏就吃一辈子了。我评了这个职称，以后就再不想了。你帮我一次，我一辈子都感谢你的，一辈子！"我真的非常愤怒，要别人帮忙，有这样要的吗？我说："我不像你，有人帮的。"她马上说："你是人呀！"我笑了说："哦哦，我是人，我知道了，我是个人。"她也笑了说："我的意思是，你是能帮我的那个人。"我说："你要你导师去人事处多要一个名额就行了。"她说："我也不想要童老板为难吧！这么多校领导，开饭都要开两桌，都去要一个名额，那就玩不下去了。"看来她还不是童校长铁定要罩着的人。她说个没完没了，有点纠缠的意味了。我干脆说："别的忙我可以帮，这个忙我帮不了，我老婆会骂我呢！你要你老板帮得了。"就把电话断了。

我刚把手机放进口袋里，汪燕燕电话又来了。我犹豫了一下，还是接了。她说："致远吔，人家是个女生呢，你这个豪情万丈的男人，又这么仗义，有口皆碑，你就不能帮助一个女生一次吗？人家会铭记在心，感恩终生呢。"这声音嗲嗲的，不是她平时说话的风格。我说："燕燕，我老婆也是个女生，我女儿也是个女生，我帮了你，我怎么帮她们呢？"她说："致远吔，孔老夫子说，君子成人之美，你是君子，要成人之美呢。"我说："找个别的事成行不行呢？我成了你，我老婆会骂我呢。"她说："致远吔，你那么听你老婆的话吗？你就不会说自己没评上？"我已经极端愤怒，天下竟有人敢对别人提这样的要求！面对这么自我的人，我忽然有了勇气，根本不必跟她讲客气。我说："这个不行，不行，不行。"就断了电话。再打过来，不接；发信，不回。我做好人可以，但是不能做傻瓜啊！

那几天汪燕燕不断给我打电话，发信息。出于礼貌，十次来电我接一次，十条信息我回一条。这样过了几天，突然就安静了。这安静让我很不适应，也很不踏实，就像身边的什么地方藏着一颗定时炸弹，时间的指针在悄悄地移动，不知道什么时候在什么地方就会突然起爆。这天下午我在学院门口碰见小蒋，他正从外面进来，说："致远，下课了？"我说："刚下课。"我觉得奇怪，他怎么会知道我今天下午有课？他说："吃饭没有？

去学生食堂吃个饭去！"

这个邀请有点意外，我感到他是特意在这里等我的，有话要说。难道又来一个要我退让的？我们往食堂走，他说："你要小心汪燕燕，她在外面说你呢。"我说："我这个人还有什么好给别人说的吗？再说也不值得让人说啊！"他说："她说得很难听呢。"我说："我这样的人还有人来咬？那她也要能找到下口的地方吧！"就把前几天发生的事告诉了他。

我们在球场边停下，看学生踢球。小蒋说："一个人自恋吧，可以理解，可像她这样自恋那就不可理解了。"又说："她说你搞的那些学术那叫什么学术？垃圾！是她说的。说你的学术相当于一个中等水平的本科生，是她说的。还说都是花钱买来的，是她说的。"我说："我不花钱出版社会给我出书吗？她的博士论文不也出了书吗？没花钱？"小蒋说："她真的没花几个钱，她那本书没有正式书号，套用了北岳文艺出版社的书号，自己印刷的，可能就印了几十本评职称用。你出书花了三四万吧，她应该就是三四千。"我吃一惊说："还有这样的事？这样的人怎么还有勇气在外面咬我？"

我们去食堂，小蒋帮我刷卡打了饭菜。吃着饭小蒋说："告诉你这些事，我也有点小自私在里面。我就希望致远你今年评上，我这号的，明年才有一点空间。明年几条几条硬指标下来了，硬碰硬，汪燕燕她碰得过谁？今年把你留下，她上去了，那我这号没什么出息的，明年还不能有想法。"他建议我给学校写封信，把汪燕燕的著作是非正式出版物的事情反映上去。我说："那不好吧。"又说："万一是正式出版的呢？"他说："这个你不要担心，绝对可靠。"我说："那她不恨我一辈子？"他说："致远，好人不能这样做。你可以匿名写信，也可以用随便哪个老师的名字写，就用齐教授、陶教授的名字也可以吧！那可就是实名呢。让组织上去查，一查就漏底。要说恨，你不揭她，她就不恨你吗？除非你不参评。"

回到家我把事情跟赵平平说了。我以为她会生气，谁知她眯眼望着我"嘿嘿"地笑。我说："碰上了这样的人，你还笑得出来。"她说："我又没笑别人，我笑你。你是好人呢，就行行好吧！"又笑。我也笑了一下说："你都这样说，那我就让她一年。"也笑。她把茶几一拍说："放屁！"我说："故意放个屁给你闻的，受不了吧。"她说："臭，臭臭。"我说："再说臭臭，我放个屁枪毙你。"她笑了，马上又沉下脸，说："我这一两年给你煮甜酒煮牛奶煮汤圆煮豆浆就不说了，这算什么？什么也不算。可你不会又让安安失望吧？"

36

今年四个人报副高，只有一个名额。按惯例学校要求院里排一个序报上去，为的是减轻学校评委们的压力。怎么排序由院教授委员会定。按说我应该相信这些教授，他们都是很好的人。可汪燕燕是童校长的弟子，如果童校长逐一给他们打电话呢？那他们就没有办法了。得罪我总比得罪童校长心里轻松点吧。小蒋又告诉我说，汪燕燕已经逐个上门拜访那些教授。这让我危机感陡然上升。上升之后又回过头想：她这样做表现了她内心的焦虑，那么童校长应该是没有下决心为她办成这件事。童校长虽然是个副校长，对别人的议论还是有顾忌的，到关键时刻才会出手。

这样想着我宽心了一点，像划着小船从急流险滩进入了平缓的大江。宽心之后又觉得这宽心没有充分理由。说真的我应该相信那些教授，他们都是我的老师，也都是很好的人。可是我也不能保证他们在双重压力之下，不会做出违心的选择啊。我觉得自己真的非常危险，很可能又吃个哑巴亏，到头来连个倾诉的地方都没有。你在院里倾诉，你等于打那些教授的脸。到家里倾诉呢？那简直是找骂。

我想起小蒋告诉我的那件事，就到院资料室去找汪燕燕的那本书，有一次我在书架上看到过。如果真是非正式出版的，逼急了我，我也可能把这事抖落了出来，我得有个准备。走进阅览室我心里很痛苦，都是几个读书人，怎么要这样兵戎相见？搞学术不应该搞到白刀子进红刀子出的地步。可是，真的没有别的选择，资源就那么多，少数牛人已经占了大头，剩下的大家都拼了命去争，你不争你就没有。

我找了很久没找到那本书，这让我更加恐慌。难道有人借走了？那不太可能，谁会借这样的书？应该是汪燕燕自己拿走了，她已经在防着这件事了。我问管理员李灿云大姐，是不是见过这样一本书？她马上说："前两天汪老师借走了。"从汪燕燕的卡片袋里把卡片抽给我看，说："咦，还是汪老师自己写的呢？是我们这个汪燕燕吗？"我说："大概肯定是吧，也可能绝对不是。"

出了门我垂着头走在林荫道下，想着别人下了这么大的功夫，我真的有些绝望了。要是就是我自己吧，我也就算了。可一想起平平和安安，我心里就绞得痛，我多么想让她们过上平平安安的日子啊！还有蒙天舒，他都报正教授了，这也让我心里绞得痛。我把嘴唇咬得快要滴血，这样来平衡心中的那个痛。我似乎感到湿乎乎的嘴唇有点咸味，就掏出手绢在嘴唇上按了一下，没有血，那湿湿的并不是血。我又用力咬着下唇，再按一下，还是没有血。我对自己说："也好，不然又吃个哑巴亏。"我四下张望，看着周围没人，自己也很意外地，抬起头，把嘴歪着，"哈哈哈哈"地笑了。

小蒋跟我打电话，告诉我过两天院教授委员会就要讨论排序的问题了，问我采取了什么步骤没有？我说："我又能采取什么步骤？刚才去资料室找那本书也没有找到。"他说："这件事你就信我的吧，这么大的事我敢去诬陷一个人？我这有一本，我送给你吧！"我觉得跟他见面有点不好，好像搞地下活动似的，就说："你什么时候放我信箱，我过去拿。"

过了半个小时他又打电话来说，书已经放信箱了，又说："汪燕燕在外面怎么说你，你知道吗？"我说："知道，她说我的学术不算学术。也许我的学术真不算学术，但是比她的学术还是要学术一点吧。在历史学院，长了一双眼睛的人都看得懂的。"他说："哎哟！致远，有些文章那么烂，也发表在那么高档的刊物上，编辑看不懂吗？这是懂不懂的问题吗？还有，你知道她在外面怎么说你？她说你是小人呢。君子成人之美，不成人之恶，小人反是。她用孔子的话来说你，你没有成她的美，你就是那个'反是'。"我说："前几天她还说我是君子呢，怎么突然又成了小人？说得好啊，给我勇气去回她的死信呗。如今小人都有勇气说别人是小人了。"

我到信箱拿到那本书，塞到衬衫里，溜到教研室，翻开来仔细研究。这真的不像一本正式出版的书，哪里不像，我也说不出来。我想着是不是要打个电话到北岳文艺出版社去，就说要买几十本做教材，请他们帮着印证一下。想着打了又怎么样？真是非正式出版的，我能去揭她？她不过也就是想省几万块钱罢了，也可怜呢。又想着打了总比不打好，到了关键时刻，自己还有一张牌可打。

正犹豫着，龚院长打电话来，要我去一趟。进了办公室龚院长说："小聂，你对今年评职称有什么想法？"我说："尽量争取评上吧。"他说："谁都想尽量评上，名额只有一个。"他伸出右手食指晃了晃："一个。"又晃了晃。我说："那就看材料呗，都是专家，谁看不懂材料呢？只要瞟一眼心中就有数了。"他说："材料是你的好一些，但是现在有一种说法，资历也要兼顾一下。"我说："就汪老师资历比我多两年，但是学校的文件说了兼顾资历的问题没有？没有。"他说："其实我是支持你的，但是你也知道，历史学院的事情也不是我这个院长说了就算数的。"我说："谁那么有能耐，他多搞个名额给她，我不说什么。"他说："今年的名额已经公布了，我们学院伸手，每个学院都要伸手，校长就当不成了，人事处长也当不成了。"我说："那也只能看材料。有些人的材料，拿是拿到桌面上来了，那也可能有水分在里面。"他笑了一下："可能，很可能。但是讨论的时候谁会说呢？皇帝的新衣，有人说吗？"

看来龚院长也知道那本书有问题，但不好说。我说："不要说有水分，就算没有水分，那也是我的材料好一点点吧，何况那一点点是一点点吗？"他也不说那一点点是多少，摇摇头说："我这个院长跟别的院长不一样，特别难当。"他能跟我说得这么明显，也是向我交底了。我体会到了，这些年来，他也是在走钢丝，不容易。我说："学院的事，院长该拍板就要拍板。"他笑了说："有这么容易，历史学院早就跨越式发展了。从我心里来说，有些局面我也还想控制一下。"又说："比如你的事。"我说："那我还是希望龚院长能控制一下。"他说："那也要我能控制得了啊！有些话我在院务会上都不好讲，我讲了，马上就有人汇报上去了。教授委员会开会也是一样的。我今天叫你来，就是希望你自己有个坚定的态度，让教授们都知道，如果把你牺牲了做人情，那是不行的。"我说："我怎么让他们都知道呢？"他说："别人是怎么去怎么的，那你也就怎么去怎么，不然还能怎么去怎么？"我说："知道了。"又叹气说："要我那么去怎么，好为难啊！"他说："活着就是件为难的事。"又说："就这两天了。票投完了，排序就定了，复议那是不可能的。"我说："知道了。"就出来了。

龚院长暗示我去跟教授们沟通一下，这让我很为难。可是汪燕燕已经做了这个工作，我如果不做，他们的情感天平往那边倾斜一点，我就没希望了。吃了亏我如果不嚷嚷，事情就这么过去了。我嚷嚷呢，人家有个现成的理由在那里：资历。我如果真的被牺牲了，还真的不能嚷嚷，那不是让那些教授们丢脸吗？那下次就更成问题了。

可是我怎么去沟通呢？也学汪燕燕提点什么上门？或者送个购物卡什么的？这些事情，别人做了我没做，那大家的情感就站到别人那边去了。说真的我还是愿意相信那些教授，他们大多数都教过我的，都是很好的人，也有水平，材料的好坏看得懂。可如果万一呢，万一呢，万一呢？我被自己提出来的这个"万一"难住了。

正犹豫着，小蒋又来电话，问我拿到那本书没有？我说拿到了。他说："那你赶快行动啊！"我说："万一是正式出版的呢？"他说："你怎么这么不相信人呢？没把握我会乱说？"我说："你是怎么知道的呢？"他说："院里知道的人好多，可还是要有个人把真相提到桌面上来啊！上不上桌面，那完全是不一样的，完全不一样。不上桌面人人知道也不是个事，一定要上了桌面才算个事。"我说："我这就打个电话去出版社澄清一下。"他说："最后一天了，哥！快下班了，哥！"我收了线，又马上把电话打到太原，问114要了北岳文艺出版社的电话，再打过去，没有人接，还打，还是没人接。

我几乎彻夜失眠了，趴在床上不动，听见赵平平确实睡着了，才敢轻轻翻个身。好几次我想把她叫醒商量一下对策，又觉得毫无意义，她会说什么，怎么说，我都知道。好不容易熬到天亮，我起来了，等着到上班时间去打那个电话。赵平平去了学校，我又打电话到出版社去，没人接，再打，还是没人接。一直到九点多，有人接了。我说要买那本书做教材，要几十本，请她查下还有货没有，要得急。那边说尽快去查，要我下午打电话去问结果。我想着下午教授委员会就开会了，说："我十一点再打电话来问行吗？"她答应了。十一点我再打电话过去，又没人接。一直打到十二点，都没人接。

我在心里恨着自己，这个信息早就知道，为什么要拖到今天？我有点绝望，非常绝望，觉得自己又一次被牺牲已成定局，翻盘是不可能的。只怪自己太相信自己的材料了。材料是死的，投票的人是活的，你说自己的材料好又有什么用？就像论文是死的，编辑是活的，你说自己的论文好他就给你发了吗？又想到小蒋说得那么肯定，龚院长都暗示了，我就用赵平平的手机把情况发给那些教授们，又怎么样？想到这里我忽然觉得事情非常容易，我把内容写好，要致高去转发也行啊！拿起手机我又犹豫了，万一小蒋的信息不准确呢？那我不是诬陷？就算准确，对同事下这么重的杀手，我也非常痛苦。我想着今年实在不行就算了，就等明年，不就是晚一年吗？

中午一点多，小蒋打电话来，问我把汪燕燕的事揭出来没有？我说没有。他说："怎么不揭出来，不揭你就危险了。"我说："万一不是那么回事呢？就算是那么回事，那她受的打击也太大了。"他说："那就算了。"就收了线，过一分钟又打过来说："我跟你说过什么没有？我什么都没跟你说过，是不是？"我说："是的，是的。"他说："那我也什么都不知道。"我说："是的，是的。"到了四点多钟，龚院长发信息来说，你排第一。我想：这怎么可能？天上就算有馅饼掉，也不会砸在我怀中啊！心里对那些教授充满了感激，觉得对世事不必那么悲观，对人性也不必那么悲观。

过了一两个星期，学校开评了。我听说汪燕燕又在校评委那里活动，心里又紧张起来。她的意志这么坚强，这么执着，这么不辞劳苦又这么拉得下面子，她不赢那难道还是我赢？学校的评委跟院里的不一样，他们不是历史专业的，对材料不可能看得那么清楚，因此情绪的成分就更大些。汪燕燕把他们逐个都拜到了，我呢？谁都不认识，我不输那难道还是她输？不让老实人吃亏，那让谁吃亏呢？面对这样的局面我没有办法，要我也像汪燕燕那样去奔走，我实在是做不出来。我停在原地被动地等待命运的宣判，希望结果再一次证明对世事和人性都不必那么悲观。

对学校评委的评定过程我不了解，只知道投票就在明天了。晚饭后我在厨房洗碗，心里突然冒出"困兽犹斗"这个成语。自己怎么就这样等着，连一只困兽都不如呢？性格就是命运，也许我只配这样的命运吧？这时手机响了，我把手上的水甩了甩，在抹布上擦干，一看是汪燕燕打来的。她说："聂致远，你这个人大家都知道你是个小人就算了，你怎么还这么卑鄙呢？"我一下火了，我忍让退，忍让退，一直在忍让退，她还说我是卑鄙小人。我说："汪老师，你想想你自己都做过什么，我又做了什么，你还说我是小人？"我左手的食指在自己鼻子上点了一下："我是小人？我卑鄙？"我问一声就点一下："谁是小人谁自己清楚。"她说："你有什么想法你放到阳光下面来说，你怎么在黑暗的角落使阴？你就那么害怕阳光吗？"

我怔了一下问："谁使了什么阴呢？我是使阴的人吗？"在鼻尖上点一下："我？"又连点几下："我？我？我？"她说："那难道往校长信箱泼我的污水那还是别人泼的？他是雷锋，担心你评不上？"我马上想起了那本书的事，又想起小蒋，说："是你那本书的事吧？我没发什么给校长。"

刚说出来我又后悔了，我想证明自己是君子，事情是知道的，检举信我不会写，可她怎么会相信？她说："是吧，是吧，你还敢说你不知道？我知道你是知道的，有铁的证据！"她把铁证说出来，是我去资料室借过那本书。我说："事情我知道，可我不知道是不是真的，我怎么会出去说？绝对不是我，绝对绝对！"

我感到自己的表达很无力，把"绝对"说一万遍都没有用，虽然这绝对真的是那么绝对。她说："这是一个阴谋。你不知道阴谋论的原理吗？谁受益就可以倒推他是阴谋的主使。陈水扁挨一枪擦破点皮，就选上去了，那一枪能是别人的人安排的吗？谁会去做这个好人好事？你知道你不往上面捅，那可能吗？"我说："别人可能不可能我不知道，我是这样做人的。"她说："'做人'这两个字你就不要说了，这是该你说的吗？"我说："汪燕燕，我聂致远说的都是事实，你不相信就算了。我以人格担保那封信不是我写的。"她说："'人格'这两个字你也不要说了，这也不是你该说的。你是君子？朝三暮四，阳奉阴违，见风使舵，落井下石。小人啊，小人！历史学院谁不知道你是什么人？谁不知道你那点学术是什么学术？小人啊，小人！"我说："那我们就不要说了。"就挂了机。

我把手机塞进裤口袋，接着洗碗，心里想着，别人怎么就那么有勇气？出书的错是她犯下的，怪错人的也是她，她倒还像个道德的审判者来审判我？像这样，做个好人还有意义吗？这样想着，我把手中的碗用力往下一蹾，一声脆响，那只碗裂成了两半。

37

我评上了副教授。学校的评审会还没有散我就知道了，是蒙天舒发信息告诉我的。好消息总是有人愿意传递。我回信问他评上没有？他说被别人挤下来了。其实我知道，真正的原因是童校长今年出国考察去了，没参加评审，也就没掌控住局面。

我把这个消息告诉了赵平平。她在手机那边说："臭臭，那我跟韩佳平起平坐了呀！"又说："什么时候我们也买辆车，那就更平起平坐了。"我家里知道这件事也很高兴，爸爸用致高的手机打电话来，问我："副教授相当于什么级别？"我说："这跟级别没有关系，就是一个职称。"他说："怎么会没有级别？县里机关一个什么人就有个什么级别，省里机关一个什么人那一定也有个什么级别吧。"唉，一个打鱼的人也这么关心级别问题。说了半天说不清，赵平平把手机抢过去说："爹，致远他相当于处级呢。"把手机又递给我。爸爸说："那跟我们郑县长是同级的呀！"我说："平平她乱说的，你千万别信她的。"他说："致高也是这样说的，你那么谦虚干什么。"又说到家里的房子太破旧了，鱼尾镇很多人都盖了新房子，我们家出了个人物，再不盖面子上就挂不住了。我不做声，想着他的意思，是不是要我出点钱。他在那边咳嗽一声，是催促的意思。我也咳嗽一声，等他开口。他又咳嗽一声，我只好说："爸爸，你不要以为副教授有多少钱，跟原来差不多。"他说："肯定跟郑县长不能比的，没有外水，是吧？可是再怎么样也跟郑县长平级，是吧？看我家都出了跟县长平级的人物了！"我不做声，他说："不急呢，过年以后的事。"

放了寒假我回鱼尾镇过年，赵平平说什么都不肯去，我劝了好久，她才肯去，说初三一定要回麓城，安安给她妈一个人带，不放心。进了屋，我把大包小包的东西拿出来，妈妈看都不看，只问我怎么不把安安带回来让她抱一抱，都快一年没有抱了。爸爸看了那些东西说："钱不买这些东西也不会馊的，放在荷包里不好点？变成砖头就更好了。"用手指一指墙。说到房子我想起准备好的那六千块钱，就示意赵平平拿出来。赵平平好像没看见，掏出手机来玩。不一会我收到她的信息，说钱在她的包里，要我去拿。我望着她笑了一下，就回信问："为什么你不去拿？你拿出来更好一些。"她又回信说："那点点钱，你家会说我太厉害。"我只好到里屋把钱拿了，递给爸爸。赵平平说："这都是致远准备的，我也不知道是多少。"爸爸把钱捏了一下，也不问多少，转手交给妈妈，妈妈接过去也捏一下，不问多少，插到裤口袋里。不一会致高回来了，带着一串鱼、一大块肉，往地上一丢。我说："买的？"他大声说："有人客气！"这两年他紧跟范岗，范岗前年当了副镇长，去年调到县农机局当副局长了。致高半年前当了镇政府办公室主任，女朋友也谈定了，就是他原来那个学校的老师。他追了好多年，女孩家不同意，他提了办公室主任，那边家长就松口了。过了年盖新房，新房盖好就结婚。我说："你莫要别人的东西。"他指着地上说："这点东西还算东西？别人拿给你，你不要，那别人会睡不着觉，不知道你是什么意思。我收下了，那是人道主义，让他安心睡个觉。我真的不在乎，现在谁还在乎这个？"又撮着右手的拇指和食指："如今真要办成点事，都是这个了，米米。"

这时进来了两个人，跟我打了招呼，就跟在致高后面把房子前前后后看着，比划着，讨论年后盖房的事。那两个人在我家吃中饭。妈妈把菜端上来，只有四五个菜，都是好大一钵的。吃着饭，他们说房子的事，我才知道他们一个是建材店老板，一个是小包工头，都来帮致高的忙。说了会房子，建材老板问我："致远哥在哪里发财？"我说："没发财，在省里教个小书。"妈妈说："博士呢，北京的博士，首都。如今在麓城教大学。"包工头说："北京，那了得呀！在麓城教大学，那了得呀！博士，那了得呀！"致高说："相当于县级呢！"包工头说："县长，那了得呀！那个财就发得大呢。"我说："发财是你们老板的事，我们是搞文化的，不讲发财，搞文化。"可"文化"两个字并没有对他形成威慑，他说："那不是更发财，电视里那个赵本山也是搞文化的，他有十几部奔驰呢！一天开三部！"赵平平说："搞文化的人，有的是发财的，有的不发财。"老板说："不发点财那搞它干什么呢？嫂子，不会跟致远哥借钱的。"赵平平讪讪地笑笑，不再说话。老板又说："还说搞文化，当官也是一样的呢。当官不发财，请我也不来。是吧，致高？"致高说："莫乱讲呢，典型的没文化。"我还想把搞文化和发财是两回事的道理讲一讲,想着讲也白讲,就说:"这鱼汤越煮越出味了,再来一碗?"

吃完饭我把致高叫到门外,说:"你这个主任来得不容易,盖房就不要沾这些人的光了,他们也不会白白帮你。搞出什么事来,你就吃不消。"他说:"我这点事那也叫事?真的有件什么事,我想轮都轮不到呢。"我说:"你不要学那些人,他们将来都会吃大亏的。"他说:"那我房子不盖了?还得盖吧。不盖岳母娘不高兴,这是承诺了的。你那几年不也是被岳母娘逼成那样?"又说:"我这个主任来得不容易,那是下了本钱的,有机会也得收回来一点吧?我没有必要对自己那么不公平,我只想为自己讨个公平回来。"他居然说得如此理直气壮。我说:"小老板赚点钱养家糊口不容易,你不要占他们的便宜。"他说:"你以为是我找他们?他们找我,找上了是我给他们面子,不信你去问他们,说致高要换一家建材店,换一个包工头,看他们会肯不?"又说:"我也想一是一,二是二,我没有那个力量呢,力薄呢,力薄呢。我们这些人靠工资活着,那就不要活了。你以为我这个主任工资有多少?力薄呢,力薄呢!"我的右手不由自主地伸到屁股后面捏了捏钱包,感受到了力薄的难堪,就叹一声,不再说话。

这天晚上,有个人提了一大袋东西来拜年,说是我们的亲戚。什么亲戚,我爸爸也搞不清楚。他解释了半天,谁也没听明白。那人说:"简单点说,我爷爷的爷爷的爷爷,和聂主任爷爷的爷爷的爷爷,是共一个爷爷的,一条根下来的呢,一笔写不出两个'聂'字呢!开玩笑的?"他要致高想办法批一块宅基地,说:"搞成了谢聂主任两万块钱。"致高说:"没那么容易,你以为呢!现在是什么时候?有保护红线!"那人说:"所以要辛苦聂主任帮了这个忙,您老人家就辛苦下啰!三万!"致高说:"这不是辛苦不辛苦的问题,我不敢为了这点点钱犯错误呢!"那人说:"那就四万,四万!我实在是……实在……这已经……是吧?"志高叹一口气说:"亲戚来亲了,我真的没有办法,谁叫我也姓聂?"又说:"那也只能说帮你去试一下。"

致高送他出去，我对爸爸说："致高刚搞了个办公室主任，你提醒他别犯错误。四万块钱，这错误犯得不小！够进去的条件了。"他说："那我知道呢，我经常敲他一下，别抓进去了，没人送牢饭。他应该不会弄那么大，小小弄一下，那没有关系的。他刚上去，是弄得最少的。"我说："刚当一个小主任，就盖三层楼的房，太惹眼了。"他说："盖的人多了去了，老百姓家都盖了，我家怎么能不盖？你妈想这件事都想了有十几年了，致高也是想满足你妈妈一个心愿。好孩子呢。"我想告诉他，我拿不出更多的钱，可我说不出口。家里盖房，我一个读了这么多年的书的人，在外工作，竟只拿这一点钱，那真的不是好孩子。我说："爸，我刚参加工作不几年，还没来得及赚钱。"他"嗯"了一声。我说："家里那个房子每个月还要交钱给银行。"他又"嗯"了一声。我说："去年还为妈生个孙女，也要用钱。"他还是"嗯"一声。

两人沉默了一会，我刚想找点什么话来说，爸爸说："致远啊，到底是博士大呢，还是镇办公室主任大？"我说："博士又不是官。"他说："官都不是，那读它干什么呢？读了这么多年，还读到北京去了，你妈跷着大拇指逢人便告，"他伸出左手把大拇指跷了跷，又伸出右手大拇指跷了跷，"我和你妈还以为你会在省里当个官呢。那你以后还是要去当个官，大官小官，那都是官。"我说："爸爸你一个渔民，怎么这么官本位？当官有那么了不起吗？"他说："官什么位？没有那个官什么位，哪里会有好日子？没有致高这个官位，我们家能盖房子？"他捏着指头算给我听，砖头、水泥、石灰等，都是有人半卖半送。我说："危险，危险，致高这样搞很危险。"他说："有什么危险？都是这样的。人家的东西便宜卖给我，那是人情，未必要坐牢？"

鱼尾镇的人没啥文化，看事情就这么简单，标准就是当没当官，发没发财，讲别的，他们不能理解。想一想也许应该理解他们，他们从自己的生存经验理解生活，那也没有错吧。这样想着，我说："过年了怎么还有这么好的太阳？以后房盖好了，在屋顶装个太阳能热水器，冬天也能免费洗澡。"爸爸说:"那个官什么位,好呢。老二没读那么多书,在镇上搞了个官什么位,老大你读那么多书,在麓城也搞个官什么位,我们聂家那就威风呢。"我说:"太阳能热水器不要烧气的,烧太阳光,省钱呢。"爸爸说:"太阳能……你妈她别的都没什么,就是想在鱼尾镇这里威风一下。"我说:"爸呢,我是做学问的人呢,没有威风的。"他说:"一点威风没有,要那个学问有什么用呢?"我望着天上说:"威风……怎么过年了还有这么好的太阳?"我闭上眼,阳光栖息在我脸上,脸上的感觉非常微妙,我不知道那是阳光的暖意呢,还是微风的寒意。

　　第二天家里杀翻了一口猪,在门前的坪里杀的。杀猪的人是致高叫来的。那猪一挣,站起来就跑,把接猪血的桶子踢翻了,血溢了一地。杀猪人和致高追上去,把猪摁在地上。赵平平本来很兴奋地看热闹,刀杀下去的时候捂住双眼尖叫了一声,马上就被猪的尖叫声盖住了。她看到这满地的血,又尖叫一声,跑到屋子里去了。我觉得自己应该干点什么,就跑出去买了三十斤鱼,叫鱼贩剖好了提回来,妈妈用盐腌了,挂在屋檐下让风吹着。猪一杀过年的气氛就上来了。镇上开始有人打鞭炮,又有接二连三的鞭炮响应,街上烟腾腾地呛人,通街都是红色的炮屑。

　　初一那天,我和赵平平起得晚。三十晚上看春晚睡得太晚,起来也没洗漱,就去给爸爸妈妈拜年。赵平平给妈一个红包,两千块钱。刷牙的时候我说:"本来说好一千,怎么翻倍了?"她说:"谁想翻倍,钱打在自己排骨里不好些吗?被你家那个致高逼起了,一千怎么拿得出手?"到了晚上又对我说:"不盖新房,这里还有半个家是你的,盖了新房,就全是那个致高的了,致远往哪里摆?明年你回来就真的是做客了。你弟媳妇那盏灯也不是那么省油的。"我说:"我们兄弟,不计较这么细。"她说:"这还是细,那什么才是粗?"我说:"盖好了父母还要住这么多年,没怎么叫我出钱,已经是体谅我了。"她轻笑说:"哼哼,那你的意思是还沾光了。"

　　初三那天范岗来了。致高昨天去县里给他拜了年,他是来回拜的。进了门范岗把礼物往门边一放,双手抱拳嚷着:"老同学,老同学,还是个高级知识分子，我这么多年的偶像！"我也抱了抱拳说："致高，范局长来了。"致高跑出来，双手拉着范岗的手拼命摇着，几乎要拥抱，说："县里的大领导下基层了！体察民情！"喝着茶，范岗说："致远有名片吧，请教一张？"我说："没有，没有。"把手机号拨到他的手机上。他递给我一张名片，我看了一下，反面顶天立地列着十个头衔，农林牧渔机械文化旅游无所不包，教育局都有一个顾问的名分。我看着名片说："全才，全才！"他说："有几个地方是他们硬要拉我去凑个数。教育我懂什么？只有你才是专家，专家！"说一声就拍一下巴掌："专家！"

我把名片捏在手中，礼貌似的看着，心里想：有这么多头衔荣誉，难道是件很光荣的事？范岗和致高谈起县里的人事关系，书记、副书记、县长、副县长，如何如何，头头是道。我在旁边听着，觉得他们真的看得很深、很细，微妙之处都有精到的理解。比如他们分析一个四十出头的副县长，这次班子调整呼声很高，却还是没进常委，就是因为他太年轻。如果他这次进了常委，几乎就是下一届县长或县委书记的必然人选，否则新上来的人是降不住他的。这次没进去，说明上面没有考虑将来由他接班，也就是说，别看他年轻能干，政治前途就到此为止了。

我想着真的不能小看他们，别的本事也许没有，这个本事那他们是有的。我插话说："范岗你爸爸这次到年龄边上了，还保住了常委的位置，那上面还是有人顶他吧！"他说："那应该是凭他自己的能力吧！"又说："致远你不会以为我这个年龄就当了局长，是靠我爸爸顶上去的吧？有人说我是官二代，我说真的，我除了自己的能力，没有任何别的资源。能力就是我唯一的资源。"我心里想：妈的，讲得出口。当人家是傻子呀！你们这些人天生就有升官发财的能力，也只有升官发财的能力。什么时候出个科学家、艺术家给人看看？致远说："我哥昨天还说，范局长绝对是凭自己的能力上去的，读中学就看出苗头了。"我本来想说，你们当了官，要为老百姓做几件好事，懒得说了，口里含糊地说："天生就有升官发财的能力。"范岗没听清，把头凑过来说："致远你说谁有能力？"我说："你有能力，怎么看怎么觉得你有能力，前景不可限量！"他点点头说："还有得三十年混呢，混成什么样子那不敢说，混是且有得混的。"

家里盖房子我用不上力，这让我觉得对不起父母。那几天我在家里很沉默，屋子里前前后后都浮漾着致高的声音，房子怎么盖，买什么材料，怎么送人情，都是他在嚷嚷。赵平平也不太说话，不时询问地望我一眼，我就咧着嘴冷笑一声，也不知道是笑致高的张扬，还是笑自己的无奈。

走的那天，爸爸帮我提着包。到了车站，他把包递过来的时候望着我，嘴唇动了动，发出一种含糊的声音。我没有听懂，询问地望着他。他看赵平平一眼，喉咙里发出的声音更加含糊。我还是没听懂，但心里还是懂了的。他是想问明白，到底是副教授大呢，还是镇办公室主任大？

38

在回麓城的汽车上赵平平说："到家有几件事要做，第一件事就是洗澡。在你们家睡了这几天，我身上都痒到骨头缝里面去了，里面好多虫子！"我说："我家有那么不安全吗？纯粹是心理作用，我住了几十年都没痒过。还是给你铺的新被子新毯子呢。"她说："棉絮也是新的吗？里面的虫子它自己不会爬出来？现在的虫子可聪明了，哪里营养丰富它都知道，智商不低于一个博士。"又说："明年你自己回来，我这个小媳妇能做到这个样子，那是做到岸了。"

过了一会她说："你怎么不问我第二件事？"我说："屎不臭，挑起臭，我是搅屎棍？"她说："从来就把我往最坏的方面想。我想安安了。"我笑了说："那你是贤妻良母呢。还有第三件事呢？"她也笑了一下说："没有。"又说："谁说没有？"我说："不懂世界上的别人，还不懂你吗？"她说："第三件事就是明天带点钱去步行街帮自己买两件好点的衣服。几千块钱帮致高盖房子也给了，我为什么不对自己好点？六千块钱，也没个人提到一下。"我说："家里不提是给我们面子，盖房子这么大个事，我在外面工作的人，拿几千块钱，叫别人怎么提？我就最怕他们提，他们就真的不提。好人呢。"她说："我以前想过精彩的生活，后来不想了，想也白想。"我说："真的不想？那我们家今后就有安定团结了。"她马上说："你是不是觉得我没有权利想？我就是要想！我一个女老百姓不想这件事，那还想什么？看到别人还没有我漂亮，过得比我好，我心里不平衡，非常不平衡，非常强烈地不平衡。我生了安安就没有买过衣服了。这几天看到你家致高的媳妇穿得比我还好，我心里就过不去。"我说："那明天拿一千块钱，我陪你去上街。"她说："你看你看你，一千块钱，下定决心不怕牺牲的劲头都出来了。现在好点的衣服，一件就是一两千的！"我说："那是你赵平平穿的？"她说："那为什么我就不能穿，我比别人低那么多吗？"我说："衣服吧，第一是遮体，第二是保暖，一百的跟一千的，没有什么区别。"她说："那除非你能证明买好衣服的人都是白痴。"我侧了头望着她说："那未必还拿两千？"

第二天赵平平跟高娟娟约好，上街去了。回来时提了几袋衣服，很兴奋的神情。我想着那应该都是一些便宜货，几百块钱就买一堆，可还是忍不住问了一声："多少钱啊！"她说："不告诉你，怕吓着你。"我说："未必真的有两千？"她说："不告诉你，三千。"把左手的拇指和食指圈成一个零，另外三个指头兰花指似的跷着："三千多。"斜眼瞧着我："看你眼珠子暴出来，暴出来那也是三千多。"她见我不相信，从一个袋子中拎出一件皮衣，说："这是上次我们看的那件，过季了，三折了，心动了，买了。"

这件皮衣我还记得，春节前陪她上街，逛了好久她一件衣服也没买。看得上的买不起，买得起的看不上。我说："你衣服够多了，买那么多往哪里放？吃饭去吧！"她说："吃那么多往哪里拉？"当时她在这件皮衣面前呆了好一会，翻来覆去找不到价格标签，就询问地望着售货小姐。

售货小姐站在那里，一点反应都没有。我过去帮她把标签从口袋里找出来说："要九百啊！"售货小姐"哧"地笑了，赵平平说："你不懂就不要乱说。"我这才看清是九千。离开柜台赵平平说："太势利了。"又说："我就那么像买不起的人吗？"

今天她居然买回来了。我说："你真的下得了手啊！以后高娟娟叫你上街，你就说你要带安安。"她说："我真的不能跟她上街，丢不起脸。今天还是没有丢脸。"她把皮衣穿上，在镜子前走来走去说："我知道你会说不好看，几十块钱一件的地摊货都是最好看的。"她穿着这件皮衣的确好看，有贵妇人的高雅。可是我不能说，这种高雅不是我们能追求的。我说："还可以，还可以。"她说："谢谢你。我还以为你会说丑得像个巫婆呢。"又问她妈，岳母说："像有钱人家出来的。"又说："我们平平一年买两三四件这样的衣服还是应该的。"赵平平说："我两三四年买一件就可以了。"

赵平平说，买了这么贵的衣服，有点对不起安安，要想办法赚回来。那几天只要我一离开书桌，她就溜到电脑前上网。我一走到跟前，她马上就跳到另一个页面上去。我说："你不是跟谁在玩网恋吧？"她说："胡说。"问了几次，她说："我在开心农场偷菜呢。这是女人的游戏，男人别管。"那几天她简直痴迷了，老是待在网上，可就是不让我知道在干什么。上网偷菜用得着这么神秘吗？

这样过了几天，我真的有点愤怒了，心里有着一些不好的想象，甚至想到她是不是又跟以前那个经理在联系？当我忍无可忍把这句话说出口，她说："我真的要联系，我在家里联系？"又说："难道你真的觉得世道人心这么不可靠？"我说："那天你到底跟谁上街了？皮衣到底是谁买的？到底打了三折没有？"她说："聂致远，你到底还是不是个男人，你？你是个男人心怀就要宽广一点。你气势如虹，其实是自卑！别人不懂你，我还不懂你吗？"

她这么一说，我心中震了一下，忽然就懂得了我自己。赵平平她懂我，太懂我了，连我自己没有懂的地方她都懂了。我说："你这个话太伤人了。"她说："我本来不想伤的，你那三个到底就没伤到我吗？"又把电脑点到一个页面："我就是想联系这家公司，做个生意。"我瞟了一下，的确是这几天瞟得有点眼熟的画面。我说："懒得看呢。"就离开了。

我在厅里看了会电视，心里乱得很，就出了门下楼走走。我没有方向地乱走，就来到了大街上，晚上小商贩都出来了，占道为市。有人在高声叫卖武大郎煎饼，还有人问我是不是来一串铁板鱿鱼。空气中弥散着香气，我用鼻子用力地吸了几下，那种油香、辣香和肉香的混合香味就经过了我的鼻子、喉咙，消失在身体某个说不明白的深处。我想着这些人赚钱，活着；活着，赚钱，其实也是一种很正常的人生。我呢，教书，活着；活着，教书，这中间有什么本质的差别吗？如果没有，那就是自己想得太多了，这么多年来都想得太多了；如果有，那差别又在哪里？

这一问让我感到了恐慌，难道，这么多年来，自己珍视的那些东西，都只是一种其实并不存在的虚幻？蒙天舒从来就没有这种心态，从来就明白，说，该怎么说；而做，又该怎么做。他因此轻装上阵，冲到前面去了。也许，活着，好好活着，更好地活着，这才是唯一的真实，哪怕由于职业的需要，滔滔不绝地讲了许多许多，那也是为了落实这唯一的真实，这也是意义和价值的尽头。这样想着我有了一种大彻大悟，思想解放的感觉，天天听见有人说思想解放，我为什么不解放一下自己呢？为了使那个唯一的真实落到实处，就没有什么事情不能做又不敢做了。

赵平平说我自卑，这是真的。我平时不会承认这一点。我心中装着那么多的圣人之言，又有那么多圣人作为前行者，我踏着他们的足迹走就是的了，走得不稳，那大方向是没有错的。可我为什么还要自卑？我应该从容、淡定、自信、旷达才对，可为什么还是自卑，还是撑不起自己那一片精神空间？唉，现实就是现实，不论我怎么想，钱都不会理我，权也不会理我，你不去找它，它会主动找你？钱和权，这是时代的巨型话语，它们不动声色，但都坚定地展示着自身那巨轮般的力量。我能螳臂当车吗？我忽然想到，自己心目中的圣人，都是螳臂当车的人，他们因此都遭遇了凄凉的人生。唉，司马迁、曹雪芹，他们是来给人瞻仰的，不是来给人效仿的啊！

回去的路上，我花两块钱在铁板摊上买了一只武大郎煎饼，问："老板，今天赚了百把两百块钱吗？"他说："讲相声，赚几十块钱吊着一家人的命。"我说："招学徒吗？我想报个名。"他望着我咧嘴笑了说："讲相声，你们把书吃到肚子里去的人，还来赚这个辛苦钱？"又用手比划着："早上五点，到晚上十点。不是被逼到没有路走，谁会来走这条路呢？"听了这话，我忽然觉得自己非常幸运而且幸福，对生活应有感恩之心。咬着煎饼回到家里，我想，自己跟他最后的区别，也许就是一个辛苦，一个更辛苦。

睡觉的时候，赵平平说："我想了一个赚钱的门道，你支持我吗？"我说："你赚钱，那如果靠得住，那猪都能上树。"就把卖煎饼人的话告诉她。"你吃得了那个苦？"她说："我为什么要吃那个苦？他是没读书的人。"我说："算了，算了，能有这样的日子就不错了。你小时候吃过进口奶粉？"她说："我吃母乳，比美国奶粉都好些。"又说："你到底支持不支持嘛！"我说："你去考个编是正经，我支持的。"她说："一个人撞墙都撞五次了，还有必要撞第六次？我傻呀，我？"我说："那就好好过日子，心要安得下来。牛衣古柳卖黄瓜，那也是真正的幸福。"她"嘿嘿"地笑，说："我不想卖黄瓜，我想开宝马。这年头谁卖黄瓜，谁开宝马？这就是蠢人和聪明人的区别。"我说："这年头人精太多，你开宝马？你只能做那些开宝马的人的下饭菜，被别人筷子夹起来吃了还不知怎么被吃进去的，你开宝马？"她说："聂臭臭你不要把话说这么绝，哪天我把宝马开回来了，你别说我是偷来的。"

39

这天我回到家里，赵平平在给安安换衣服。我去厨房给岳母娘打下手，赵平平抱了安安过来，在我身边站着，也不说话。我说："怎么了？"她说："没什么。"又转到另一边站着。我说："今天怎么了？"她就走开了。

晚上睡觉时她说："你夹克口袋那两千块钱是我拿走了。"我这才记起院里发了两千块钱奖金。我说："你怎么知道我今天发钱了？"她说："我也不知道自己怎么就知道了。"我说："怪不得我一进门就站到我身边，你硬是有特异功能，闻得出钱的气味。"赵平平"嘻嘻"地笑，鼻子用力吸了几下说："我的鼻子有那么灵敏吗？我就是凭感觉。"我说："典型的见钱眼开。"她说："钱是生命之源，谁不见钱眼开？我想钱我不是为了我自己，我是为了我们这个家。"又说："我在网上搜了这一二十天，找到了一个很好的项目，要投资二十几万。"我说："怎么要这么多？"她说："人家那是有发明专利的。"

她告诉我，网上介绍了一种矫正青少年视力的新办法，有一种眼镜，每天戴一两个小时，就可以把视力矫正过来。她的计划是，把那套设备买了，在学校附近租一套房子，把表妹找来帮她守着。她到学生中去开发市场，收六千块钱一个人，发动别班的班主任拉学生进来，拉进来一个，给一千块。我听了好笑说："这也算高新技术？我读中学的时候就有了。我的同学还有几个交钱试了的，到头来都是一场空。"她说："这跟以前的不同，是新技术。"从被子里爬起来穿上衣服，又催我也穿好，两人坐到了电脑前。

这套新方法是中华护眼学会下属的亮尔公司推出的，在上面推荐的几个人都有教授身份。他们把矫正视力的物理和医学的原理演示得非常细致，并说已经有好几万中小学生因此摘下了眼镜，不信可以去问谁谁谁，公布了他们的手机号码。其中一个李教授说："诚信是我们的诺言，也是我们的生命，人在做，天在看，不欺人，不欺天，我们郑重承诺，无效全额退款。"又有几个中小学生出来谈这种矫视镜的特殊功效,他们因此收获了摘下眼镜的幸福。特别打动人的是一个中学女生,因为戴眼镜不漂亮,她非常苦恼,经矫正后摘下眼镜,真是幸福万分,眼泪都流下来了。女孩形象前后对比,确实是有极大的差异。

看了这个演示,连我都有点相信了。赵平平说:"通过每个班的班主任,把学生和家长组织过来看这个演示,他们还不是抢着报名?"我说:"我别的都不说,如果真有这么神奇,国家为什么不推广?"她说:"中华护眼学会不是国家吗?"我说:"明天我陪你去看眼科医生,挂个教授号,教授说行,你搞这个我不反对。六千块钱太暴利了点,你就三千,不然收着你怎么好意思?你是老师,教德育课呢。"她说:"我不,我要。"我说:"你是老师呢。"她说:"我就是不,我就是要。老师怎么了?老师不是人?"我说:"老师就要做一个更好的人,一个更纯粹的人。"她说:"老师纯粹就是一个人,好不?有的老师考试重点上课不讲,要学生晚上去她家补课,我还没做过这样的事。还有的看教师节家长送购物卡的大小来分配学生的座位,我也没做过这样的事。"我说:"有这么厚的脸皮?"她说:"这要很厚的脸皮吗?都是心照不宣的事,学校要查都没法查。"我说:"这些人到底是教书育人呢,还是害人?"她说:"她管那么多?钱趴在她口袋里,这是最真实的。"我说:"这样的老师多几个,会培养出怎样的学生?中国还会有前途?那是王八蛋,王八蛋!"她说:"你对我这么吼干什么?"又说:"王八蛋王八蛋,哪个王八蛋又吃了亏呢?吃亏的就是我这样的人。"

赵平平想钱想得太厉害了,我没办法说服她。我希望那种方法真的有那么神奇,能够矫正视力,那收学生六千虽然多了点,但有个这么好的结果,也算说得过去。从我的理智上来说,我不相信有这么神奇,真有这么神奇,早就风靡世界了,得诺贝尔奖了。可那些演示又叫你不能不信,有科学,有权威,有范例。真的有那么大的问题,怎么会被允许在网上推广?那么多眼科医生不会出来揭露吗?

这件事赵平平跟我讨论了几天，似乎已经再也不用讨论，剩下的唯一问题就是到哪里去筹那么多钱。赵平平每天跟那家总部在北京的公司电话联系，把我提出的问题也都提出来了，得到的答案也是天衣无缝的。比如她问，这么好的东西，为什么国家不推广？回答是，一项新技术，要完全成熟了国家才会推广。美国有几种抗癌的药、抗艾滋病的药，已经上市二十多年了，国家还没推广呢。等到国家推广的那一天，亮尔公司就是跟微软一样的，是世界性的企业了，赚钱也轮不到一般老百姓了。现在加入，每投入一万元加送一千股干股，将来就是公司的元老级股东，前景你自己去想吧，你怎么想都想不到那个辉煌是怎么样的一种辉煌。

　　赵平平听了这些话，兴奋得晚上都无法入眠，还要把我推醒，讨论将来有了那么多钱，该怎么花才好？她打算买别墅，买名车，买高档衣服，去埃及看斯芬克斯，送安安进贵族学校，然后留学美国。她说："上次报纸上说，才俊贵族学校的学生照班级照，人人都戴着墨镜，怕被人认出来遭绑架，只有老师是不用戴的。我真的好担心我安安哦，万一被别人绑架了怎么办？"我说："发神经呢。"她说："我发神经？这个前景你以为还用很久才会到来吗？"岳母娘都被她说动了，答应把养老的八万块钱拿出来。赵平平说："到明年这些钱就会翻几个跟头了。妈，你的钱我结婚你都没舍得都拿出来的，那我算你入股啊，你看着它们翻跟头吧。"

　　对这样美好的前景我还是不相信，理智告诉我，这是不可能的事情。可是我也还抱着希望，希望真有这么好的事情，那就没有什么风险，也没有什么对不起学生的。看着赵平平疯狂筹钱，筹足了就马上要去北京，我有点着急，我劝她慢慢来，可北京那边来电话说，仪器只剩下几十套了，可能下个月就没有了，这种高科技产品生产周期很长，下一批要等明年了。这让赵平平更加快了筹钱的节奏，说："到下一批我就当不成元老级股东了。你知道微软的原始股现在合多少钱一股？一万多！美元，美元呢，美美的呢。"嘴巴有滋有味地咂了几下："到那天我两万多股原始股，你算算多少钱呢！"她掐着指头算了一下："我算不清，太多了，手指头都不够用，一大堆，美元呢，这床上都摆不下呢，床都会压垮的！我要睡在钱上打几个滚！"

我不能跟着疯狂，我得冷静。我这样在心里对自己说了几十遍，就冷静了下来。天上的馅饼越大，就越不真实，也越不可能往自己怀里砸。我去市三医院挂了个眼科的教授号，对教授说，自己女儿读小学四年级，近视，她的班主任动员她交钱矫正视力。教授打量着我说："你女儿读四年级了？那你懂事懂得早啊。"我笑了一下说："大学刚毕业就奉子成婚了。"他说："你千万别听那个班主任的话，没有什么好心思，也可以说居心不良。你说的这件事，我这些年来耳朵都听起茧了，就不去关心了。我自己的儿子也近视，我也没办法，你说那个什么公司比我还厉害些吗？"我说："我女儿她会爱漂亮了，不肯戴眼镜，可不戴眼镜怎么看得清黑板？成绩都降下来了，急呢。"他说："告诉你一个办法，你告诉她，现在先戴几年眼镜，十八岁以后去动个手术，那是很靠谱的。"

回到家我把教授的话告诉了赵平平，她根本听不进去，说："人家嫉妒你发财呢。"劝说了她半天，她说："那我也得试一试，冲着那两万原始股我也要试一试，哪天上市了，我也发个财。你没听说过，有个人买了一千块钱的深发展的原始股，压在箱底十多年都忘记了，有一天偶然发现，膨胀到几十万了。"我说："我明天陪你去省人民医院，再问一个教授好不好？"

第二天我们去省人民医院，是个女教授。她听完赵平平的讲述就笑了，说："真还有这么天真的人？别人发财不自己发，还拉着你一起？天真！这种方法已经有二十年了，临时提高一点视力是可以的，一停马上就反弹，所以医学界从来不推荐。"赵平平急了，说了一大堆理由跟她辩论，女教授说："你觉得自己比我懂得还多，那你就去把这二十多万交了。"我说："我肯定听教授的吧！"女教授说："亮尔公司我听说过，去年在麓城一中门口就开了一家，现在撤掉了。没人上当了，他不撤？"

赵平平默默地跟我回家，快到家了，又说要去一中门口看看，亮尔的那家分店到底在不在。我陪她过去，在门口走了几个来回，没有找到。我说："撤掉了怎么找得到呢？"她去问报亭的大爷，有没有这一家门面。大爷说："怎么没有，亮尔，就在那里。"我们看过去是一家文具店。赵平平又去文具店问了，老板说："他们骗了一中学生好多钱呢，学生的家长来找麻烦，他们就跑掉了。我把这个门面顶下来，还收了我五万块钱的转让费。好厉害呢，吃骨头的人呢。"

回到家里赵平平几天没说这件事。北京那边来电话催问，她就跑到另外一间房去接。过了几天她说："这件事我还想搞成呢。"这太出乎我的意料。教授的话她听到了，垮掉的门面也看见了，还要搞，真不懂她怎么想的。我说："以前只听说搞传销的人被洗脑了，现在洗到我们家里来了？"她说："我一辈子就想做成一件事，你让我试一次。"我说："吃骨头的人都垮了，你比他还厉害些？"她说："我是老师，我有优势，学生家长会信任我。"我说："那你明知这个事是个成不了气候的事，到头来一场空的事，你怎么忍心去骗，骗，"觉得这个字太重了，我马上换了一个词，"忍心去哄，哄家长？将来怎么面对学生？"她说："不是会有效果吗？有效果我就交代了，我还保他们一辈子？"我说："那对学生也太不公平了。"她轻笑一声："公平？"又笑一声："公平？有谁对我公平呢？别人对我不公平，我为什么要对别人那么公平？我不是公平姐，你也不要扮演公平哥。"我说："别人对你不公平，不是你对别人不公平的理由。这个理由如果成立，人人都可以气壮如牛去杀人。"她说："没有觉得需要更多的理由，有效果这个理由就够了。没编的老师我当了十年了，谁给我一个公平？没有这个公平，我怎么能好好活着？一个人活在市场时代就是要好好活着，这是事情的本质。"我说："什么时代这都是事情的本质。可是一个人不能因为自己想好好活着，就不让别人好好活着，这也是事情的本质。"她说："我让谁不好好活着啦？他们最多就是输几千块钱，他们有钱，无所谓这点钱，他们的家长有钱呢，你不知道。"我说："有钱你也不能挖个坑让人家跳吧？你是老师呢，还教德育课呢，不好意思呢。"她说:"贪官在大会上做反贪报告都好意思,我为什么要那么不好意思?不好意思我什么事都做不成了。我要生存。"唉,生存是绝对命令,良知也是绝对命令,这两个"绝对"碰撞在一起,就必须回答哪个"绝对"更加绝对。我说:"下次你找别的事情做,我支持你。"她笑一笑说:"靠山吃山靠水吃水,靠着学生我不吃一吃,别的地方还轮得到我吃?"

讲不清道理,我就跟她讲风险。二十多万,只要打出去,就永远不会回头了。这个道理她也懂,可她还是想着那些原始股,有一天会发大财的,并以微软为例子来说明。我说:"全世界打开电脑都是微软的系统,那它不发财?你们亮尔在麓城就一家门店都垮了,你还想跟微软比?别听那些人的发财梦,那是洗脑。"

最后岳母也感到了风险,不同意投资了,赵平平就只好算了。算了之后又跟我说想做成一件事,一辈子才能心安。我说:"能不能想办法把编制搞到手呢?你一辈子把这件事搞成了就了不起了。"她说:"深圳一个女教师,十多年没编,最后跳楼了,结果几千人都解决了。唉,麓城怎么就没有一个人挺身而出,跳那么一跳?"

40

前年评上副教授,本来去年就可以带研究生了。等我的硕士导师资格批下来,已经到了五月,研究生复试已经搞完,名额也都分了,我就没有带。事后我有点郁闷,本应该提出来预留一个名额给我的,不好意思提,就错过了。会哭的孩子才有奶吃,这个道理我懂,也看到了太多的事例,可就是哭不出来。我还有一点清高,这清高是人格的守门员,守着那条底线。有时候我也问自己,守着这条底线究竟有什么意义?没有答案。如果一定要给自己一个答案,那就是心里它不愿去做那些不愿意做的事情。

　　今年蒙天舒通知我去参加面试，说："今年思想史专业是八个名额，童老板还是带三个，我和齐教授每人两个，你就带一个好了。"我说："有一个就行了，难道我还跟你老板抢名额？"面试那天童校长临时有事没有来，我们就从古代史那边请了两个教授来帮忙。

　　过了线参加复试的有十一个人，要淘汰三个。我去教研室，学生都等在那里了，别的老师还没过来。有个女生看着有点面熟，我问："是本校的吧？"她含糊地应了一声。我在名单上看了她的情况，是本校保送读研的。看到"唐巧雅"这个名字，我想起来了，是自己教过的。去年考完"王阳明思想研究"那门选修课，她给我打了电话，说自己毕业后准备去澳大利亚留学，那边成绩要求平均分八十五以上，她还差一点，希望我打分高一点，支持她申请奖学金。当时我问她是自费还是公费，她说自费，我就多给了她几分。谁知她竟然保研了，这让我有了上当了的感觉。她还打了电话给别的老师吗？在别处也骗了几分吗？每门课骗了几分，那是个什么概念？想到这件事我心里很来火，毫不客气地望着她。唐巧雅脸一下子就红了，低头不做声。

　　这时别的教授都来了，就开始面试。有个女生，刚做了自我介绍，蒙天舒就问了两个问题，她很流畅就回答了。我问她："荀子关于人性的最基本的观点是什么？"她竟回答不上来。齐教授又问："那孟子呢？"也回答不上来。齐教授的脸色有点难看，蒙天舒有点难堪地笑了笑。蒙天舒去年评上教授，今年的考试题就是他出的。齐教授说："这些最基本的问题你都不知道，你大学怎么读的？"他没说考研怎么过线的，已经是给蒙天舒面子了。另一个女生也是这样的情况。面试完，古代史两个教授打了分去了。我说："这两个女生恐怕要淘汰，不淘汰她又淘汰谁？"蒙天舒说，其中一个是童校长交代了要保的，另一个又是人事处肖处长的侄女，请我和齐教授笔下留情，分数打高一点，不然他不好交代。齐教授说："这一问三不知的，怎么培养？"蒙天舒说："培养就不辛苦你们了。"

齐教授给了一个中等的分数，我跟着他也给了一个中等的分数。这样做了我心里有些别扭，想着初试占了百分之六十的权重，复试还有外语的听力和口语，还有笔试，面试只占四分之一，我这点分又只占面试的五分之一，也影响不了什么，心里稍稍安了一点。

下午录取的结果在会议室公布，那两个女生果然被录取了。看来蒙天舒是把每一个环节都安排好了。研管办邓老师说："我们录取是本着公平公正的原则进行的，具体的分数贴在研管办门口，大家可以去看。"有几个被淘汰的女生当场就哭了。我看那几个哭脸的女生，好像不是我们专业的，感到了一点安慰。安慰之后又为被淘汰的那三个考生难过，谁都是准备了一两年来考的，谁都不容易。

散会后到教研室分配导师，八个考生有六个选了童校长，一个选了蒙天舒，就是肖处长的侄女，一个男生说都可以。没有人选我和齐教授。我无所谓，最后分给我一个就行。齐教授有点难堪，说："那我今年就不带了，反正就这么个素质。"蒙天舒说："那怎么行？"又对考生说："选导师是双向选择，不是每个人都能够按自己的想法选的。"就点了两个考生的名到齐教授名下，把那个说"都可以"的男生分给了我。有些教授带研究生都想带有资源的，这样的好事轮不到我。据说管理学院的梁院长每年亲自分配硕士、博士，把那些来读博的处长、副厅长，还有公司经理，都分到自己名下。

有两个女生长得很漂亮，我本想着能够带上其中一个就好，结果被蒙天舒留给自己和童校长了，说是早就有联系的。这也算是资源，也是一条潜规则。这让我明白，你想到的好事，别人也会想到的，养眼这点好处，也要依着话语权的大小来分配。我不明白齐教授怎么也不说一句话，蒙天舒是院长助理，可是你资格老啊！

分到我名下的那个男生叫张一鹏，去年毕业考研没考上。毕业后他没去找工作，在学校周边租了房子复习一年。我把他留在教研室，说："今天的复试你其实有点悬，因为是本校毕业的，老师都手下留情了。除了教材，你到底读过几本书没有？"他笑着说："那些书又不考，我读它们干什么呢？"我说："太功利主义了。"就给他开了书单，有十多本书，说："离开学还有半年，你就把这几本书读好，写五万字的读书笔记。"他舌头伸出来停在那里，说："五万字啊？"好像是个天文数字。我说："算下来一天三四百字，很多吗？实在没有感想，你把书中的好段落抄几百字也行。这点书都不读，你搞什么学问？你没有搞学问的心思，你考研干什么？"

九月份开学，我问张一鹏要读书笔记。他畏畏缩缩在包里掏出一个本子递给我。我翻了翻说："这才几个字？我布置的是五万字。"他说："老板，事情太多了。"告诉我兼了北京一家什么报纸驻麓城记者站的记者。我马上说："你考了研就认真读书，那些不三不四的小报，你不要去掺和。"他告诉我是一家搜集商业信息的报纸，又说："老板，我得给自己谋点生活费呢。这么大了，又是男的，怎么好意思老是啃老？"我说："老师就是老师，什么老板！"他说："知道了，老板。"打自己嘴一下，笑了。到第二个学期，他找了我说，自己组建了一个学生社团，叫文化促进社，希望我当顾问。我说："怎么就不能安心读几天书？"还是同意了。本来我想招个老老实实搞学问的人，看他不是那块料，也就算了。

我有个表妹在女子大学家政系读书，这天她来麓城师大，说："刚知道你还是我们的文化顾问呢。"我这才知道张一鹏把文化促进社推广到其他大学去了，表妹是代表女子大学来开会的，商量明天去机场迎接香港歌星刘德华的事。我说："这也是文化？你们就促进这些？"她说："麓城的音乐盛会呢，几万人的场面，这不是文化那还有什么才是文化？读几本死书，那是过去的文化。"我说："这些话是张一鹏教给你的吗？看我不把他的鼻子刮出血来。"她赶紧说："我无师自通呢。"

表妹的梦想就是嫁个有钱人。春节在家里练习淑女造型，头顶几本书，手端一杯茶，立在那里半个小时不动。前不久说要去与一个扬州在麓城做生意的商人相亲，打电话来问我扬州的市花是什么花，什么颜色，瘦西湖又有怎样的历史等等。第二天去见面，那些关于扬州的问题她回答得太流畅了，引起了对方的疑心，问她琼花有几瓣？瘦西湖到底有多瘦？都说不上来。对方知道她对扬州的感情和向往都是刻意为之，很不高兴地走了。

第二天我看电视台的新闻，看到了粉丝团去机场接机，张一鹏代表麓城的粉丝团致辞，又看到表妹在献花时过于激动，突然晕倒了。记者很煽情地描述了这一场面。我马上打电话给表妹，问她身体怎样？她哈哈笑说："那是表演呢，怎么你也信？"才知道很多歌星来了，都是他们去机场接机，献花和晕倒的人是轮着来的。这事由演唱会的组织者出车出钱，是最好的广告，所以记者那也不能白跑那一趟。我说："那你们到底是谁的粉丝？"她又哈哈大笑说："那大概应该是钱的粉丝吧。"我说："你这样笑，就不是淑女的笑法。"她又哈哈大笑说："我在别人那里演淑女，在你这也要演吗？"我说："你能不能老老实实读几天书？这样演演演的能演一辈子吗？"她说："这就是我的专业啊！再说演演演的演一辈子的人多了去了，我怎么就不能演演演的演一辈子？"又哈哈哈地笑了。

又过了一段时间，张一鹏找到我说："老板，想不想有点收获？"我说："什么收获？"他迟疑了一下说："就是收一点东西进来。"说着双手往怀中拢了拢："收点东西。"我更奇怪了问："到底是什么东西？"他说："就是那个……那个……钱。"我笑了说："你收获钱，帮我？"他说："那也不一定就不能帮。"

他告诉我，他们的公司，也就是北京的那家信息报，正在搞内部集资，准备做一笔买卖。他分到了份额，想帮我赚点钱。他说："这点钱我在别人那里肯定也找得到，但赚头就是别人的了，我就是想帮老板赚点钱。"我说："外面骗子打堆，你最好不要做这样的事，还是踏踏实实的好。"他说："老板你看，如今谁是踏踏实实成功的呢？"又说："我如果没有百分之一千的把握，我也不会到老板这里来揽这个事吧！"我问他是什么生意，他说："那是公司的商业秘密。"我听他说"商业秘密"几个字，忍不住笑了，说："回去商量一下。"又说："以后不要叫老板，老师就是老师。"

回去把这件事忘了。晚上睡下了，张一鹏打电话来问，说："要搞就是这两天，机会真的难得。我怎么会拿老板的钱开玩笑？"我说："再商量一下。"就挂了机。赵平平在蒙眬中惊醒了，坐起来说："哪个老板的钱？有什么机会？"我说："睡吧，睡吧，都是扯谈的事。"她说："到底是什么钱？有什么机会？"我笑了说："平时叫都叫不醒，要赶着去上课了还说，再睡五分钟，再睡五分钟，一听钱耳朵就比针尖还尖些，精神也上来了，简直是神经。"还是把事情告诉了她。她说："你把这个学生的电话告诉我。"就把号码存到了手机里。熄灯睡下后又摸到手机，找到了个号码，微光中看了看我，又收起来："算了，明天再说。"如此反复几次。我说："哪里来的这么好的精神？神经。"她说："我不是神经怎么会有这么好的精神？"

那几天家里的气氛有点诡异。赵平平跟她妈说着什么，看我过来了，马上就转到另一话题。见我奇怪地望着她，就推我说："让我们女人说几句女人的话行不行？"过几天我见了张一鹏，忽然记起了那件事，就问："我们家的给你打电话没有？"他说："打了。"我说："真的打了？"他说："打了……两万。"伸出两个指头："两万。"我说："能够保本就是好事，实在亏了，你跟我说，别跟她说。"他答应了，说："老板的钱我不会拿去冒风险的，老板娘的钱就更不会了。"我看他说得那么有把握，安心了点，说："牛皮会吹破的啊！"

过了一段时间，张一鹏到教研室来找我，说："老板……老师，省经视台想请您去搞个讲座。"我有点意外说："请我？讲什么？"他说："当然是文化方面，有讲课费的，三千。"我说："那好啊，哪方面的文化？最好由我来定个题目，我想讲讲王阳明的知行合一。"他说："题目那边定好了，想请您讲讲绿豆文化。"我笑了说："绿豆有什么文化？那芝麻呢？还有红豆黄豆青豆呢？"他说："绿豆跟它们还是不同吧，绿豆养生呢。"我说："这个我可不会讲，我没研究过绿豆。"他说："一定请老师出山啊！古今中外关于绿豆有那么多描述，收拢收拢就可以讲一堂好课了。"我犹豫了一下，想着绿豆也不是个什么坏东西，还有三千块钱，就说："那我去找找资料，看能不能讲。"他马上说："我帮着老师到古书里去找找，再上网找找。"

接受了这个任务我心里有点别扭，现在什么都是文化，茶文化还说得过去，竹文化有点牵强，绿豆文化就太矫情了。我在院资料室翻找了两天，连《黄帝内经》和《本草纲目》都翻到了，没有找到几条支撑材料。心里觉得这个讲座怕是搞不成，这几条材料怎么支撑一种文化？

这时张一鹏给我送来了一叠材料，我翻看了一下说："我都没找到，你怎么找到的？"他说："请公司的人找的，要知道我们是信息公司。"我说："那我还得一条条核实，可不能闹出笑话。"看到有些材料是现在的人写的，其中好几条来自一本叫《病是吃出来的，也能吃回去》的书，又说："有些人说的话，我就不讲了，没权威性，更没文化。"

准备了一个星期，把绿豆往文化上生拉硬扯，写出一篇六千字的稿子，要张一鹏拿给经视台的人看。张一鹏翻看一下说："写得太好了，把绿豆的文化品味写出来了。"把电子稿发到经视台去了。

去经视台讲了，领了三千块钱。钱是张一鹏在回家路上给我的。我说："他们怎么不要我签个收？"他说："没要你签你就别签。"我有点怀疑这钱是他们公司给的，那我今天的讲座不就有点广告的意味吗？给绿豆做广告？怎么可能？我心里惴惴的，没有问，真问出一个结果，反而难堪。过几天讲座播出来，院里好些老师都看到了，调侃我说："从此绿豆文化硬是一种文化了，绿豆文化这个命名的专利权就硬是聂教授的了。"我有点心虚说："是他们硬要我去讲的。"幸而没人追问"他们"到底是谁。

过了两个月，我跟赵平平去逛超市，忽然想起绿豆，就跑过去看了一下，发现绿豆已经涨到十一块钱一斤，大吃一惊，我写那个稿子的时候特地留意了一下，还是四块多呢，难道是因为我的讲座推上来的？那一段时间我跟任何人都不敢提"绿豆"两个字，心里惭愧得很。

又过了两个月，赵平平说："打给你那个学生的钱打回来了。"我说："亏了没有？"她说："赚了。"我说："赚了多少？"她说："百分之七八十。"我想，那不是赚了一万多吗？哪有这么容易赚的钱？下次见到张一鹏，我说："你给老师家属的钱是不是真赚来的？你可别打肿脸充胖子，这个胖子充不得。"他说："不是赚来的，我想充也充不起来呢。"吞吞吐吐一会又说："老板，其实老板娘另外还给了我一些钱，我这次连利润一起打给她了。"我吃惊说："那她还另外给了你多少？"他说："老板娘不让我说的。"我说："你偷偷告诉我，我不告诉她。"他说："十万。"我心里飞快算了一下，十二万，百分之七八十，那就将近十万块钱了。我的天啊，我两三年的工资！我说："做什么生意能这么赚钱呢？"我马上想到了绿豆，生怕从他口里说了出来，又说："这风险其实是很大的，下次可不敢再冒险！"

　　抱着强烈的好奇心，我到超市去看绿豆的价格，想着恐怕涨到十五块钱一斤了吧！一看吓了一跳，只有五块钱一斤。仔细一想，跌才是对的，钱到我口袋来了，那货就到市场上去了，怎么会不跌呢？那段时间我最怕别人讲"绿豆"两个字，自己想想都会心跳，感到羞愧。难怪有人说，没有良心吃饱饭。有次有个同事说："你那个绿豆现在又跌回来了。"我说："我不是故意的啊！"马上意识到这个话说得太蠢，又说："我讲了什么跟它的价格没有关系，我只得了一点讲课费。"他望着我微微地笑，这样的笑让我心里发虚。唉，别人也不傻，看得清其中的关系。我挣扎着笑一笑说："我是不是被电视台的人利用了？"这话还是不对，事情不对，怎么说都不对。看着赵平平整天高兴得要飞天，我发脾气说："爽爽爽，你爽什么？有那么爽吗？"她吃惊地望着我，说："哪来这么好的精神？怕是真的有神经吧？"

　　那几天学院组织教工党员为贫困学生捐款。我把这事给赵平平说了，又说："要不我们也给学生捐点，反正是河里漂来的钱。"她研究地望着我，好一会说："我知道张一鹏会告诉你的，他怎么忍得住？"我说："你假想漂过来的钱没那么多，就想通了。"她说："钱到了我的手里，你知道的，就缝到肉里面去了，拿出来肯定是要动手术。再说钱也不是我一个人赚的，我哪有那么多本钱？大部分是我妈妈的。我的学区房还差一大截呢！"

这让我想起早几个星期，赵平平叫我过去看电视，正在播麓城教育局长的谈话。今年麓城有三万多小学生毕业。其中两万多是微机派位分配中学，而另外五千多是直升。局长说："现在要做到绝对公平，那也是困难的。"赵平平说："我问你，将来我们安安可以划到直升的圈子里去吗？"我说："那不敢保证。"她说："那安安只有参加微机派位的命？你能接受这个事实吗？我是绝对不能接受的。要逃脱这个命运，就要在五大名校边买一套带入学指标的学区房。这关系到安安一辈子的前途和幸福，不是开玩笑的事！"我觉得这个事真还是个事，到哪里去筹钱呢？我没办法。赵平平说："这件事那没办法也得有办法。我自己没有自己想要的生活，你说没办法，那也就算了。"我说："说不定我们安安就抽到一个好签呢。"她说："那五千有来头的人把好学校的坑都给蹲了，还能剩下几个坑给平头老百姓家的子女蹲？这个梦我是不敢做的。计算机它认识人，你相信吗？它会认识你聂致远吗？"这让我觉得麓城教育局实在是太可耻了，竟公开依据不同的家庭背景，把这么小的孩子分成了不同的等级。赵平平说："实在买不起学区房，那也要准备一笔钱，过两年安安上小学了，让她去读社会上的那几个培训学校，天价啊！读了那几个学校，就有可能通过那几大名校的考试特招进去。你想通过正常的学习考进去，那是不可能的。学校考的偏题怪题，只有在培训学校才学得到，不然谁会去读？那么贵！培训学校的老师说自己会押题，年年押中，你说他们是神仙吗？"我说："那些名校真的有这么可鄙吗？"她说："那你说呢？难道你还想把头埋在沙中不看真实的世界？"

想到这些，我犹豫了一会说："那还是应该捐一点。"赵平平说："你想捐多少？"我说："拿个五分之一怎么样？"我没有直接说两万。她身子倏地往后一缩说："怕真的有神经吧！"又说："你先去问书记、院长捐了多少，他们捐了三万，你就捐两万，否则你就是不讲政治。你要记得你自己是谁。"想一想这真的是个问题，他们捐五百，我捐两万，我不是把他们搁火上烤吗？我打电话问院党委组织委员，捐款名单是不是要公布？他说，当然要公布。我说："那我捐四百吧。"赵平平都知道要讲政治，我不能不讲，不然我就真的是"神经"了。

41

蒙天舒打电话来说："致远，什么时候大家聚聚？"我说："好啊，有什么主题没有？"他说："聚聚就是主题。"我说："你评了教授，还没请过客的呢。"

回家我对赵平平说："明天晚上蒙天舒在湘鄂情请我吃饭，就不回来吃饭了。"赵平平说："湘鄂情啊，麓城最高档酒家呢！他肯定是公款吧，肯定还有件什么事吧？"我说："他说就是聚聚。"她说："他请你到湘鄂情去聚聚？是要你去陪客吧！"

第二天蒙天舒又来电话说，下午五点半开车到校门口接我。我说："干脆就到学院来吧，我正好在学院。"他说："就请了你们几个人，请的请，不请的不请，那样不好。"我想想也是这个道理。去等车的时候，还有两个老师等在那里，互相交换了一个询问的眼神，都微微一笑。到了湘鄂情门口，感到这个酒家确实高档，门口立着的四位迎宾小姐气质都不一般，是少见的美女。

进了包厢看见里面有好几个人，都是院里的年轻老师，金书记也在。几个人为谁坐哪个位子推让了半天，金书记就坐在中间那个买单的位子上，那是定位的焦点。都落座了，陶教授说："先问清楚今天买单是公款还是私款，是公款我就嘴巴一抹，等于没吃。"金书记说："我们学院你不知道？我不是书记又不是院长，我有买单权？还没到有那份权力的年龄呢。"蒙天舒说："年轻人太没有话语权了。你看我们在座的兄弟，什么事不为难？我们的难处没人放在心上，还是要我们自己放在心上才行。"小彭说："是的呢，一个副高，都报三年了，找谁到学校帮着说句话！"蒙天舒说："我是想说的啊，可我能说得上话吗？有说得上话的那一天，我自然会拼了命帮咱年轻兄弟说，不要交代！"金书记说："那也不是一点都不要交代，他总要告诉你他今年报了吧！"蒙天舒说："那就交代一句。"金书记说："评职称的事，院里主要是院长把关，书记也还说得上话，副书记吧，"手指头在额头上一点，"那就不好过问了。"

我体会着今天的晚宴还是有个主题，不然也不可能到这么高档的地方来。我说："今天到湘鄂情来了，到底有个主题没有？"金书记说："没有主题就不能请大家喝杯小酒？"又把服务小妹叫过来斟酒："一定要有主题，那就是兄弟情谊！"蒙天舒说："主题就是我们年轻兄弟干一杯，来，干一杯！"金书记说："蒙天舒你不要一口一个年轻人，排斥我这个四十多岁的老人！"陶教授说："我四十多还可以申请国家青年项目呢。连国家都说你是年轻人，前程还且有得奔呢！"金书记说："说到前程我要叹一口气！我研究生毕业在学校接待科工作，还是有机会在领导面前晃晃的，想着搞接待天天陪别人喝酒有什么意思？还是跟学生打交道有朝气点，就回到历史学院来了，领导再也看不见你了。走错了这步棋呢。"

喝着酒气氛活跃了，七嘴八舌乱说，都是牢骚。小彭说："麓城师大评职称的条件一年年高上来，我哪年哪月能评上个副高就宽心了。如果到退休那天，领导发慈悲搞个正高评退，那就是祖坟开光了。"蒙天舒说："没有那么悲观，那要看有人帮你说话没有。你说完全看条件，不看关系，那也是假的。一定要有人帮咱们年轻人说话才行呢！"陶教授说："我们不像你有个好老板。"金书记说："那主要还看他自己。"蒙天舒说："我职称上先走一步了，那还得努力呢。政治生命没有什么想法，学术生命还得延续，是不？"他这话让我有心跳的感觉，一个教师居然说出"政治生命"这几个字，原来他是这样来思考的，这让我非常意外。虽然是随口说的，那也是放在心中反复思量过的。说没想法，其实是太有想法了。

蒙天舒时不时掏出手机来看看，不知道他是看信息还是看时间。别人都喝着酒没有注意，我没怎么喝酒，就看到了。反复几次之后，他发出了一条信息，还没有一分钟，就有电话打进来了。他掏出手机看看说："老板打来的。"站起来接电话。他说的是家乡话，我们一句都听不懂。金书记就在旁边翻译说："童校长问哪几个人在场，致远、陶贤……他都说了。又问我们是不是搞活动。"蒙天舒说着话不停地点头弯腰，鸡啄米似的。打完电话，蒙天舒挨个指点着大家说："童校长向你、你、你……问好，名字一个个都说到了。你们听不懂我们朔阴土话，自己的名字还是听得出吧。"我说："只听到你说，没听见校长说。"蒙天舒说："我说一个，校长就重复一个，都知道了。"陶教授说："校长又不在这里，你捧着手机说话那么礼貌干什么？"大家都笑了，蒙天舒说："我有那么礼貌吗？对自己的老板肯定要礼貌点吧！"

酒喝到快十点钟，服务小姐催了几次才散。结账是三千多块钱，还不算带来的两瓶五粮液。我吃惊说："太贵了，这湘鄂情。"金书记付了钱说："贵不贵要看谁享受了，年轻弟兄们享受了就不贵。"陶教授说："我说那么漂亮的女孩怎么跑来当迎宾小姐，原来笑一笑都是要付费的，几十块钱一笑。"

过几天我在学院的楼道里碰见了齐教授，打过招呼就过去了。刚过去他停下来说："致远，问你个事看看。"我停下来等他问，他说："我们到那边去说。"我跟他到了楼道尽头，他说："这几天有人请你吃饭没有？"我惊异地望着他说："你怎么知道？"他说："也请了我呢。"告诉我金书记和蒙天舒前天请他的客了，还有谁谁谁，一桌人。我说："是不是有点什么事？"他说："我也觉得，但没人说起。金书记说，人到中年，中年的兄弟聚聚。"我忽然想起说："吃饭的时候，是不是童校长打电话过来了，向每个人问好？"他吃惊说："是啊，你怎么知道？"我说："我们吃饭的时候也打了呢。"他说："那肯定有件什么事了。"又说："这几天没人找你谈话吗？"我说："没有啊。"他说："刘书记找我谈话了，我看两个书记有点摊牌的意思了。"我问他刘书记说了些什么，他笑了笑说："这个我就不能说了，我答应了不说的。"又说："我看刘书记危险，金书记他一个副书记，他没有把握他怎么会出招？"我说："我们是观众，观众的心态是轻松的。"他又笑了说："观众怕也会要在台上客串一下，不然谁那么惦记着你，请你坐上席？"

果然下午刘书记就打电话把我叫到他办公室，坐下了他说："今年冬天特别冷。"我说："今年夏天热爆记录了，今年冬天好像还没冷爆。"他说："小聂啊，工作生活有什么困难没有？"我说："就是学校评职称的条件太高了，以前发论文，只要努力写好，总可以发出去。现在可不是那么回事了，跟论文写得怎么样，也不能说没关系，名家的文章，顶天立地的文章，编辑还是喜欢的，但对一般老师来说，可以说基本没有关系。"刘书记叹息说："是啊，谁都不容易，不容易！以前对你们青年教师关心不够，以后要多多关心！评职称的条件，要向学校反映，不能把理科的标准往文科头上罩。"

我点头应着，等他说实质性问题。他说："最近听到什么消息没有？"我摇摇头说："真有什么消息，我肯定是最后一个知道。"他说："给你透露一点，院里的领导班子最近可能会有点变化。"我点头应着，不说话。他说："在这个关键时刻，有人搞非组织的小动作，这个你了解吧？"我说："我真的不了解。"他说："前几天不是有人请你们的客了吗？"我说："请了，也没说什么特别的话。"他说："你觉得这正常吗？"不等我回答又说："不正常，很不正常，非常不正常！我已经向校党委彭书记汇报了，他也说很不正常。为什么不早不晚，正好是这个时候？为什么到那么高档的地方去请？为什么只请部分老师？时间有问题，地点有问题，人也有问题。这跟贿选有什么区别？"他这样说让我心里很别扭，难道我去吃餐饭就是受贿？他说："我五十多岁了，也没有任何别的想法了，唯一的想法就是把学院搞上去，上一个台阶。这要靠你，还有你们的支持。如果让想法很多的人有了机会，学院的安定团结就没有了，和谐的氛围也没有了。"他望着我，是催我表态的意思。我说："是的，是的。"他和蔼地笑笑说："是真的吗？"我说："是的，是的，真的是的。"他站起来跟我握手说："那一言为定！"

院办公室通知参加全院大会，党委组织部来人考察选聘干部。在会议室门口我还跟陶教授嘻嘻哈哈说笑，进去觉得气氛有些凝重，就赶快收了笑，找个位置坐好。王部长讲了考察的意义，讲到年轻化，使历史学院领导班子后继有人，我去看刘书记的脸色，有些沉郁。谢副部长讲了竞岗的条件，讲到年龄一条，陶教授堵在我耳边说："龚院长怕是没戏了，刚好超龄两个月。"我说："那是为他量身订造的。"接下来是对现任领导班子进行评价投票，我在"优秀"那一栏都打了钩。王部长又宣布了院领导班子换届，每个教职工都可以根据自己的情况报岗，有意报岗的会后领表。陶教授说："致远你也报个副院长当当不？"我说："你不在人家盘子里，你自讨没趣？"散了会我坐在那里跟陶教授说话，斜了眼去看有谁去领报岗的表。刘书记、金书记和蒙天舒去了，还有几个意料之中的人也去了。龚院长跟王部长招呼都没打一个，就离开了。意外的是韩教授也去领了表，我有点诧异，他五十多岁了，又是个老好人，见谁都亮出嗓门哈哈大笑，他又给自己定位个什么角色呢？难道刚才王部长说"年轻化"，他没听懂？我嘴角撇一撇，望陶教授一眼。他笑笑说："人家那也不会乱来吧。"我心里一惊说："难道他报院长？想想院里博士教授一大堆，要选个院长，那真的不容易啊！"

过了几天，报岗的情况出来了，第一个震撼是韩教授报的是院长，而且只有他一个人报了这个岗。更大的震撼是刘书记和金书记同时报了院党委书记的岗。共事这么多年，从来没有听说有什么矛盾，突然就拔刀相见了。还有意料之中的，蒙天舒和几个年轻老师报了副院长。那段时间，学院公开场合没有人议论这种事，几个老师私下凑到一起谈起来却很有兴致。院长的位置，既然只有韩教授一个人报岗，那就是只有他一个人接到了旨意，没有接到旨意，谁也不会去现这个丑。书记的位置，既然金书记敢下战书，那他也是接到了旨意，否则也不能有这样的勇气。至于蒙天舒，那几乎就是水到渠成的事，人家当院长助理，不算院务会成员，不享受职务津贴，都委屈这么多年了，也该给他一个机会了。

王部长带了几个人来院里，举行了民意测评。测评表发下来，我在刘书记、金书记的名下犹豫了好久，本能地还是想给刘书记画圈。他五十多岁了，把他挤走了，要他到哪里去？又想到那天金书记请客，一口一个"兄弟"，关键时刻不挺一下，那就是对不起"兄弟"。我问陶教授准备填谁，他说："还没想好。"又说："填谁不填谁，跟去没去吃饭，那没有关系。"我说："那是的。"这样我在刘书记名下画了个圈，也没在蒙天舒名下画圈，画给另外两个人了。画圈的时候我用手遮掩着，不让旁边的老师看见，交到组织部的人手中，我心中就坦然了。金书记和蒙天舒那里都有点歉疚，可他们上去了，韩教授打哈哈，学院的实权就在他们手中了，历史学院就会更加江湖，个人情谊和意愿决定一切。我觉得自己是正确的，虽然这对最后的结果一点作用都没有。

民意测评的结果，谁都不知道。半个月后，学校在网上公示了，金书记、韩教授和蒙天舒都如了愿。又过了半个月，党委孟书记带王部长来宣读了新的院领导班子的任免。刘书记调到图书馆当书记。孟书记对他和龚院长这几年在学院的工作大力赞扬，这赞扬有点像给不肯上学的孩子的一个安慰：上学回来就会给他买个气球。这次调整班子，来来回回多次征求了全院教职工的意见，可谁都知道结果是早就定好了的。我想最感欣慰的可能是童校长，为了这一天，他应该在心里都筹划很多年了。

42

从我十八岁进大学的那一天起，就管蒙天舒叫"天舒"，已经叫了十八年了。现在他当了副院长，这叫法似乎就成了一个问题。

那天我去院行政办，蒙天舒在看一份什么文件。我打招呼叫了一声"天舒"，他似乎没听见，我再提高嗓音叫一声，他"嗯"了一声，眼睛并没离开电脑。我有点难堪，拿起一份报纸坐到沙发上去看。这时教务办小陈进来，叫了一声"蒙院长"。蒙天舒马上转过头来，望着小陈，站了起来笑眯眯地说："有什么事找我？"小陈说："没事就不能叫蒙院长一声？"蒙天舒又坐下去说："我以为你有事呢。"我这才意识到，刚才他不理我，是不是我叫错了？我有点不相信，他真的那么把这当回事吗？下次在路上碰见他，我还是叫"天舒"。他笑着应了，过来跟我说话。这让我觉得自己是不是太敏感了，人家并没那么小心眼呢。

于是我还是坦然地叫他"天舒"，可这坦然让我并不坦然。后来我总结出来了，在没有别人在场的时候，叫"天舒"是可以的，但有别人在场，就一定要叫"蒙院长"，否则他最多有气无力地从喉咙中挤出一个"嗯"来，像一个断粮几天的病人。我也不知道他这样是一种本能呢，还是有意识地选择。这样在旁边有人的时候，我干脆就不叫他。要我也去叫他"蒙院长"，那我真的是发癫了。

十月八日是学校九十周年的校庆日。大学班上的同学知道蒙天舒当了副院长，都打电话给他，要他组织一下聚会。蒙天舒打电话给我说，那天自己要去帮学校接待重要校友，班上的同学要我去陪一下。我说好的，反正是要见见老同学的。

约好了九点在学院门口集合，八点半钟我就去那里等，到九点钟来了十来个同学，好几个本来说来的，临时有事又不来了。凌子豪前几年辞了中学教职，跟人合伙到平州去开锌矿，这次校庆他还给学院捐了十万块钱。他开一部雷克萨斯越野过来，下了车见到我说："学院没来人呀？"我忽然想到他是捐了一大笔钱的，学院领导怎么也应该出面接待一下。又想着，老子就不是学院的人吗？我马上发了一条信息给金书记，金书记回信说，自己在会场来不了，要蒙天舒来一下。一会蒙天舒开车来了，满头大汗冲出来，直奔凌子豪，跟他握手。凌子豪懒洋洋地握手说："学院怎么不来个人呢。"我忙说："天舒现在是副院长了，管科研的。"凌子豪说："他是同学！"蒙天舒说："学校那边接待任务重，我们处干都调到那边去跑腿。"许小花说："想不到天舒年纪轻轻就当处级干部了！前面的光景那还大得很呢。"蒙天舒说："麓城师大最年轻的处干呢。"凌子豪说："你们处干也要讲点人文精神，不要只盯着那几个大款、大人物，我们小人物，你们处干也用眼角的余光扫一眼。"蒙天舒说："这不是专门来看你吗？看你呢！金书记他们实在走不开。"许小花说："凌老板还给你们捐了十万呢，我们这普通中学老师，余光都没人扫一扫了。"

大家坐车去会场。数一数有十二个人。凌子豪说："几个人上天舒的车，其他人到我车上挤一下算了，我的车空间有那么大。"许小花说："那还是不要超载，我也开了一辆破车来了，我带两个人过去。"指了指近处的一辆车。我一看是沃尔沃，说："小花你都开沃尔沃了？"她说："国产的，土鳖，"指指凌子豪的车，"那才是原装的洋鳖。"我说："哪辆贵啊？"大家都笑。许小花说："他那个抵我两个还不止呢！"另一个人说："等会还回不回这里？不回我那辆不像样子的车也开过去算了，也是土鳖。"看一看是一辆崭新的丰田。我说："同志们都进步了，进步了！"在会场外停了车，蒙天舒说："学校给我们处干都安排了任务，我还得去那边应付一下，致远陪大家到处看看，中午看致远怎么安排一下，我来买单。"匆匆去了。

会场在校体育场。进了会场我们找一处台阶坐下，校党委彭书记已经在讲话。大家看着坐在主席台的人，是校领导和知名的校友，其中包括院士、企业家、省部级领导。凌子豪说："不知要捐多少钱才能坐上主席台，下次一百周年的时候，我也来试一下。"许小花说："麓城师大毕竟是师大吧，也搞个优秀中学老师台上坐坐，给我们这些人一点可怜的安慰吧！"她又注意到主席台上没有童校长，说："我们学院好不容易有个人在上面坐坐，怎么没有见人呢？"有眼尖的仔细看了说："那个空着的座位，台签就是童校长，怎么就空在那里呢？"过了一会凌子豪说："太阳晒死人，我请你们洗脚按摩去吧！"有人提议去院里看看。走出会场，有学生在门口发中午领盒饭的餐票。许小花数了人数，准备去领，被凌子豪拦住了说："同学几个多少年没见面了，吃盒饭？中午我来安排。吃过饭我们洗脚按摩去。"我说："中午天舒已经安排了呢。"

　　院里的教室都开门了，大家聚在电风扇下说话。凌子豪说："学院搞了这么多年，教室里空调都没有，院长怎么当的？过几天我喊人每间教室安一台，五匹的。"大家把当年的事情都拿出来说，谁暗恋谁了，谁想当班长没当上了，谁的袜子把整个寝室臭翻了，还有谁考试抄了谁的试卷。说到当年有八个男生把佟薇薇当作梦中情人，大家都很兴奋，伸出手指比划着说："谁都知道我们班有'八老'啊！"又把"八老"一个个算出来，算来算去竟算出了"十老"。我期待有人提到蒙天舒考试抄我试卷的事，但没有人提及，这让我有点失落。又说到现在谁当官了，谁发财了，在北京都有几套房了，谁还在县城当中学老师，同学聚会都不好意思来。许小花说，谁谁谁，还有谁谁谁本来要来的，听说凌子豪要来，吓得都不敢来了。凌子豪说："臭钱我有两个，敢在老同学面前摆款？"许小花说："谁说过同学聚会是阔同学与阔同学聚会，我们是厚着脸皮来的。"有人说："小花你当中学老师开沃尔沃，你没做小三吧？"许小花说："我崽都上小学了，做小三你老公要不？"旁边一个女同学悄悄告诉我，许小花的老公在家里开班补课，赚了钱呢。

　　有个女同学拿出手机到窗前去打电话，口口声声"崽吔，崽吔"，回来都快哭了。问她为什么。她说："刚跟我家点点通了话，他在那边哭呢，想我了呢。"许小花说："你崽不是读五年级了吗？想你呢，哭呢，卖萌吧。"

问了才知道点点是她家的那条蝴蝶犬。我说："我们同学这么多年，还没有谁让你想起要哭呢。"她说："我跟点点朝夕相处呢。"许小花说："我们当年不是朝夕相处吗？"又说过几天去丽江玩几天，一个人去。我说："那是个浪漫的地方，手机摇一摇，就能摇出故事。一个人去要小心，还是一个人回来。"凌子豪哈哈大笑，说："不能有夹带！"

许小花又从包里拿出毕业照，大家一个个点着名字，点评他们的前世今生。忽然大家都沉默了。好一会一个同学盯着照片说："想不到这一晃就十多年了呢，人到中年了呢。再晃两晃，就喊要退休了。"许小花说："再过三十年我们见面，凌子豪都死了三年了。"凌子豪说："在时间的羽翼之下，我们都是尘埃。"许小花说："当年的诗人回来了。"我说："凌子豪当年开口齐天意识，闭口超天意识，我们都觉得自己俗得不敢开口。现在张口就是洗脚，闭口就是按摩，怎么境界掉了这么多？"凌子豪说："这叫接地气！人生就这几年，禁不起晃晃。前面有什么呢？除了钱就是寂灭，想来想去，想去想来，最后的一句话就是，把每一天当作人生的最后一天来过。还能怎么样？谁挡得住时间？"伸出双手，两根食指指着我："你挡得住吗？"又指着老照片："谁想回到当年他回得去？等会吃了饭请大家洗脚按摩。"一致通过。

在凌子豪的指点下，我们开车到了附近最好的酒家冰火楼。坐下来我想：蒙天舒要我安排一下，这个场面，我口袋里一千多块钱够不够呢？就有点紧张，给蒙天舒发了信息。楼面经理来了，是个漂亮女孩，见了凌子豪很熟，说："外公来了！"我说："他有那么老吗？"她说："外公，外公，就是外面的老公。"凌子豪说："你这么年纪轻轻就有内公了吗？"经理说："可能明年就有内公了。"许小花指着凌子豪说："那他该叫你外婆，外婆，外婆，外面的老婆。"经理说："外婆外婆，好难听哦！"又给我们每人一张名片，盯着我们一个个把她的手机号输入手机，说："以后用餐千万记得我们冰火楼，更要记得冰火楼有个小张，来之前一定要先跟小张打电话，不要自己就这么来了。小张一个月有十万块钱的业务量呢！"凌子豪点菜，说："先来一个一不怕苦，二不怕死。"小张就记下了。许小花说："到底是什么东西？"抢过菜单看是苦瓜炒猪肠。凌子豪说："既然不怕屎，就不要洗太干净了。"我说："我读博士的时候，导师也说猪肠要有点猪屎臭才有味道。"凌子豪说："看看！这点道理人家要混到博导才知道，我本科毕业就知道了。你说博导有意义吗？他那点文化我也有呢。"吃饭时，凌子豪发给大家每人一包烟，许小花说："女生就不要了。"凌子豪说："反正我每天一条烟是要发出去的，不发出去就觉得今天有件事没做。"我拿起烟看看是软包装的芙蓉王，六七十块钱一包呢。我说："子豪你太作了。"他说："做无用之事，度有涯之生，一点都不作，这日子不是过得太没味道了吗？"

饭吃到中途，蒙天舒来了，抱拳作揖说："对不起各位！我们处干学校都分配了工作，我好不容易脱身来了。"凌子豪说："怕是那边没安排你们处干入座吧！"蒙天舒不接话，说："今天出大事了！"就说起省政府秘书长魏武，政治系七七届校友，原来定好了今天要来的。昨天秘书打电话来说，省长临时找他有事，来不了。可今天突然就来了，一看主席台没有自己的位子，掉头就走。童校长马上开车去追，追到省政府门口才追上，怎么劝怎么求，也求不回来了。本来他答应了，想办法要财政厅给学校拨一千万的，大概要泡汤了。许小花说："怪不得童校长的位子上是空的，追人去了。"凌子豪说："一千万分到你手里没有一个子儿，午宴上一个座位都不赐给你，要你去吃盒饭，你急得满头大汗干什么？"蒙天舒拿餐巾纸擦汗说："我是赶过来热闹的呢。"

凌子豪要蒙天舒喝酒，说："茅台呢，我只喝茅台。"蒙天舒说："那是我的最爱，我基本上也只喝茅台。致远知道的。"我根本没见他喝过茅台，说："知道，知道。"蒙天舒说："我今天开车来了，被揪到局子里去就不好了，我们处干下午还有任务呢。"凌子豪给他斟了酒："找代驾，我给你找代驾。有车的兄弟姐妹我都给找代驾。"喝着酒，蒙天舒和凌子豪说起了年龄，都说"我比你大些"。凌子豪说："你说大些就大些？你怎么可能比我的大些呢？眼见为实,掏出来看看!"许小花"哧"地笑了,大家都笑了。我一想,也跟着笑了。凌子豪说:"你们这些人心术不正,总爱往邪处想,我是要他掏身份证出来看看呢。"又举了杯对许小花说:"来,搞一下。"许小花也举杯伸过去说:"搞一下就搞一下,怕你吗？"马上又缩回来:"美得你呢,谁稀罕跟你搞一下。"大家都笑了。

吃完饭凌子豪跟蒙天舒抢着买单,凌子豪说:"你一个月才几个钱,就别充大头了。"我说:"别小看他,别人的工资是养家的,他的工资是给韩佳嗑瓜子的。"蒙天舒说:"是院里的钱呢,我现在是处干了呢。"有个女同学说:"今天我就不跟你们抢了。下次一定要给我一个机会,我请大家吃香的喝辣的!"许小花说:"你那点毛毛钱就算了吧!"她说:"我最近不是调到重点中学去了吗？我老公的领导都来求我了!"唉,她是一个教师,她竟把这话说得这么自然,难道靠山吃山靠水吃水不但是潜规则,简直就成了规则本身?

最后还是凌子豪买的单,连酒水差不多五千块钱。我吓了一跳,世界上还有人是这样活的啊!我想着蒙天舒是个副院长,居然有买单的资格,这不合学院的惯例。学院是个穷院,那点钱经不起几个人的折腾,从来都是院长一支笔定乾坤的。看来他这个副院长的确是有实权的。凌子豪要蒙天舒也去洗脚,蒙天舒说:"我们处干下午学校还有安排,要去陪那几个从外省返校的省部级领导,身不由己呢。"凌子豪生气说:"处干处干,听你说一天处干处干了。谁没见过几个处干,小萝卜头来!打酱油的!"又说:"我还在省委大院里买了一套房呢,从一个处干手里买的。其实我也没住几天,我就是要赌这口气。"走到停车的地方,几个代驾已经等了一会了。凌子豪给每个代驾一百块钱,又走到蒙天舒车前对代驾说:"我这个朋友是个处干,知道不？处干!属于那种特别要紧的人,下午还有特别要紧的事,你把车开好点,安全送达,我再给你一百。"又给了一百。

这次同学聚会让我郁闷了好几天。大家都发达了,连最不起眼的都发达了，我倒是落到了最后，想充大头买个单，话都说不出口。钱是老虎，它能伤人，我觉得自己受了伤。说自己不用这世俗的眼光看人生吧，可大家都是这样看的，我说我额外一根筋，谁信呢？我觉得有点对不起平平，也对不起安安，这担子我不挑起来，又推给谁去挑呢？一个在大学教书的教师，又怎么发达？想来想去，也只有向蒙天舒学习，把他走过的路再走一遍。想到这点我就气馁了，真要那样我还不如让自己就这样穷着呢。唉唉，本来我的职业就是教学生该怎么做人，可是现在，我连自己都不知道该怎么做人了。宁静以致远，可我不知道那个远在哪里，又该怎么去致。

43

这天我下了课，接到蒙天舒的电话，问我在不在院里？我说在。他说："请你到我办公室来一趟。"蒙天舒当了副院长，就有一间独立的办公室了。下楼的时候我心里怪怪的，虽然他说了个"请"，可还是给我领导召见的感觉。

蒙天舒坐在高背的办公椅上，隔着桌子站起来，招呼我在桌子这边坐下。桌子是很大的一张，还有那张高背转椅，就有了一种氛围，一点意味，说不出来，总之是明确了主次的关系。以前看到有些大人物的办公室那么大，桌子那么大，椅子那么高，总以为他们是肤浅的炫耀，现在忽然领悟到了，这是确定着一种关系。坐下来我四处张望说："桌子这么大，办公室显得小了一点。"他说："那要靠老同学挺呢。"韩院长其实没有什么实权，实权在童校长那里，由金书记和蒙天舒执行，可他是院长，办公室比蒙天舒的就大一倍。我不想跟蒙天舒谈什么"挺"的话题，谈了很讨巧，可也很卑鄙。我说："有件什么事呢？"他说："没事就不能找老同学谈谈心!"

蒙天舒跟我是老同学不错,可不是一路人,从来就没什么心好谈的,要谈也只能谈"挺"的话题。我说:"那应该还有个什么事吧!"他说:"还真有件事想叫你帮忙。我最近写了篇比较长的文章,应该还是有点小精彩,可这样大的论文到哪里去发?想来想去,还只有《历史评论》才托得住。你不是有个师兄在那里当副主编吗?"他说的"师兄",就是《历史评论》的副主编周一凡,他是冯教授的开门弟子,比我早了有十多年。去年罗天渺退休了,副主编升了主编,他就升了副主编,又成为了国家社科基金的终审评委。虽是同一个导师,可也只在冯教授过生日的时候见过一次。我说:"周一凡我自己才见过那么几次呢。"他说:"周老师再怎么说,那也是你的师兄,血浓于水呢。"我说:"周一凡去年在北京卫视讲孔子,现在是大名人了,我自己都不敢去打扰他。"他说:"现在我也不敢打扰周老师。有朝一日肯定还是要打扰的。手中这篇文章,就这么寄过去,我怕看都没人认真看一下,论文太多了是不?那这文章的小精彩就白精彩了。我想请你招呼一下,有这么一个人,有这么一篇文章,具体联系就不麻烦你了。"我说:"周一凡他现在红得烫手呢,他会不会怨我给他添麻烦?我自己的文章都是寄到编辑部,没有直接寄给他。"他说:"那有消息吗?"我摇摇头。他说:"所以呢,请你出面搭个桥呢,让我认识一下周老师。"我说:"那我给他发个信息?"他说:"那还是写封信吧,我跟稿子一起寄过去。"

接受了这任务,我心里有点窝囊。我自己投稿都没敢惊动大师兄,却要为蒙天舒去求他。我心里别扭着写了封短信,从网上发给了蒙天舒。他回信说,想表达得更充分一点,能不能由他再加几句话上去?我也只能说,好的。我想他改好了应该发回来给我看一下吧,等了几天,竟然没有。在院里碰见他,我问:"稿子寄出去没有?"他说:"第二天就寄了。"也不再解释一句。以我的名义发出的信,我自己都不知道有些什么内容,就像一个男人,老婆红杏出墙了,当着一个有名无实的父亲。

过两天蒙天舒又找到我说："你师兄的事情，童校长很重视，想请他来讲一次学，你联系一下，看看他的意思。"我说："你跟他联系上了，你直接联系还方便些。"他说："就是还没联系上啊！"又说："这是童校长的意思，童校长呢。"

　　童校长的意思，我肯定要执行。连童校长也有需要我的时候，这让我有点得意，得意之后，又骂自己是小人，骂完了，那点得意还搁在心里。我给周一凡打了电话，一口一声"大师兄"，很是亲热。我把请他来麓城师大讲学的事讲了，他说："是谁出面请的呢？不会是校学生会吧？"我说："是我们童校长的意思呢。"他说："童文斌哦，他是你们的校长？"我说："童校长是副校长呢。"他说："童文斌都当副校长啦？"我说："童校长当副校长都几年了，是我们学校的实权人物。"他说："既然是童文斌说了，我也不好驳他的面子。可以考虑，可以考虑考虑。"我按照蒙天舒的吩咐，小心地问："不知道大师兄出来一般是多少一次？我也跟领导汇报一下。"他说："我们的专业现在是冷门，不好跟学财经的比。"我跟他东扯西扯一会，最后说："那大概到底是多少呢？我也好去汇报一下。"他说："这个我不说，说了有点俗。我讲课会讲那么俗的话题吗？"我就不再跟他说这个话题，再说我也俗了。我说："那大师兄您讲个什么题目？"他说：我什么题目都可以讲，只要不讲财经。题目可以由你们定，如果要我定，能不能就讲孔子的义利观？"我说："很好的题目呢，现在太需要讲讲这个话题了。"

　　打完电话我想：是不是直接向童校长汇报？翻找到童校长的手机号我感到了心里的抵触，又犹豫了。捏着手机我看透了自己的心思，那心思中有一种鄙俗。既然自己不想得到额外的什么，为什么要为难自己？我知道这其实没有什么障碍，童校长也不会觉得我是小人，可我还是感到了心里的抗拒。也许，我真的就是个成不了气候的人，不会抓机会能成气候吗？我有点遗憾地放弃了这种想法，放弃之后我感到了轻快。有人说，顺应自己的心情活着就是快意人生，这话说得太轻飘了，哪里会有那么潇洒的快意人生。

我把情况跟蒙天舒说了。他说，像周老师这样的大人物，应该请童校长出面打个电话。我说："周一凡也有这个想法。他还怕我是帮校学生会团委去请他。张维师兄告诉过我，有一回北京一个什么学校的学生会请周一凡，开始他也不好意思问别的，结果送给他一束花、一本纪念册，他很不爽，觉得这是不尊重知识。所以他想联系人能够代表一个可靠的单位。你说童校长发话了，我心里才踏实一点，不然我就把自己的大师兄给坑了。"蒙天舒说："学生会不可靠，童校长也不可靠吗？谁比谁？现在要尊重知识，更要尊重有知识的那个人。周老师是权威刊物主编，又是国家社科基金的终评委，那我们肯定要给予特殊尊重的。童校长一定会出面打个电话，你就踏踏实实的，不会让你丢脸。"我说："讲课的酬金问了他，他不肯说，说那太俗了。可是我还是想知道一下，最少六千，八千更好，如果有一万，我就阿弥陀佛了。"我双手合十拜了几下："我出面请个人过来，不要让我难堪才好。"他说："真有难堪，那是麓城师大的难堪呢。不会让你丢脸。"我说："阿弥陀佛。"

接下来几天，好些事情都是我在跑腿，学校没有像样的宾馆，就安排住在省委招待所。机票订的是商务舱。接机的车是童校长的专车，又请了卫视的记者来报道。我本来觉得这些都没必要，蒙天舒说："童校长觉得有必要，那肯定是有必要的。"一个搞学问的人能获得这样的尊重，让人觉得这学问真的非常神圣。会场安排好了，听讲座的本科生、研究生也组织好了，这是蒙天舒去搞的，要我去推，我根本推不动。我以前只是听听外面来的学者讲座，现在才知道安排一场讲座竟这么麻烦，又要付出这么高的成本。不是特别要紧的人，谁会去请他？

到了那天，我和蒙天舒去机场接人。去的路上他说起罗天渺，当年多么火红，去年退休了，还想到麓城师大来讲学，被韩院长打了回票。我说："太现实了，太残酷了！叫人家怎么想得过？"他说："那还能怎么着？不是特别重要的人，难道花几万块钱，几个人陪他几天？"我说："退休对有些人来说简直是灭顶之灾。"他说："主要是自己要懂事。"接大师兄上了车，蒙天舒说："周教授，童校长今天在省里开会，下午讲座就不能陪您了，晚上在省委招待所宴请您。这个车是童校长的车，他自己另外找车去省里去开会的。"司机说："我跟童校长开车也有几年了，这样的情况还是第一次。"大师兄说："太客气了。"中午我和蒙天舒陪他吃饭，校文科处郝处长也来了。喝着酒蒙天舒问："那篇论文不知道有点希望没有？"大师兄说："我们现在是五审制，都是外审，有任何一审不过关，就没有事了。过了五审，还有主编的终审。现在想在我们那里发篇文章，那可真的不是件小事。不过终审可以放到我手中来，外面的五审嘛，你给我提供一个名单，我尽量安排到你熟悉的专家那里去。剩下的工作，就要你自己去做了。"蒙天舒连连点头说："那好。来，我干了，您随意。"

我想着自己评教授，还差一篇权威刊物的文章，自己的师兄，就是刊物的副主编，可自己就是开不了这个口。肚官司打了好久，我鼓起勇气说："师兄，我们这里评教授，需要一篇权威刊物的文章。"大师兄指了蒙天舒说："他还不是？"我说："他早是了，他。"师兄若有所思说："哦，哦。"我希望他问到我，可他就是不问。蒙天舒说："明年想申报个博导，就缺这篇文章了，请周教授一定指导！来，我干了，您随意。"师兄点头说："嗯，嗯。"我再没有力量说到自己，再说就跟和蒙天舒抢名额似的。我想着是不是找个机会跟师兄说说，既然锦上添花也添了，那么雪中送炭也送一送。

下午的讲座非常成功。师兄的口才果然非常了得，到底是在电视节目上历练过的。他以孔子的"君子喻于义，小人喻于利"为题，上下五千年旁征博引，把孔子的义利之辩解析得入骨入髓。我听得如醉如痴，觉得如果不做个君子，那简直就不配做个人。讲完了主持人郝处长说："很久没有听到过这样真正能震撼灵魂的讲座了。"交流环节学生的提问非常踊跃。快到六点，蒙天舒提醒说，童校长还在那边等呢，郝处长才终止了学生的提问。又有一群学生拿了师兄的书，围上来请他签名，没有书的也拿个本子请他签名。师兄在学生中有这么强的号召力，这是我没想到的。

师兄去洗手间的时候，郝处长给我一个大牛皮纸袋，要我给师兄。我打开一看是四扎钱。我说："是不是多了点？"郝处长说："童校长安排的。既然请了，就要请到位，请出效果来。"又说："前阵子商学院请北京的专家讲座，是这个数呢！"伸出两根指头。我说："两万？"他说："加个零。那是他们学院自己的钱，学校给不起。"我说："那还是讲课费吗？"他说："那肯定是有件什么事情在后面，他们也想请出效果吧！"师兄从洗手间出来，我就递给了他，他没看，也不问，就放在提包里了。往车边走去，蒙天舒拉了我一下，我停下他说："童校长刚打电话来了，今晚临时还有省委宣传部和省社科院的领导要出席，座位有点太挤了，是不是你下次再去？"我把师兄送到车边说："今晚上我还有本科生的课，不能调的，我就不陪了。"师兄说："你忙，那是正事。"看着小车远去了，我心里发堵。师兄是我的师兄，人是通过我请来的，到头来倒把我切掉了。我慢慢地往家里走，又想着，人家都是大人物，不切我又切谁呢？说无所谓吧，也真的是无所谓；说有所谓吧，也真的是有所谓。看自己怎么想。我想：这算个事吗？算个屁。

接下来三天都没有师兄的消息，我知道他是去袁家寨旅行去了。第四天清早师兄打电话来了，说上午十一点的飞机，问我能不能去见一面？我想着师兄毕竟还是记得我的，就答应了。我打的过去，一路上犹豫着，雪中送炭的话还说不说呢？蒙天舒说了发文章的事，童校长又说了国家社科基金重大项目的事，我再去说，那不是让他为难？到了师兄的房间，他已经在收拾东西了，蒙天舒在帮他从阳台上把晾晒的衣服拿进来。师兄说："聂师弟这几天都有课啊？"我想诚实地说"没课"，瞥见蒙天舒递了个眼神过来，就说："有课，有课，没能陪大师兄。"师兄说："这几天辛苦蒙老师和司机了，还害得你们童校长没车用。"蒙天舒说："能为周教授服务，那还得有机会呢。"

去机场的路上，大师兄忽然说起北京的房价，都涨疯了，自己早几年就想换一套大一点的，改善一下，都没实现。蒙天舒说："在这一点上，麓城人还是很幸福的。"大师兄说："眼睁睁看着房价在前面跑，想着它总会停下来喘口气吧，自己拼命追也可能追上吧，可它跑得比刘翔还快，就这样望着它的背影，绝尘而去。"我说："其实我也想改善一下，几年也没实现。"大师兄说："在麓城也有那么难吗？才是北京的一个零头。在我看来麓城的房价就是一个奇怪的价格。一个人生活在北京，他就没有办法，没办法呢。"我忽然领悟到，师兄突然说起房价，是在为自己为什么收下了那四万块钱做一个说明。前不久学报为了上 C 刊，通过童校长请了南京大学一个教授来讲学，也给了四万，那个教授退回了两万。我原来希望师兄也能退回两万的，看来是不会退了。他说没有办法，可能真的是没有办法。唉，那些搞财经的名人一次十几万二十万拿也拿了，比起来这四万块钱也不算很过分。

　　快到机场了，师兄对蒙天舒说："童文斌交代的任务，我只能尽力而为，重大项目不是发一篇文章，我说了不算，我到会上也只有一票。我们这个领域的重大项目，全国每年也就一项两项，北大复旦的人也不是吃素的。"蒙天舒说："周教授，那不是任务呢。"师兄说："你们的材料要扎实，我说话才有地方下口。"又说："聂师弟有了好文章，也可以寄过来看看！"我没想到师兄会主动提到这件事，连声说："大师兄，那有点太打扰了。"又说："我们学校评正高要这么一篇权威刊物的文章，有人为了这篇文章，花了五六万块钱呢。"大师兄说："虽然是师兄弟，那也要文章扎实才行。不是我一双眼睛在看，有好多双眼睛在看。有些大牌刊物，发出来的文章太不像个样子了，你们也知道是怎么回事。"这让我想起在外面看到中介的广告，有些中介还把信息发到手机上，多大的刊物都敢承诺发表。陶教授说，那不是骗子，那是真的，那些人真有这个能耐，只要你舍得出血。我想把这件事告诉师兄，再想想也不妥，就没有说。

44

几个教研室的老师合在一起给硕士研究生的毕业论文开题，下午没搞完。研管办安排我们吃工作餐，晚上接着开。吃饭的时候大家议论麓城师大最近出了个名人，是商学院的陆教授。他对自己的学生说："十年后没有赚到五千万，就别来见我。"网上都传遍了。陶教授说："一个教授居然跟学生说这样的话，钱简直就是这个时代的超级霸主了。"齐教授说："钱成了唯一标准，这要不得呢。"我说："世界上到底有多少资源？有点能力的人都以五千万为标准，如狼似虎，老百姓还活不活？怪不得中国历史上有这么多农民起义。如狼似虎，大学是培养这种人的地方？"陶教授说："现在不是到处都在歌颂狼吗？难道狼性成了这个时代的人性？狼的生存法则是丛林法则，人的生存法则也是丛林法则吗？"齐教授说："他还说自己是励志呢，太不人道了。钱他妈的到底是个什么东西，能把一个教授的心熏成这样！"陶教授说："唉，叫我们怎么跟学生讲人文精神？"

蒙天舒挥手要大家安静，说："麓城师大最近还出了个名人，荷花姐姐，中国人都知道了。"我说："我不知道，难道我不是中国人？哪个学院的呢？"陶教授说："网络学院的，是哪个县什么单位的什么人，在我们这里上网络大学，呼地一下就火了。"我说："那是个绝世美人？"陶教授说："真是个绝世美人也就算了，三十多岁了，看不出有哪点美。"齐教授说："据说是卫视做节目，她是个听众，捞到说话的机会了，就说自己要找中央首长或者是百亿富翁的儿子，亿万富翁的儿子不要，还得是留洋的博士，土鳖不要。全场都笑翻了。"我说："那不是个活宝，怎么能火起来？"陶教授说："不是活宝，凭她怎么能火？卫视马上请她做特邀嘉宾做了一期节目，就这样火了，现在的知名度比我们卢校长还高呢。"我说："真的不理解啊。"蒙天舒说："所以如今不能按常理出牌。"陶教授说："按常理出牌，会轮到荷花姐姐有戏？多少模特级的美女想尽了办法都出不了戏，献身都没有用。荷花姐姐现在有很多电视台想邀她做节目，出镜费得几万呢。"我说:"疯了,简直疯了。连电视台都疯了。他们到底在倡导什么?"蒙天舒说:"致远说电视台疯了,那是他自己疯了。人家收视率上去了,钱就进来了。你说他们在倡导什么?"我说:"疯了,简直疯了。"陶教授说:"致远你说谁疯了?不是说你自己吧?"蒙天舒笑了说:"世人皆醉,致远独醒,我们敬他一杯。"端起茶杯跟我碰了一下。

晚饭后接着开题。轮到张一鹏,陶教授说:"我怎么对你有点印象?"张一鹏说:"陶教授您还上过我的课呢。"陶教授说:"是不是上个星期你在卫视上了节目?"张一鹏说:"上节目的不是我。"陶教授说:"是那个荷花姐姐,你带一群粉丝在台下助阵。那是你吧?"张一鹏说:"是倒是我,我帮电视台的忙。"蒙天舒说:"那些都是我们麓城师大的学生?"张一鹏说:"基本都是吧。荷花姐姐是大家的校友,能有这么一个校友闻名全国,大家都觉得很自豪。"我说:"有那么自豪吗?疯了,简直是疯了。开题,开题。"

开完题我把张一鹏叫到教研室,说:"你是个研究生,你不好好做学问,你去捧荷花姐姐干什么?她才是个自考生呢。"他说:"这是我们报社交给我的任务。这个事情从头到尾都是我们报社策划的,从她第一次在卫视做观众开始。"我说:"你们那个报社策划了绿豆,又来策划荷花。"他说:"我们是家小报,肯定得先活下来吧!肯定是先考虑经济效益吧!这件事策划出来,报纸的发行量增加了百分之三十。"他伸出三根指头,"三十呢。"又说:"所以我的责任很重,老板,责任很重呢。"

我问他都尽了什么责任。他说:"在学校组织了荷花后援会,有一百多人。"我说:"你们要策划谁也要找个硕士生、博士生来策划吧,麓城师大这么多硕士生、博士生,没有谁比荷花姐姐更有素质吗?"他说:"真有素质就不好玩了,不好玩就没人气了。"我连连摇头说:"不懂,不懂。"他说:"现如今是这样的,老板。大家娱乐呗!"又说:"下周三晚上在大礼堂有个荷花姐姐校友见面会,您如果有时间,我在前排给您留个位置吧。"我犹豫了一下,好奇心还是占了上风,说:"嗯,那我去看看。到底是别人有问题,还是我有问题?"他说:"都没有问题,老板,想法不一样。"我说："一样不一样，论文你还得好好写，按规则写。你不要通不过网上的诚信检测，丢老师的脸，不要让人说你借鉴了别人那么多，我还没看出来。答辩完了省里还要抽检的。这里有这里的规则。"他拍一下胸说："好不好我不敢说，检测我是不畏怯的。我如果丢了老板的脸，老板就打我的脸。"我说："说过多少次了，不要叫我老板，那好听吗？"

周三上午张一鹏发信息给我，提醒我记得晚上去大礼堂，已在前排给我留了位子。晚上去了，我在礼堂外看见学生夹道欢迎，排了有一百多米长，觉得有点可笑。进去了我吃了一惊，八百多个位子都坐满了，过道上都站满了人。我退了出来，不想去了，到这个场合来，被学生看见了，有点羞愧。回到大门口，一位穿旗袍的迎宾小姐走上来说："是聂教授吧？张会长嘱咐我带您从边门进去。"我说："你们是个什么会啊？张一鹏都当会长了！"她说："荷花后援会，您不知道？"似乎有点意外。我说："我这个人不关心时事。"跟着往边门去，觉得她倒是青春漂亮，要是荷花姐姐也有这个水平，也还说得过去。

走到前排看见两个熟悉的女生，她们对我招手，我偏了头装着没看见，心想：太丢人了，太没有档次了。准备待一会就走，走到位子上，看见郝处长也在，就安心了一点。张一鹏从台上跑下来，先跟郝处长握手，又想跟我握手，我装着没有看见。张一鹏说："等会介绍两位领导。"我说："我不是领导，不要介绍我。"我很担心会来个副校长，那就太抬高荷花姐姐了。我说："还有别的领导来吗？"张一鹏说："郝处长就是大领导。我先忙去了。"我站起来赶上几步，轻声说："千万不能介绍我。介绍郝处长就行了。"他说："介绍一下吧，还是介绍一下吧。"我说："还有一些教授来了，你也不知道，介绍我不介绍他们，那怎么行？他们是正教授呢。"他说："还是介绍一下吧，我的导师来了，我也很光彩。"我说："还听不听话？不听话论文就通不过了。"他做了个怪脸说："听话，一定听话。"又堵着我耳根说："最后一个节目是荷花舞，老师您要仔细看，看仔细。"我说："有那么精彩？"他神秘地说："真的很精彩。"坐回来，我对郝处长说：

"一个荷花姐姐都爆棚了，早几个月请了周师兄来，都要组织学生，还不敢放到这么大的地方来。"郝处长说："娱乐嘛，电视台的娱乐节目比讲学问有观众。"我说："娱乐至上，这风都吹进高校来了。"郝处长说："如今是娱乐至死呢。风气如此，那谁也没有办法。"

学生们千呼万唤，欢声雷动，荷花姐姐总算出场了。我有点失望，非常失望，真看不出她有哪点精彩，值得学生们这么呼唤，又值得请省卫视的主持人来捧场，还值得报社专门从北京派了摄制组现场录像。访谈看得出是事先安排好了的，没什么精彩。跟学生对话有几段也看得出是安排好的，马虎过得去，也谈不上精彩。可现场的气氛很热烈。我对郝处长说："我们的学生都怎么了？"他说："赶热闹吧，不是说娱乐至死吗？"我说："如今有一大批脑残粉，前几年有个明星吸毒了，从拘留所出来，他的广告代言费反而飙上去了，名声更大了啊！这不是脑残粉推上去的吗？"他说："所以说是脑残粉，只认人，不分善恶，不辨真伪，我残故我在。他要残你有什么办法？这都是媒体培养出来的呢！"我说："那些人残了，媒体也残了吗？"他说："所以卢校长说，现在最大的问题，是价值观的扭曲。说到底都是钱在作怪。"我说："我先去了。"本想说，不想捧这个臭脚，可这话不是让他难堪？他说："不看最后一个节目？"我记起了张一鹏的话，就看下去。

主持人宣布荷花舞开始。我觉得这个节目还像个节目，那个荷花姐姐毕竟在县文工团当过舞蹈演员的。我想着，这就是精彩？电视里看过的比这精彩多了。我去看张一鹏，他站在舞台一角举着相机，专注地对着舞台。突然，学生中一阵骚动，我回头一看，大家都站起来望着台上，举着双手"哦哦"地喊着，还有个人在喊"呜啦"。我再看台上，荷花姐姐已经不见了，音乐还放着。我问郝处长："怎么啦？"他说："她的舞裙脱落了，内衣也松了，我没看清，应该是露点了。"我没听懂，说："露什么点？"他笑了说："女人那两点。"这时主持人来到台上说："各位同学，刚才发生了很意外的不幸，我们的荷花非常伤心，正在后台哭泣，不能再出来跟大家告别了。希望大家同情她的遭遇，一如既往地接受她，支持她。"有学生在喊："是不是事先安排的？"又有人喊："那怎么可能？那不可能！"张一鹏向主持人示意，主持人说："我们请荷花后援会的张会长来回答这个问题。"张一鹏走上去，接过话筒说："今天的意外事件，请同学们谅解。至于刚才有的同学的疑问，我想没有人会拿一个人的名誉和尊严来开这么大的玩笑。我们还是请荷花姐姐出来跟大家告别。"荷花在两个礼仪女生的陪同下出场了，哭得泪人似的说不出话，抽泣着说："对不起，对不起……"我对郝处长说："今晚这个见面会，就是一部《脑残游记》。"

第二天我去院里，办公室的小陈她们在谈昨晚的事，几个来办事的老师也加入进来。我说："我在现场都不清楚，你们怎么比我还清楚？"小陈说："各大网站娱乐版的头条新闻呢！"在电脑上点到了新闻给我看，说："跟帖已经有两万多条了。"我看了看跟帖，顶的很多，拍砖的也不少。我说："一个荷花姐姐，真的不精彩，你们看了真人也会说不精彩，怎么闹出这么大的动静？"

过两天张一鹏来跟我讨论论文的事，我说："你们的报纸发行量又增了吧？"他说："第二天加印了十八万份，一扫而光。"我说："你们的总编辑也应该有点层次才好。"他说："我们是小报，首先是求生存，社会责任还来不及想太多。那些记者被别人叫狗仔队呢，狗仔队还谈什么层次？"我说："你是研究生，研究生呢。"他笑了说："老板，我也要求生存呢，也想在麓城买套房子呢。不然我到大街上把胸一拍，研究生，女孩子会跟我走？"我说："露了那个什么还是有点不好。"他说："那个什么一点都不露，没兴奋点，没重口味，怎么炒得起来？我们还是比较保守呢！有些大牌明星担心人气不旺，穿着短裙出席晚会，装着不慎露底，让娱记拍到，挂到网上，别人都记得她了。你看网上挂了多少？有那么多不小心吗？"我说："那很光荣？丑呢！"他说："老板，如今的法则是只要有人气就有市场，丑不丑说不清，钱在自己口袋里那是真的。"我说：

"黑白颠倒！简直是疯了。"他说："真的是疯了，不疯就没有经济效益了。"我说："这几天看网上，帖子都有十几万条了，两派斗得很激烈，是你们自己在跟自己在斗吧？"他说："斗得越激烈，围观的人就越多。不瞒老师，我们后援会也承担了一点任务，我们的责任是力挺，报社另外安排了人拍砖。"我说："那你就是个水军头领。"他说："梁山好汉。"我说："别往自己脸上贴金，梁山好汉是有原则的。"又说："荷花姐姐现在都成为励志的典型了，在困境中自强不息。这不是笑话吗？"他说："能有更多的人围观就行了，我们小报只能这样生存呢，几十个人要生活呢。"我说："论文还是要写好的，不要为挺一个荷花姐姐，把论文写砸了。"他连连点头说："这是正经事！"又说："我想要老师告诉我网络学院朱院长的电话，网络学院出了个名人，今年招生一定会爆满，看能不能在我们报纸上做点广告？"我说："我这里没有学校的公用电话本，你到陈老师那里去查。"

过了几天，我接到一个电话，那边说："是历史学院的聂致远吗？"我说："你是谁？谁？"他说："我是网络学院的朱继德。你是不是推荐了人到我们这里来要做广告？"我说："朱院长哦，我知道这件事，我没推荐，那个人说我推荐了吗？"他说："怎么没推？他说聂致远，聂致远不就是你吗？"我说："聂致远是我，这是真的，我没推荐，那也是真的。"他说："那么他是打冒诈了！那样一个小报，想要我们这么大一个学校做广告，怕他是想偏了头！还说我们的学生食堂有问题，要曝负面，我们这么大一个学校，还怕那样一个小报曝负面？这件事我已经跟宣传部柳部长汇报了，我说什么都没有用，柳部长自然会来找你的。"就挂断了。

我马上把张一鹏叫到教研室，说："你在网络学院都说了些什么？"他说："老板，我根本没去，是报社别的记者去的。"我说："他怎么说是我推荐去的？我推荐了吗？他拉不成广告，说要曝麓城师大的负面，这件事你知道吗？"他说："知道是知道。老师您没去学生食堂吃过饭吧，真的太不像话了，我们天天吃，越来越不像话了，质次价高！"我手掌拍着桌子说："质次价高，你向校长信箱反映。你把外面的人牵进来曝负面？

263

这还是你的母校呢！"他小声说："人家是记者嘛，要有社会责任感嘛！"

　　这时来了电话，是柳部长。他说："聂教授啊，我的工作要你支持。这件事我向卢校长汇报了，校长很重视。校长的意思，铃是你系的，还要你来解。"我说："柳部长，您怎么跟卢校长说是我弄出来的事呢？跟我没关系，没关系啊。"他说："难道是那个记者瞎编的？他怎么不编别人？"我说："柳部长，是有人问我要朱院长的电话，我说不知道，要他去办公室查。我就说了这一句话。"他说："那就请聂教授做工作，要那个人把事情平息了。那个人是谁呢？"我说："是我的一个研究生。朱院长那里不是他去的。"柳部长说："我们自己的研究生？那他不是吃里扒外？问他想不想毕业？"又说："这几个月没下雨，菜都涨价了，学生可能有点情绪。这点情绪没引导好，可能变成一个政治问题！校领导非常重视，马上会采取补贴措施，校务会议已经通过了。"我额头上都沁出汗了，说："我现在正找这个研究生谈话呢。"他说："那我过来一下。"我说："我能解决就不惊动您了，解决不了，再向您汇报。"他说："请聂教授一定支持我的工作，你的岗位在学校，课还是要上下去的嘛！"

　　收了线，我对张一鹏说："听见了吧，你都听见了吧？政治问题！跟你们领导联系，马上停止！搞出一个政治问题，是你张一鹏兜得起的吗？你的学籍在学校，问你想不想毕业？"他说："老板交代的我肯定要听。"我说："你胆子也太大了，向别人提供炮弹来轰自己的母校！"他细声细气说："本来就是有问题嘛，本来学生就有意见嘛，本来就应该有社会责任感嘛。"我说："说社会责任感你就不要去捧什么姐姐，还把现场那么多大学生当傻瓜。"他细声细气说："那是领导布置的工作，我又能怎么样？"我说："你能怎么样？你也是学思想史的，了解那么多大人物、圣人，他们都怎么样呢？他们知行合一，你呢？"我指头指了他一下："你呢？你呢？前几天开题，我看你说得也是头头是道，像那么回事。说给老师听的？"他笑了笑说："老师，其实我们这些人也是知行合一的，只是那个'知'和书上那个'知'不是一个知。"我几根指头敲敲桌子说：

"所以说你的论文是写给我看的。"他偷偷笑了笑，马上又收了回去说："我不那样写您不让我拿文凭啊。"我也笑了笑，马上收回去说："太实用主义了，简直是太，太……"他说："我也想在麓城买套房子呢。"我说："那，那……"我想说，那还是太现实了，停了停，嘴一滑说："那你去吧。论文要写出个样子来。"

45

大师兄从北京打电话来说，我们学院跟他们的刊物合作，出十万块钱版面费，明年发四篇文章，是蒙天舒在跟他联系。他说："你去争取一个名额。"我说："轮不到我呢，我还不是那个人物。"他说："你去争取一下，争不到我们再说。"我想说，再说还不如现在就说。可我说不出口，怕让他为难，不为难他也不会叫我去争取这个名额。我说："那我试试。"又说："试了也没有用。"他说："能纳入计划是最好的了。"

知道这个信息我犹豫了几天。十万块钱对历史学院不是一件小事，也不知是从哪里出。院里办了几个自考班，会计班、公关班……就是没有历史专业的班。办班有一点创收，到年终了能发一点超课时奖。几年来有一个传说，童校长在学校不好办的事，就拿到历史学院来办，极端的说法就是把历史学院当提款机。历史学院那点钱经不起提，年终奖发得少，老师都有意见，可都只是私下议论几句，没人当作一个问题提出来。据说前年龚院长下台，就跟这件事有关，提得太狠，龚院长怕年终奖发不出，抵制了一下，结果就下台了。这件事以前大家都是猜猜，龚院长下台时，私下说了出来。大家都知道了，可还是没人提出。我希望这十万块钱不是创收的钱，如果是的，我都不敢去试试争取。创收多艰难啊，学院是硬着头皮在支撑。拿大家的辛苦钱往自己脸上贴金，我没有那个勇气。

犹豫了几天我还是下决心试试。找谁去开这个口呢？这是讨饭吃的事，找蒙天舒讨，我没有这个勇气。虽然我知道是蒙天舒在操作这件事，可我还是不能向他开口。又犹豫了几天，我在韩院长办公室门口徘徊几次，终于下决心闯了进去。韩院长从电脑上转过头来望着我笑，说："小聂，有事吗？"我站在他办公桌前，看看椅子想坐下来，没坐下去，说："有点小事。"他站起来隔着桌子指指椅子说："坐下说，哈哈。"我坐下来心里镇静了一点，说："院长，我最近写了篇论文，《历史评论》在考虑发表，可是要两万五千块钱版面费。我吧，工资卡都在老婆手里，院里能不能资助一下？权威刊物呢，响应您的号召认真写的呢，发一篇权威刊物文章对院里也很重要是不是？"

韩院长研究似的望着我，说："两万五？每篇两万五，哈哈，也是两万五。院里虽然有那么穷，也不能说就一定没有这一笔钱，是吧？哈哈。可是……这口子一开，大家都来申请，我就没办法了。"他说没有办法，这刺激了我的逆反心理。难道有些人永远有办法，有些人永远没办法吗？我犹豫了几秒钟，以咬断铁的决心说："院里摆不平，我也理解，可总还是要摆的。就看领导怎么摆了。"他眼中掠过一丝惊异，研究似的望着我，说："你知道？"问得很含糊，也很清楚。我说："总是会知道一点点的。"又说："要说需要吧，我们这些人是最需要的，等着这篇文章评职称。那些已经评了教授的，锦上再添朵花，也还是那一段锦，雪中送一筐炭就不一样了，那等于是救命，"深吸一口气，"救命呢。"他笑笑说："没那么严重吧？哈哈。"又点头叹息说："年轻人成长不容易，真的不容易，太不容易，越来越不容易了，没有一件事是容易的。"

他这样说，我就心软了，失去了勇气。他能够理解我们的处境，这已经不容易，真的不容易，太不容易。我不能逼他，也逼不出一个结果。我说："谢谢院长能理解我们，真的有寸步难行的感觉。"他说："你还好点，怎么说副高也到手了，你看看那些讲师，他们才是真正的寸步难行呢。"我说："那我也只能算了，说雪中送炭，也送不到我这里。"我谢了韩院长，走到门边，他又把我叫回去，说："我们学院的情况，你是知道的，大事还有掌舵的人。你的事情吧，要不你去问问蒙院长？他管科研，那些事情都是他经办。有些经费也是学校下来的专项经费，不是院里的钱，院里也没有那样一笔钱，年终还要给大家发点奖金是不是？哈哈。这是我们学院的瓶颈问题，也是我最头疼的问题。"

经费申请不到，我心里很平静，本来就没打算申请到的。有限的经费要用在有话语权的人身上，我有话语权吗？我更加理解了，为什么那么多博士都愿去竞聘当个处长、副处长，甚至科长。前几天遇到一个信息学院的博士，副教授了，还竞聘到教务处去当一个科长。

犹豫着我还是把事情跟赵平平说了，看是不是能从她那里挖点钱出来。我没说两万五，只说了两万，那五千我打算自己从各个角落搜罗搜罗。她说："这事我支持你，绝对。两万块钱有点肉痛，很有点肉痛，几十块几十块垒起来的一方钱呢。可是你评上教授那不很快就回来了吗？"我说："没有这篇文章肯定评不上教授，有了那也不一定能评上，那是必要条件，不是充分条件。现在越来越难了呢，积压了一堆人在那里。"她说："真的啊，那意思是这两万块钱还买不回那个教授？"我皱眉说："不要讲得这么难听好不？"她说："哦，伤你自尊了。不是买，那你不发那篇文章，教授有你的份吗？不出那两碗血你能发吗？"我说："那你写篇文章你出十碗血你试试，看人家睬你不？"这几年有些在大牌刊物上发表的文章，虽然不能说是豆腐，可也不是干货，居然也发出来了，这实在也动摇了我对学术的信心。她说："你又欺负我，你知道我是没有几点墨水，你就欺负我！"我说："那是你先欺负我！"她说："人家就是舍不得那两方钱呢，垒了太久才垒起来的啊！"

好几天我对赵平平不说钱的事。偶尔眉毛一挑询问地望她一眼，她装着不懂，把眼睛转开。我知道她心中在纠结，就干脆不再那么望一眼，反正事情也不急，文章我还要反复锤炼砸实。过了几天，她反过来眉毛一挑询问我了，我也装着不懂。女人你得让她自己想通，你越催她，她就越纠结。终于有一天她说："那两万你还要不要，还要我求你？"我说："拿来。"她说："你联系好没有？"我说："别人没有师兄在那里能发，我有个师兄在那里还不能发吗？"她说："你能不能要你师兄打点折？两万呢，血呢，流着心痛呢。"我说："打折？开不了这个口，那不是让他为难？刊物也不是他一个人的，都来申请打折怎么办？"她说："那你为什么不把院里的名额刨一个进来？"我说："那是我刨得动的吗？结婚这么多年了，你还不知道你老公是谁？"她笑笑说："知道你是百合花，空谷幽兰。"我也笑了说："没那么雅，只是没那么俗而已，而已。"又说："知道你还要我去刨刨刨？"她说："没那么俗？这如今你俗了谁说你俗，你雅了又谁说你雅？你雅不雅，吃哑巴亏。吃亏就算了，吃哑巴亏，瓮在心里就算不了，想算了这心里也算不了。吃亏不怕，那也要明着吃。"又说："空谷幽兰，有什么意义？有时候你也要残酷地在自己心里问一声，有什么意义？"我说："别人这样问呢，那他是无知，你是学历史的你应该知道。这个问题要从孔子问起，一直问到曹雪芹，还要问下去。"

她"嘿嘿嘿嘿"地笑着，叹气："唉，孔子、君子，你不知道现在是市场时代了吗？"我也"嘿嘿嘿嘿"地笑着说："知道，知道，往钱眼里钻的时代。"她说："不钻钱眼，那你跟你大师兄说，咱们是同门兄弟，帮着发篇文章，不收版面费。"我说："我说了刊物不是他自己的，我不想叫他为难。是他自己的我是可以试一下。"又说："有什么意义？你是个德育老师你应该知道。"她说："那是我的工作。"我说："那也不能嘴朝东说，腿向西跑吧。"她说："不跟你说，你是博士，我一个本科生能说得过博士？我是老百姓，我们这房子挤挤挤也挤了这快十年了，也得改进一下了吧？"我说："当年拿到这套房的钥匙，你给它下跪，趴在地上恨不得亲它一口，今天怎么就住不下去了？"她说："时代进步了，我不能进步？你不要跟我讲道理，我是老百姓，老百姓只知道认死理。这存钱的速度还赶不上房价的速度，目标反而一年比一年远了。还要抽掉我两万，你干脆来割我的肉算了。我是老百姓，就只知道认死理，我就想给我的安安买套学区房。"

　　说到安安，我心里很不安。她一天天长大，读小学了。懂事了，心事也有了。前几天她放学回来，说起有哪个同学去广州长隆欢乐世界玩了，眉飞色舞形容一番，好像是她自己去过一样。我说："你想去吗？爸爸下个星期六就带你去。"她望望妈妈，妈妈没有态度，她又望望我说："爸爸，我不想去。"我说："怎么不想去？爸爸带你去！"很豪壮似的。赵平平说："我们安安要等爸爸买了新房子再去。"安安望着我，也不做声，点点头。我心里扯得痛，说："爸爸说了带你去就带你去！"又对赵平平说："我们还靠这点钱？"赵平平右手食指点着左手的指头算了一下，对安安说："你爸爸他是大款呢，几千块钱，毛毛雨。等安安小学毕业了，我们全家去，外婆也去。"安安说："小学毕业还有五年，妈妈。"伸出小手："一、二、三、四、五，五年。"我刚想说什么，她又抢先说："五年就五年。"我笑了说："看我安安好乖。"把她抱在怀里："明天给我安安买爽歪歪。"忽然，心里一酸，眼泪一涌就出来了，马上扭过头去，装着看墙上的地图，用衣袖揩了一下。

　　晚上，赵平平说："你不觉得我们安安很懂事吗？"我说："是很乖啊。"她说："她这么小就这么懂事，知道不能花钱，你不觉得心酸吗，你？"我说："是有点啊。"她说："她说五年五年，我的眼泪都要流出来了。让她这么小就懂这些事，你不觉得对不起她吗？"我说："没冻着又没饿着，还在你们那么好的学校上学，哪有那么大的委屈？"她说："要不是我在那里教书，你的女儿进得去？我就是不想让她心里受委屈。"我说："一定要样样跟班上同学比得过，那才算不委屈？还有家里开奔驰的，还有出国旅游的，凡事都要争个赢高，什么时候有个完？你们当老师的都是这种心思，这学生怎么教得好啊！"她说："赢高是客观的，不是你不争它就不存在了。"我说："我安安成绩班上数一数二，这不是赢高？有这个赢高比什么赢高都好。"她说："别的赢高我也不想去争，也争不来，将来中学还是想读一个好的。微机派位？那微机它认识有权有钱的人，你不信你试！可惜又不能拿安安的前途去试，她是小白鼠？那敢赌吗？所以唯一的办法就是买套带入学指标的学区房。长隆欢乐世界我咬紧牙忍着不去，我就是为了这个目标。你说怎么办吧，这个事，你说呢！"

想一想赵平平说的这个事还真是个事。五年呼啦啦一下子就到眼前来了，怎么办？我说："那我每个月的零用钱再挤两百块钱出来。"她说："毛毛雨呢毛毛雨，麻雀爪子上剔油。每次吃鸡都给抓钱爪子让你吃了，怎么还是抓不到钱？这次看钱的面子，不，钱在你那里没有面子，看安安面子行吧，你就跟那个姓蒙的讲一声，要他给你一个发论文的名额。好歹也是一笔钱吧！"我说："他是我同学呢，我去拜那个码头？"她说："你能不能不要那么清高？钱呢，学区房呢，安安呢。"

说到安安我就没话说了。男人吧，他心再硬，自己的孩子还是知道心疼的。前几天她吃不完那一碗饭，我守在桌边逼她吃下去。她吃不下就哭了。我说："再哭，再哭也要吃完。"她哭得更厉害，我说："再哭，再哭，再哭我就——"我四下张望一下，好像办法就在四周什么地方："再哭，再哭，再哭我就——"她眼泪巴巴望着我，忍着哭，小鼻子一抽一抽的。我说："再哭，再哭，再哭我就——"忽然忍不住笑了："再哭，再哭爸爸就抱一下，抱一下。"她扑过来，伏在我腿上大哭起来。我抱起她说："抱一下，抱一下还不行吗？那就抱两下。"

想起这些，我决定按赵平平说的去试试。妈的，又不掉块肉。真打算去了又觉得真的要掉块肉还不算什么，这比掉块肉还痛些。迟疑中我感到事情已经非常紧迫，一旦名单定下来就不能改变了。下了决心我去了院里，上楼时觉得腿特别沉，像有一根麻绳在后面绊着。到了蒙天舒办公室门口，我毫不犹豫地敲了门，里面没人，这让我感到了一阵轻松。该做的我都做了，做不成那是机缘，不怨我。

我刚准备离开，蒙天舒过来了，掏出钥匙开门。这让我非常失望。他开了门说："致远，进来坐坐？"我说："没事，没事。"身子却不自觉地进了房间。他在桌子那边坐下，偏了头望我一眼，说："有什么事吗，致远？"我说："没事，没事。"似乎想出去，却又在沙发上坐下了。我说："蒙院长。"咧开嘴笑了一下。似乎看见了自己的笑，我犹豫了一下，说："蒙院长，有这么一件事。"就把事情说了。他说："这件事确实是有的，院里已经有了安排。"我说："安排给教授也不能说没意义，但是还有些人是等着这篇文章升职称，捏着生粑粑要火烧呢。"他说："实话说，学校这次拨的钱，那还不止这十万，有几个十万。这是童老板顶着别的学院的压力争取来的，目标就是建设教育部重点学科。四篇文章的名额分给几个方向的带头人了，不把他们顶起来，学科怎么顶得起来？学科顶不起来，重点学科怎么争得到？重点学科争不到，怎么挖得到富矿？如今的学术竞争，那也是资源竞争，白刀子进红刀子出，你上不去你就穷死，看着别人富死。重点学科的建设经费，那是个什么概念？有朝一日你来我这里争取这点发文章的资源，那肯定是没问题的。到今天，历史学院还没有进入良性循环呢，我们这一届班子的目标就是要进入良性循环，越有资源就越有学术，越有学术就越有资源。有朝一日，你尽管来找我。"

他这样一说，我就没话说了。名额轮不到我身上来，不但是有道理的，而且是万万有道理的。迟疑了一下，我说："有几个十万，那是不是有第二批呢？"他说："实话实说那些钱都有安排了，开全国学术会议，请专家讲学。不搞定几个大人物，重点学科那能搞定？"我挣扎了笑着说："那就算了，算了。"出了门我有点茫然，不知往哪边走。走到楼道尽头，才反应过来应该往相反的方向走。我似乎这才明白了，研究学问并不是人人都清贫，资源很多、很丰富，只是怎么分配有着它自身的规则。我吧，我是局外人。

我以为赵平平知道结果会很不高兴，谁知她笑笑说："知道了吧，知道自己是谁，别人是谁了吧？"我有点难堪地说："算了，算了。"她说："算了怎么办？"又说："怎么能算了？有我呢。你说要多少钱吧，"手掌在胸口拍了一下，又拍一下，"有我呢！"我说："那点钱是你的命，剖开肚皮缝进去了，不动大手术怎么拿得出来？"她很认真地说："那要看什么事。现在是大事来了。"我说："看你带安安去玩几天都舍不得，我不想挖你的肉肉。"她"哧"地一笑，又很认真地说："我说了大事来了。"

有了赵平平的承诺，我给大师兄打了电话。大师兄说："你现在还不是什么权威，是权威我在这边也有个说法。你吧，一点都不收呢，同事那里真有点不好说，那就一万吧。你不要告诉别的师兄师弟，都来了我就受不了呢。你知道现在当个名刊的编辑，人情的压力有多大！有些稿子接在手里，那就是个烫手山芋。"没想到天上的馅饼也会砸到我，我用力点头连声说："好的，好的，好的好的好的。"

站在那里我打电话告诉赵平平这个消息，她连声说："好的，臭臭，好的，好的好的好的。"又说："我这就去取钱，没到期我也取出来。"傍晚我一进门，她就把钱塞给我，说："一万！"我接了随意地放在电视柜上，她马上拿起来，塞到我夹克口袋里，把拉链拉上，说："知道了吧，在地球上做一个人类还是需要求人的吧。"又说："知道了吧，没有熟人朋友的帮助是不行的呢。"我说："那也要看求谁，怎么求。"她说："求谁都是求，总不是求自己吧。怎么求也都是求，只要不跪着求。既然求了，还去问求谁啊，怎么求啊干什么？"我说："那太要问了。马克思还求恩格斯汇钱呢，那马克思还是马克思。"她说："你端出这么大的人物，我还能说什么？可是你也要想想，人家是什么人物？"

过了几天我准备去汇钱，发信息问大师兄要银行账号。他打电话过来说："你的稿子几个人看了都说不错，外审反馈也很好，我就趁热打铁把免版面费的事说了。这事我再跟主编沟通一下，版面费就不收了。"

接到这个电话我怔了好一会，似乎不知道发生了什么事。好一会反应过来，仰天"哈哈哈哈"大笑几声。一万块钱是小事，可我凭自己的水平发了这篇文章，那就不是小事。我找到了存在的感觉，感到了学术的温馨。

46

教研室分来一台电脑，蒙天舒要我做保管责任人。我看了是一台联想电脑，跟我上个月买的新电脑一模一样。办公室洪主任拿了资产处的保管责任单要我签字，我看了上面的标价是五千二百元。我说："怎么这么贵？我自己买一台是三千九，除掉国家补贴，只花了三千六百块钱。一台电脑就差一千三百块钱，这太过分了吧！公家买东西打批发，应该更便宜的。"洪主任说："你签字吧，又不要你出钱。"我签了字，还想说什么，他拿着单子走了。

过几天蒙天舒对我说："有件事求你帮个忙。"我笑了说："还有人求我？那肯定不是什么好事。"他说："求你的人还少吗？学生考差了还求你给个及格呢。"我说："真的啊，我以为只有我求人呢。"他说："这现在不是我求你吗？是怎么回事呢，我们不是要争取教育部的重点学科吗，学校拨了一笔钱，就是上次说的那笔钱。首先把院里的硬件加强一下，将来有专家来考察的。第一笔建设经费下到院里的账上了，本来打算建微机实验室，现在房子没腾出来，钱却要在年底用完，不然省里就收回去了。金书记说先把教研室的空调装一下，还有研究生教室和办公室也要换新的，这件事能不能你去操心一下？"我说："洪主任呢，这不是他的事吗？"他说："他明天去省委党校学习一个月。买几台、怎么买，你跟他沟通一下。"

跟洪主任沟通了，要买二十三台挂机、十六台柜机。我想，通过资产处去买，那肯定又要贵些，院里这点钱也来得不容易，就去财务去问了，回答说可以院里自己去买，也可要资产处去买。我就选择了自己去买，同样的钱可多买好几台呢。我跑了三家电器商场，价格都是一样的。有家二线品牌的销售员说，我如果买他们的，就送我一台手提电脑。想来想去二线品牌心里不踏实，就没同意。他说："又不是你自己买，那么认真干什么！"我说："我自己只买一台两台，倒真的可以随便点。"我跟苏宁电器的销售员还价说："这是打批发，给零售的优惠价那是不行的，得给批发的优惠。"她说："又不是你自己买，你把我的价往死里整干什么？"答应照她的报价买了，可以送我一台挂机。我说："那你真的会算账，你出三四千块钱，就把三四万吞进去了。"她说："这边是你自己得了呢，这个账你不会算？都是这样算的呢。"我笑了说："我糊涂，算不清。"她也笑了说："怕是真的有那么糊涂。"

等了几天，苏宁电器搞活动有优惠，通知了我。我把二十三台挂机买了，格力品牌。柜机价格也谈好了，还要过一阵子才有货。为怎么付款又争了一阵子。我说："我们这么大一个学校，还会少你这一点点钱吗？"总算同意了先送货后付款。过几天空调装好了，商场来电话催我付款。我说："把柜机装好一起付不行吗？让我报账省点事吧。"售货员说："我们要结账，一月结一月呢。"没办法我拿了提货单副本去财务处办手续。财务处孙科长说："要去资产处办了资产登记才能付款。"就给我开了资产登记的单子。

我又跑到资产处，一个年轻人在看报。他看了单子说："怎么你们自己就买了呢？这是我们的事。"我说："教务处催着把这笔钱用完，金书记说自己去办可能快点。"他把单子研究了半天，我就站在那里等，等了一会心里很窝火，再怎么说我也是个老师，年龄也大几岁吧，就让我这样干站着？就退到沙发上坐下。年轻人说："价格怎么样？"我说："优惠价加上批发价，应该是最优惠的。"他拿起电话拨号，把挂机的型号报了，问那边的报价。我想，幸亏没要杂牌货，也没要他们送电脑送挂机，不然就难堪了。这样想了心里还是有点不踏实，说："我是尽可能要苏宁优惠了，是不是最优惠，我也不敢说。"想起教研室那台电脑，觉得资产处去采购，那报价能低吗？忽然又有了勇气，说："应该是最优惠的。"

打完电话年轻人又拿起单子仔细研究。我说："应该是最优惠的，肯定。"他说："我去找处长签字。"好一会签字回来了，说："我们还要派人去现场验货。"我说："能不能现在就去？苏宁一天几个电话催，催催催的，我真的没法安神。"他说："那是你自找的。"又说："单子先放在这里，验了货我们直接交给财务处，要他们打款。"我说："能不能现在就去？下午去? 明天上午去? 下午去? 他们催呢，我答应了他们的呢。"他说："所以你不要给自己找这些麻烦。"

以后几天，苏宁电器的人一天几个电话催我，我只好一天几个电话催那个年轻人。苏宁的财务经理出面来催了，我就要蒙天舒出面去催，他答应了，可还是没有结果。看来资产处的人是下了决心要让我为难了。最后那个售货员打电话给我说："聂教授我求求你了，货款不到账，我工资都没得发呢。"我马上给那个年轻人打电话说："你们到底办不办？不办就说不办，我这就去找徐盛忠，看你们到底在搞什么名堂！"徐盛忠是管后勤的副校长。他说："你去找呀！谁搞什么名堂了？"又说："看看今天下午!"

第二天商场的人就没来电话了。我还觉得奇怪，打电话去问，才知道款已经打过去了。过几天苏宁电器的售货员又打电话过来，说柜机有货了，很抢手，想尽办法才给我留了十六台，要我赶快去提货。我给蒙天舒打电话说："你们是不是另外派个人去搞这个事，资产处的人实在太不好打交道了。"他说："你搞上手了，那还是麻烦你辛苦一下呢。"我说："一台电脑他们可以贵百分之三十几，一台空调能贵多少，我不知道，肯定比我买的要贵。不是想为院里省点钱，我才不看这个脸色呢! "他说："所以说你是有功劳的。"吃了中饭我准备去商场，蒙天舒打电话来了，说："致远啊，买空调的事，就让资产处的人去辛苦算了。"我说："这就是他们的意思，一个小小的采购也舍不得放手。让他们去吧，反正价格我已经谈好了，不可能比我谈的价更高些，更高就是有猫腻，这里面的猫腻太大了。"他说："他们还说你有猫腻呢。"我浑身汗一炸就出来了，说："谁说的？我找他到卢校长那里去分辨明白，看他敢不敢去？"又说："谁打电话通知你的? 我去见见他。"他说："他们跟金书记说的。算了，我说致远，还是算了。"

我气得一中午都不安神，在房间里窜来窜去。赵平平说："看你这个样子，连我都会以为你做了什么坏事。"我说："我会做那坏事？"她说："你不会，你太不会了。别人都说你会，我也会说你不会。你真会我家的日子应该会好过一点。"我说："我不做我心里安得很！我气壮如牛！他说我有猫腻，他敢跟我去见校长？"她说："这个事别人不让你搞，你就不能搞了，你说谁气壮如牛？那些有猫腻的人谁动了他一根毫毛？"我想想也是，到底谁是赢家？我辛苦了，我赔小心了，我还要受气，我还是赢家吗？我说："我下午去找领导，看我不捅得他们四脚朝天！"她说："算了，算了，劝你算了。现在到处都是这样，我们学校不也是这样？哪里的公家不是高价采购？领导他傻他不知道？你劳神了你还落个不是，你真傻啊你！傻傻！"我还是说要去找领导，她说："你别多事，会吃暗亏的。"我说："我怕谁？大不了不当官，我也没想过当官。不评教授？我也没想过……"我忽地笑了："那还是不能骗自己。"她说："所以我说算了。说真的我说你连对面到底是些什么人你都不知道，你知己知彼吗？不知己知彼你能打胜仗吗？"她说得我气馁了，说："妈的，真他妈妈的。"就答应了赵平平，算了。

　　下午赵平平去了学校，我躺在床上越想越气，还是决定要去找金书记，至少为自己洗刷干净吧。见了金书记我首先把电脑的事说了。他说："这个问题应该还是有普遍性的。"我说："教务处下给历史学院的钱，为什么要他们去买？我们自己买还能省出至少三四万块钱，也可能是四五万，我们院里钱来得这么难，不会用这几万块钱多办点事吗？"他说："我也想多办点事呢，可是有时候你越是想多办点事，能办到的事就越少。"我说："还说我搞名堂，我是搞名堂的人吗？"他说："大家都相信你，不是？"

　　我把商场答应送电脑送空调的事讲了，金书记说："你不说我也相信你。"我说："书记你相信我，你相信他们吗？"我手一挥指着门外。他说："真有点不敢说。"我说："按比买电脑贵百分之三十多的比例算下来，买这三十几台空调有四五万块钱的差价，你说这钱流到哪里去了？谁脚趾一蹼都能想出来。"他说："没有十足的证据，有些话不好说死，搞出来就是大事呢。现在不像以前，形势紧了。"我说："我就是想趁现在的形势捅出来。虽然我只知道冰山一角，有了这冰山一角，就能找到下面的大冰山。"他笑了笑说："算了，还是算了，哪里的领导也不喜欢自己的单位火山爆发，他坐在火山口上能安心？"我说："单位采购贵过商场零售价百分之三十，历史学院是这么多，全校是多少？"他说："那还有全省全国呢。"我说："是啊，想一想都吓人。所以我心里怎么也安不下去。我不是为我自己洗刷，我不用洗刷什么，我就是恨那些捞捞捞，捞个没完的人，历史学院这么瘦，才有几根毫毛,还要拔掉一根两根三根。"他说："这不是你管得了的事，也不是我管得了的事，管不了我们就不管。古人说，难得糊涂。有时候也只好糊涂一点。"我说："那我们就白白吃亏了？"他说："我跟他们处长打个招呼，我们这批空调，不能贵过市场零售价。"我说："那下次呢？那全校呢？"我双手往上一举说："所以我说我想烧一把火，一把冲天大火。"

金书记沉默了一下，说："算了，算了。你这把火一烧你不要紧，会烧着谁我也不知道，大概是谁也烧不着。这算个什么事？可是我们学院再想申请一点什么资源就难了，不但到资产处要资源难，到别的处要资源都难，谁敢沾我们的边？你要知道，学校的资源都在职能部门手中，我们要好话说几吨重，才能讨回一点。把他们得罪了，还有下次？想拒你们于门外，一万条理由都有。"我说："怪不得一个博士副教授愿意去当个科长，这行政化太严重了。"他说："是这个现实。"我说："卢校长在大会上不是反复说了，职能部门是为学院服务的吗？"他说："人家也没说不为你服务啊！但他也可以说，那点资源别的学院更需要。到最后处于求人地位的还是你。"又说："我们学院在学校还有代言人呢，不然我们还敢想教育部重点学科？"我说："那怎么办？几万块钱呢！"他说："算了，算了，也不是我们学院才有这个情况。所以说不算个什么事。"我说："这么大的事还不算事？那还要多大的事才算事呢！"他说："学校盖第三教学大楼,投标签了合同是五千万,几年下来,已经追加到一亿三千万了,追加的理由都很充分。卢校长都生气了,在会上问,为什么我们的领导总是帮老板说话?几千万都去了,你想想这几万块钱算个事吗?"我说:"算不算个事,是不是给童校长汇报一下?那是我们院里的钱。"他说:"好的,好的。算了,算了,好的。"

我把写了柜机品牌、规格和价格的清单给金书记,说:"这是我谈好的价格,他们比这个高,就百分之百是有问题。"他接过去说:"好的,好的。小聂啊,一个人吧,他想成功吧,不说成功,他想好好活着吧,那他眼睛里要掺得下沙子。"我叹一声说:"书记,这不是沙子,这简直就是石头,搁在眼中抬不出去。"他说:"这事我会跟童老板说,他是老板,他说了算。"我说:"那是不是我去说?书记事多,太忙了。"他说:"我说了会说就会说的。唉,哪个领导会希望自己的院子里起火?在火上烤着他不难受吗?说了也是要他敲一敲那些人,这次就算了。"

我只好算了。过了几天,苏宁电器的销售员来电话问:"教授,怎么还不来提货,这批柜机很紧俏,再不提货就被别人拿走了!"我说:"这件事我没有管了。"再打电话来催问,我把资产处的电话告诉她,要她自己去问。不一会她又打电话来说:"你们学校怎么换地方买这批柜机了?那二十三台挂机要跟柜机捆绑在一起买,才有那个优惠价呢!"我说:"领导要怎么想,我也没办法。是不是算了?算了吧!"不等她回答,就收了线。她再打过来,我也不接,我心里非常愧疚,可也很无奈。她发信息来说:"领导都骂我了,说前面的挂机卖得太便宜了,这批柜机也压得太久了,要扣我的奖金呢!教授你帮帮忙吧!"我没回信,觉得自己很无赖。

洪主任从党校学习回来了,我对他说:"那些柜机的保管清单下来了吗?我看看价格。"他说:"算了,金书记交代的不要给大家看。"洪主任看我神色不对,就说:"书记也就是想风平浪静,风平浪静才会有和谐嘛!"

47

　　我只好算了，也只能算了。我再一次感到自己对世界是多么无能为力。我必须把这一点作为一个事实接受下来，然后去考虑自己在这个世界上所扮演的角色。我的角色实际上已经被一种无形的力量所预设，不可能改变，怎么挣扎也不可能改变。既然如此，有必要那么认真吗？唉，有一天太阳也要燃尽，地球也会寂灭成白矮星，如果有终极，这就是终极了。自己这一生是多么渺小又多么珍贵啊！

　　如果这样，每天应该想着的最重要的问题就是钱了。钱，钱，钱。钱这个东西决定了我，还有赵平平和聂安安的生活，这个事实没有讨论的余地。每天，在我去学校的路上，快到校门口的时候，有一个卖铁板烧鱿鱼的摊子，那浓烈的辣香刺激着我，有时我会停下来花两块钱买一串，有时两串。经营这个摊位的是一对安徽的夫妻，他们告诉我，他们从早上六点开始摆摊，一直到晚上十一点，只要还有学生在走动，就不收摊。我问："学校放寒暑假也不休息？"男的说："放假有进修和艺考的学生，生意还好点。过年还是回去十几天。"我说："这太辛苦了，晚上早点收摊。"女的说："要赚点钱，儿子女儿还在家里上学呢。我们就是想培养儿女考个大学，将来能和你们一样有一碗安稳饭吃。"男的说："这个摊位城管每月收四百块钱呢，我不摆满三十天，每天不摆十几个小时，我怎么对得起那四百块钱？"我说："你们真的不容易啊！"女的说："现在好多了呢。以前被城管追着到处跑，现在有个摊位了，那已经是观音保佑了。再来一串？叫观音也保佑你。"

　　这对夫妻让我想了很多。活着就是道理，好好活着就是硬道理。这是正常的人生。除此之外还有道理吗？细想之下，似乎有，又似乎没有。我说有就有，我说没有那就没有，全看自己怎么想。也许，既定的意义真的像有些人说的那样，是不存在的，所有的意义都由自己来确定。如果我说没有，那自己就轻松了，这样我不必想那么多事，放下那点清高，一心一意跟着钱后面走。哪里有钱，哪里就是目标，就是方向，就是真正的人生。该醒悟了，还不醒悟，除了自恋，再也不能说明什么。可是，这种醒悟就意味着意义世界的崩塌，这又让我感到惶恐。也许，人活着真的就是为了活着本身，而不是为了活着之外的什么而活着。也许，一个人真的应该在这个渺小的基础上建立自己的意义世界。这样想着我又有些犹豫，甚至恐慌。再往前走一步，那就是我死以后哪怕洪水滔天也与我无关了。真的对不起屈原，也对不起曹雪芹。他们只要对生活稍稍让步，就能够多么富贵地活着啊！总不能说他们傻吧。我觉得心中有两个自己，不知道哪个自己才是真正的自己。

这个问题让我困扰了很久。心中的那些文化英雄似乎要被打倒，可最后发现他们还是挺立在那里。我是一个知识分子，我不能不表示对他们的景仰。我有时想把自己解脱出来，他们是英雄，我也是英雄吗？我不是英雄，我是凡人，凡人有凡人的生存法则。这就是最后的理由了。

这天金书记叫我去办公室，说有点事。我去了，他说："明天下午人事处有个会，讨论学校进人的问题，叫每个学院工会派个人去投票。本来是我这个工会主席要去的，我在省里有个会，只好请你代劳了，这也是工会秘书的责任呢。"我说："学校进人这么大的事，叫我一个小秘书去投票？"他说："你代表学院。"我代表学院，这是第一次。我有点受到重视的感觉，说："书记，你看看我，我……还是派蒙天舒去吧。"他说："学校指定了要工会的人去，你是秘书。"我说："那怎么投？我们院有个意向没有？"他说："主要还是要看人事处的意思。如果可能，图书室的李老师，你也帮她呼吁一下。主要还是看人事处的意思。"

有机会帮李灿云呼吁一下，我也感到了欣慰。二十年前她因被照顾夫妻关系调来麓城师大，丈夫是商学院的一个副教授。一时没有编制，她就在历史学院图书室先工作，承诺有了编制优先解决。谁知编制越来越紧张，好几次似乎一定轮到她，最后被别人挤掉了。十年前丈夫跟她离了婚，离开学校下海去了，她的事就更没了着落。二十年来她工作勤勤恳恳，图书室几万册书，她真的是每一本都熟悉，老师一提，她马上就能找到。如果是正式职工，不知评上过多少次优秀了。五十岁了，她唯一的希望，就是想有个编，老了能拿一份退休工资。前些年老师去借书，她总是叹息："要是那时候不听他的就好了。"后悔听了丈夫的话，放弃县城小学教师的工作来到麓城。听多了老师们都有些怕她，老是表示同情也没有意思，可又帮不上忙，就有些难堪。她察觉了，就不讲了。后来又讲："没有任何办法了，都走到绝路上来了。"讲了一阵子，也不讲了。她的事情我们读大学时就知道，谁知会拖到十多年后的今天。

晚上有人敲门，非常轻。我开始还以为是敲对面的门，仔细听了好像是在敲我家的门，非常轻，怯怯的。我走到门边停下侧耳听了一下，确定是敲我家的门，就开了门。我看见李灿云站在阴暗之中，屋里的灯光照着她的脸，不知所措的神情。我说："李老师，是找我吗？李老师。"她说："是在这里。"转过身去，把身后的东西一样样往房里搬，有个穿着校服的女孩在递给她。我抓住她的手说："李老师，有什么事您尽管说，这不行啊，这不行啊！"她用了很大的力气把我的手推开，跟刚才敲门的轻柔完全不同。搬完了她对门外说："小曼，你在这里等会。"我说："是你女儿吗？叫她也进来吧。"我话还没说完，她已经把门拉上了。我又把门打开，对那女孩说："你也进来吧。"她不回答，用力地摇头。李灿云说："让她待会。"用力把门关上。

我要赵平平给她泡茶，她挡住了，说："我就站在这里说几句话，不打扰。"我说："您坐，您坐，是不是明天去学校投票的事？我肯定会投您的票，每人只投一个人我也会投给您。"她说："聂教授，我真的是求您了，没有任何办法了，都走到绝路上来了。"我把她拉到椅子上坐下，说："叫我聂致远，十多年前您就是我老师了，真的都有二十年了。"她说："要是那时候不听他的话就好了。"我说："我知道，您本来有个稳定工作的。"她把自己这二十年的苦从头讲起，眼泪汪汪。我不想她伤心，几次想打断她，赵平平却很有兴趣地要听，不断地追问。讲起编制问题，两个人有好多话要说，赵平平也哭了。李老师抬手用衣袖擦眼泪，赵平平马上抽了纸巾帮她擦去。两个人都身体前倾着，拉着对方的一只手，另一只手拿着纸巾不停地帮对方擦眼泪，说："别哭，别哭，哭也没有用。"李灿云哭得直喘气，赵平平也跟着喘起来。岳母在一边说："可怜呢，可怜呢！"手里拿着纸巾等着递给两个泪人。最后赵平平说："臭臭你无论如何要帮李老师一把！"李老师说："这是最后最后一次机会了。"我说："我一定会尽量帮您说话，可是我只有一票呢。我不管领导有什么指示，我这一票不投给您我就不是个人。"她说："要请聂教授帮我说话，帮我说话！没有任何办法了，都走到绝路上来了。"她说着弯下腰，一只手撑着地，一只膝盖跪到地上，另一只也跪在地上，两只膝盖交叉前行，靠近我，抓紧我的双手。我惊呆了，站在那里，似乎失去了对这个场面的理解。岳母和赵平平同时反应过来，一人搀着她一只胳膊，把她扶了起来。赵平平说："姓聂的，你明天不把李老师的事搞定，我就跟你离了！"

李老师出门的时候，我把门边的东西提了两袋，想送出去。她死命地推了进来，也不说话，几乎把我推倒。门外的女孩也帮着她妈推，是恳求的神情，说："叔叔，叔叔！"我只好把东西放下，和赵平平送她们进了电梯。在电梯中谁也不说话，我看那女孩期盼的神色，觉得特别对不起她，不敢再看她的眼睛。出电梯时赵平平和李老师走在前面，我对女孩说："相信叔叔会尽力的，东西叔叔会给你妈带到图书室去。"女孩用带哭的声音说："不要！我不要！"

我想着是不是该打个电话请示一下金书记？手机攥在手中，又想，如果金书记明确指示我听人事处的安排，我就没有折腾的空间了。睡下了赵平平说："致远你明天还是要扎实帮李灿云一下呢。"我说："扎实。"又说："人事处不打她的米，我再怎么扎实也只有那么扎实。"她说："她这么可怜，你帮她拉几票吧！"我说："人家心里的算盘都是铁算盘，是我拨得动的？"又说："现在的人都是精怪，人事处说要往东，他会往西？人事处又是一个多么现实的地方，他会打李灿云的米？李灿云是谁？"她说："反正你要帮她搞到位。"我说："不小心得罪谁了，他一根铁棍横在心里，到那天自己的职称可能就到不了位了。"她说："那不会吧？"我说："不会？多少反抗权威的人掉在井里，都想不清自己是怎么掉进去的。"

赵平平沉默了一阵，说："那你还是要扎实帮她一下，你。"我说："这个老婆今天怎么这么好？比我还好。"她说："跟一个好人睡了十几年，肯定也会有点好吧！"又说："我什么时候不是这么好？是你自己戴着有色眼镜看我。"我说："唉，我也应该理解你多一点。"下了决心扎实帮助李灿云一下，我还是给韩院长打了电话，把事情说了。我想把自己的想法变成领导的意愿，万一哪天有什么问题了，那我也是在执行领导的指示。韩院长说："我们院里情况有点复杂，有些事情我就糊涂一点。哈哈。这件事我可以明确表态，支持李灿云，这是学院的意见。你对人事处的人就这样说。"我心里一下轻松了，说："谢谢院长的人道情怀。"收了手机，我对赵平平说："有时候我们看世界也不必那么悲观。"

第二天在学校会议室开会，我去得最早。来一个人我就把李灿云的情况简单说一下，把院里的意见说了，连她昨晚给我下跪的事也说了，右手握了拳在桌子上滚动，比划着下跪的情形，请他一定帮一票。说的时候我不停地瞟着门口，希望人事处的人晚点进来。来了七个文科学院的代表，大多都是书记。到时间人事处肖副处长来了，见了我说："金书记没来？"我说："他在省里开个会，要我代表他，也代表学院，我是工会秘书呢。"肖处长说："校长办公会议早就做了决定，行政人员是一刀切，不进人了。我们还有三十多个引进人才的配偶在家里拿一份基本工资等待分配。人事处压力大啊！钟处长就没睡过一个安稳觉，这两年头发都急白了。今天讨论的十个人，有几个是为了改善我们的办学环境，非进不可的。"

他发给我们一份名单，有十个人，只能进七个。他把十个人的情况都讲了一下，要进哪几个，淘汰哪几个，意思很明确，李灿云是在淘汰之列。他说:"你们七个文科学院,每个学院安排一个,一定要安插下去,基本工资和津贴学校负责。"我说:"我们历史学院李灿云是现成的,都工作二十年了,勤勤恳恳,任劳任怨,一丝不苟,二十年如一日呢!要有编制早就评上'三八红旗手'了。她的处境真的太让人同情,就把她安插到我们学院算了。这是我们学院的意见,韩院长明确指示了的。"肖处长说:"金书记的意见呢?"我马上说:"跟韩院长一样的态度。"他说:"是吗?我事先跟他沟通过的呀!"这让我想到,金书记自己不来,是想回避这件事,既可以推托李灿云,也为不同的可能性留下了余地。我说:"我不代表我自己,我是代表我们学院。"肖处长说:"这次名额太紧张了,我们摆来摆去也摆不平。摆不平有人要来吵的,我的头有这么大呢,"他双手举上去比划了一下,"真这么大。所以把权力交给大家,也是为学校分担一点压力。李灿云的问题确实应该解决,可是这次确实不好解决。我们是想把谷远芳分到历史学院去。"谷远芳是学校所在地消防队政委的妻子,肖处长强调了要重点解决的。他说:"我们的成教楼可能多住了几个学生,楼梯按现在的标准也窄了那么几厘米,谷远芳不安排,成教楼的消防马上就会亮红牌,你要我把学生搬到操场上住去?"马列学院黄书记说:"怎么我们办学像个乞丐?"肖处长说:"没办法呢,真的没办法呢,所以说我们的压力很大,请大家一定支持我们的工作。"

　　投票的时候,我把右手握了拳在桌子上滚动,向每一个人示意。票收起了,人事处的办事员一统计,李灿云竟然入围了,得了四票,排在第七。人事处预想的那七个人有两个没有入围,谷远芳排在最后一名,只有两票,肖处长的脸色很难看,说:"各位领导,这要我怎么向领导交代!"跑出去打电话。这时金书记发来一条信息,问我开始投票没有?交代我投李灿云的票,并帮她说话。我回信说,一定按领导的指示办。黄书记说:"请示去了,难道还要复议?"商学院郭书记说:"那没有复议的呢,有复议那还要我们来干什么?"我抱了拳作揖说:"谢谢各位领导,仁慈之心,人道主义,人文关怀,这个世界还有希望,很有希望。"这样说着，我的眼泪一下就涌出来了，用手背擦了一下："很有希望。"

我去洗手间小解，在楼道碰见了肖处长。他正在打电话，伸手示意我等一下。很快打完了他说："聂教授你评副教授有六年了吧？今年好像又报了正高？"我说："我报了两次了。报着玩的呢，看能不能走个狗屎运？能人太多了。"他说："资格审查我们处还是给你过了的啊！我还帮你说了话呢。"我说："谢谢肖处长！明年可能还要报一下，碰碰那个什么运看看！"他说："我们一定支持。工作就是要互相支持，你一定要支持我们的工作。我们难啊！一定要互相支持！"

进了会议室肖处长说："刚才请示了钟处长，他说了，我前面提到的人选不是人事处的想法，是学校的想法。现在这个结果，让我很有点点太不好交代，是不是请大家再考虑考虑。"大家都不说话。肖处长对音乐学院副书记说："廖书记，您看呢？"廖书记说："我看……既然学校有个意思，我们是不是把领导的意见再考虑考虑？"我心里非常着急，只要一讨论，李灿云肯定就被拉下来了。我用恳求的眼光看看郭书记，再看看黄书记。好一会郭书记："最后是个什么结果，由你们人事处去定，票再投一次，传出去恐怕不太好吧。"我迟疑了一下，想起昨晚的情形，也顾不得"互相支持"的交代，鼓起勇气说："那就可能会引起一些麻烦，会有人找上门来，人事处怎么回答？肖处长您就更加头大了。"双手举上去，也做了个头大的姿势。肖处长说："这是内部会议，不能外传的，小聂也不会外传。"我马上说："都不会，我也不会。"黄书记说："学校就跟那个政委的什么老婆加个名额吧，学校几千职工，也不在乎多了这一个。"他这么一说，我就安心了。又想到在这样的场合，有人说话形成氛围是多么重要。肖处长叹一口气，又叹一口气，说："各位领导，要我怎么跟领导交代呢？"

出了校办公楼，我收到了李灿云发来的信息，问结果怎样。我回信说，还是很有希望的。她马上打电话过来问详细情况。我说："人事处规定了不能外传的，李老师你别让我为难，反正是很有希望的，投票的结果不可能不算数。"她说了一大堆感谢的话，我说："这是院领导的意见，我是执行领导的指示，你去谢谢院长书记。你的那些东西还是要拿回给你，不然你读中学的女儿还以为是送东西搞成的。她会觉得这个聂叔叔有点可鄙，这个世界也有点可鄙，这样对我不好，对她更不好。"

48

贺小佳是我的研究生，今年毕业。四年前我指导她的本科论文，得了优秀。当时她就毕业去向征求我的意见，告诉我有两种选择：第一是通过招聘考试直接留校当学生辅导员；第二是保留保送读研资格，当两年学生辅导员再读研。我说："直接留校有编制没呢？"她说："现在都是聘任的，连博士来校任教都是聘的，不过学校的聘任跟外面不一样，很稳定。"我想起赵平平，稳定是稳定，可聘了十多年还是个聘的。我说："既然没有编制，那你还不如把读研保住了再说。"她说："那过两年我就来读聂老师的研啊，一定要收下我啊。"我说："现在就可以定在我名下了。那是你信任我呀，还有那么多教授呢。"她说："我觉得聂老师很不错啊。"忽然有了点羞涩的神情。这点羞涩让我忽然感到，她是那种很漂亮的女孩，而不是以前感觉的还不错。女孩的漂亮，要看长相，更要看味道，看气韵，看神情。我忍不住笑了一下。她询问地望着我，我说："没什么。"又说："不错，是很不错。"她笑笑说："是很不错啊，我说真的，我们女生都说聂老师很不错。"我说："那谢谢你。"又说："不过留校了总还是有机会在职读个研的。"她说："那又要考外语呢，我不知怎么的，对外语就是没有感觉。"

事后我了解到，麓城师大的聘任制与赵平平那个聘是不同的，待遇上跟有编的没有什么区别。这样我觉得贺小佳还是应该先保住这份工作再说。想跟她说吧，又发现自己有点私心，真的很想带她这个研究生，很想带。犹豫了一段时间，觉得还是应该以她的前途为重，就把她叫到教研室说："想来想去吧，你还是应该先留校，保住这份工作再说。学生辅导员当两年，读研又两年，谁知道四年后的情况怎样？"她说："我现在能留校当个学生辅导员，难道读了研反而留不下了？跟学生打交道就是我最喜欢的工作。"又笑了说："我自己被管了四年，我也想去管管别人。"我说："留下来就有了一份稳定的工作。"我想把赵平平的经历告诉她，心里倏地荡了一下，就没有说。她说："麓城师大是省里的名牌大学，它的研究生找份工作应该还是没问题吧。"我又一次想把赵平平的事告诉她，那不是麓城师大的学生？没编制都十多年了。心里晃了一下，还是没说。我也说不清为什么自己不愿在她面前提起赵平平。

过了几天我越想越不对，有个工作先拿住再说，这比学位重要。我拨了贺小佳的手机，把这意思跟她说了。她说："招聘考试报名前天已经结束了。"我说："现在留校可能性很大，考上了就留了，稳定了。四年以后，谁知道？"她说："那时候有了两年工作经验，又有了学位，应该不会比现在差吧？聂老师，我还是比较有信心呢。"我说："比我还乐观！"

因为不在编，保留读研名额的学生辅导员每月只有八百块钱的生活补贴。那两年贺小佳工作非常投入，评上了学校的优秀辅导员，教师节学生送了花篮给她，称她"小佳姐姐"。我在学工办看了花篮，说："我在这里教书十年了，送贺卡的年年有，花篮还没人送过。"她说："师父，你经常去学生宿舍走走，那就不一样了。"我看她兴兴头头的，说："学生毕竟是学生啊！"她说："是的呢，他们好单纯呢。他们送来两只花篮，我眼泪都出来了。"我说："你就是关不住自己的眼泪，我都看你流过几次了。"又说："学生毕竟是学生啊！"我想说，他们不是领导，他们的表达意义有限。我没有说，我不想把世界描述得这么现实，虽然我很清楚，这就是现实。

四年匆匆过去，就业形势大变。前几年前途暧昧的学生辅导员岗位，已经跟公务员一样抢手。贺小佳感到了危机，先去广州羊城大学应聘，笔试过了，面试没过。又去武汉的汉江大学，结果还是那样。她回到麓城，还是很乐观，信心满满的神态。我从这乐观的神情后面读出了一丝悲凉，看她笑嘻嘻的，也就装着没有读懂。我已经看透了她失败的必然性。一个很多人争抢的岗位，没人帮她说话，顶着，挺着，形成氛围，那可能争到吗？贺小佳又在网上报了名，准备去昆明的春城大学应聘。她跟我说这事的时候，我想劝她不用去了，要想成功，那是不可能的。在这个拼爹的时代，她来自小县城，无爹可拼，怎么可能有好的机会？有些女孩看清了这个局面，无爹可拼，又不甘沦落社会底层，就奉献了自己，找一个男人帮着，实在也是无奈啊。我对贺小佳说："昆明这么远，你去了有点把握吗？"她凄凉一笑，又马上把笑转为明朗说："师父，那也得试试啊！"我得知她时间紧，是坐飞机去，就说："我给你买机票吧，你以后有工作了，还我也行。"她说："家里会给我钱呢。"我知道她家情况并不好，本科时她还享受着助学金。以她的风采，能把一份纯净坚持到今天，多么不容易啊。

这样想着我更想给她一点帮助，说："看你导师也没有话语权，不然怎么样也应该把你往上推一把。"我想告诉她，当年她选童校长做导师，那情况就不一样了。这话太伤自尊，我没勇气说。可她不傻，她不会这样想吗？她还有最后一个机会，就是本校的招聘。可童校长的研究生孙乐乐已经放出话来，志在必得。学校今年招聘十几个学生辅导员，孙乐乐也不直接影响到她。可孙乐乐那稳坐钓鱼台的姿态，外面的招聘哪也不去，却让贺小佳感到了形势严峻。我叹气说："有人推就是不一样。"贺小佳没有说什么，脸上很平静。这种沉默的平静既认可了我说的事实，又照应了我的颜面。我再一次提出帮她买飞机票，她拒绝了。

过一个星期我给她打电话，她说从昆明回来已经两天了。我没有问她结果，她去之前我就知道了会是什么结果。我说："那你好好准备本校的招聘。"她说："好的，师父。"突然，电话那边传来一声抽泣，我把手机贴近耳朵，想听得更清楚一些，电话已经被挂断了。我打过去，不接；再打，再打，她接了。我说："小佳你怎么了？"她说："我没什么，师父，我还好啊。"我说："还是要有信心。"这话我自己听着也是那么苍白，甚至虚伪。她说："我没有失去信心呢。"我说："那就好，那就好。这次你好好准备，主要是面试。"她轻叹一声："唉，面试，面试，已经面试三次了。"

我很想帮帮贺小佳。我以前的研究生，毕业两年了还在社会上做一份临时工作的有好几个，都不好意思跟我联系，教师节、春节也没个问讯，我也非常理解。我帮不上忙，也没有去多想。可是贺小佳我还是想帮帮她。校领导我说不上话，学工部的部长们也不认识，我能够求的只有蒙天舒。蒙天舒副院长当了两年，评上了博士生导师，又调到研究生院当副院长了。说起来还是个副处级，可工作面向全校，分量就不一样。一个教授能做成一件什么事吗？一个处长就完全不同了。人人都说，副校长的位置在向他招手，只是时间问题。童校长下了决心培养他当接班人，那他是很可能接这个班的。他什么条件都已具备，童校长主持的教育部社科重大项目参与了，排名第二，好几个资格比他老的教授都排在他后面；国家一般项目早就拿到了；论文在权威刊物发表了几篇，还获得了省里的社科一等奖。这是许多老教授争取了一辈子都没争取到的。什么叫作要风有风要雨有雨？

为自己的事，不是被逼到绝境我不愿求人。教授报了两年，没有去找人，当然也就没有报上。一个实质性的利益，发表论文也好，拿国家项目也好，评职称评奖也好，在关键时刻没人说话，那是得不到的，不可能。这个道理我懂，一旦自己面对，那越是懂得就越有心理障碍，就像小偷，他走在人丛中，没打算下手也斜着眼睛东张西望。可这次帮贺小佳去求人，我没有很大的心理障碍，甚至有点理直气壮的意思。为什么别的研究生我都没管，这次为什么要管？我不能给自己一个解释。可越是不想解释就越是要有一个解释，就像一个有强迫症的精神病患者。我不得不承认自己对贺小佳有点私情，这点私情像阿拉斯加的深海鱼类，一百年一万年都不会浮出水面。

蒙天舒听了我的请求，沉吟好一会说："这不是一件小事。"我说："我知道这不是一件小事，是一件小事我就不会来求你了，我自己报教授我求过谁没有？"他说："几年前这可能是一件小事。今天那形势就不同了，硬是不同了。这两年招聘学生辅导员，我都去做了评委，不知今年还会叫我去不？都是名校来的研究生，一个个的口才，那叫一个了得。今年形势特别严峻呢，童老板一个研究生也报了名。"我说："孙乐乐，我知道，那历史学院不能招两个吗？"他说："历史学院招两个，别的学院领导招呼了的，外面特别优秀的，那往哪里摆？摆不平，"他用力摇摇头，"摆不平。哪怕只是一个学生辅导员吧，那也正经是个岗位，没有一个过硬的人说一句过硬的话，那也是不行的。说白了吧，名额不够分呢。"我说："所以求你这个过硬的人说一句过硬的话呀！说不够分，好事永远不够分。在权威刊物发文章，那名额够分？评国家项目，名额够分？评职称评奖，名额够分？正因为不够分，所以求你帮忙去抢个名额，分是分不到贺小佳头上来的，只能抢，抢、抢、抢。"

这样说着我有一种异样的感觉，这些话居然从我口中说出来了。这让我感到了一种羞愧，想着不是为我自己，羞愧之情一闪就过去了。看看蒙天舒并没有半点惊异，就更加安心了。这样想算是人之常情，也是对现实的正常反应吧。"唉。"我叹息了一声。蒙天舒也叹息一声："唉。"又说："今年如果没有孙乐乐，事情可能好办一些，她是我的嫡亲师妹呢。"我突然想到，可不是吗？虽然隔了十几年，都还是童校长的弟子呢。想要他把贺小佳放到孙乐乐前面去顶，那不可能。我说："如今你在学校有话语权了，顶两个也顶得起。"他说："你太抬举我了，顶一个我还要以童老板的名义去顶呢。"又说："我尽量吧。"

这个拜托不太靠谱，我不想跟贺小佳说。可她来谈论文的时候，我舌头一滑，还是说出来了。说了之后我很后悔，让她去抱有一个没有希望的希望，也是一种残忍。自己为什么那么想把这件事说出来？有见不得人的心情在里面啊！我是老师，我有家有口的，这点心情只能深埋再深埋，就像加勒比海盗在荒岛上把黄金珠宝深埋再深埋。我说："要不你给蒙老师打个电话，请他吃个饭吧！"她很为难说："算了，师父，这个电话我真的打不了。"我说："那我帮你打试试。"她没说话。她去了，我坐在那里犹豫很久，一狠心还是给蒙天舒打了电话。蒙天舒说："这个饭我真的不敢吃。学生请我，我不敢说是鸿门宴，可我真的是不敢吃。"我知道贺小佳的事基本没戏了。不，肯定是没戏了，可我不敢跟她说。让她去撞撞运气吧。我知道这样的事情根本就没有运气可撞，稍微好一点的位子，都被拼这个拼那个的人拼掉了，轮不到像贺小佳这样没有资本拼的人。说起来吧，现在已经没有世袭制度了，可睁开眼看看，关系网已经悄然形成铜墙铁壁。一个人他如果不是自己超级优秀，他真的很难突破这铜墙铁壁。这样想着，我忽然有了一种强烈的冲动，要是自己手中有权多好啊！为了贺小佳，为了安安，也为了自己。

贺小佳的事情最后还是没有搞成。她告诉我这个消息的时候是淡漠的神情，好像在说别人的事情。我想找出什么话来安慰她，她抢在我前面说："我知道现在没有给我这样的女孩留下什么空间，我早就知道了这个事实，现在更是接受了。我心痛的是让我爸爸妈妈失望了，他们还以为自己的女儿是名校的研究生，前程远大呢，哪知找一个自己喜欢的岗位有这么难！"她一下没忍住，抽泣了一声，马上捂紧了嘴，把头低了下来。

我感到了心痛，非常心痛，想着自己如果有权，该多么好啊！她抬起头，顺势用手擦了一下眼睛，笑一笑说："对不起，师父。"看到她的泪痕，我感到了心痛，非常心痛，说："再看看有没有别的机会？"觉得自己的话是多么苍白。她说："要说机会，也不是没有，现在就有一个男人想帮助我。"我说："结了婚的男人？"她说："是的。"我说："很有钱？"她说："是的。"我没有马上就跳起来反对，觉得自己简直就没有那么充分的理由反对。我说："那是个什么人呢？搞建筑的包工头？"

她说："可能还要神气点吧，是省路桥公司的一个什么经理，国家一投就是几十上百亿呢。他说我跟他走，就帮我去注册一个公司，他们施工用的涂料生意全给我去做，只要三年，我这一辈子都不用想事了。"我说："那你？"她笑了说："师父，那你看呢？"我说："你应该不会。"她说："是不会。"我也笑了说："那你是个好女孩。"她也笑了一笑，有种可怜楚楚的意味。她这一笑，我忽然感到了心中有一种荡漾，身上也有一种荡漾。我觉得自己有点卑鄙，赶紧说："那我要张一鹏给你想想办法。"就跟她讨论这种选择的可行性。我知道自己是想用这种讨论把那种卑鄙掩盖起来。

我要张一鹏给贺小佳找个好点的工作。他一口答应了说："我有个朋友是个老板，公司也有那么大，正急着找人呢。"我说："是你师妹呢，想办法找个好点的岗位。"他说："老板放心，不会差到哪里去的。"贺小佳听说是去私营公司，有点犹豫。我说："你那辅导员的情结不要太强了，别的工作也可以试一试。"她听我的还是同意去试试。过几天我问她，去了没有？她说："去了。"我说："成了没有？"她说："没成。"又说："接待我的人说，是给老板当助理，待遇很好，只是要经常出差的，还说他们老板比较开放。这个老板到底想找个什么人？这钱我不想要。"我说："那我要张一鹏给你找个好点的老板。"

晚上我收到贺小佳的一条信息，她说："你站立的地方，便是你的中国；你怎么样，中国便怎么样；你是什么，中国便是什么；你有光明，中国便不黑暗。"我想回信说，社会应该给像你这样的女孩们一个空间，让你们有坚持下去的理由。我没有回信。又过了一个月，贺小佳发信息来告诉我，她在河西的培德中学找到了一个教师岗位，是校聘的。她没有说自己对这份工作的感受。我想起了赵平平，在心里叹息了一声，还是有点勉强地回信表示了祝贺。

49

评职称一年比一年难了。前些年学校还放得比较松，多评几个教授，就显得学校实力强大。这几年向北大清华学习，严格控制教授人数，提高了评审的标准。积压下来要报副教授的讲师，越来越多，要报教授的副教授，也越来越多。教授我已经报了两年，似乎离目标越来越远了。卢校长在大会上说，从明年起，获得国家社科项目将成为报教授的必须条件。这使今年的形势更加紧张，谁都想搭上政策的末班车。

这天我在院门口碰见了陶教授，他四十多岁，是老副教授了。前几年他都没报，似乎甘于副教授终老了。我说："今年还是报一个吧，从明年起就更难了。"这样说了，我又怕他想着我说得虚伪，谁还愿意多几个竞争对手吗？连我自己忽然也省悟到，这话有点探口气的意思，又说："我说真的呢。"他笑了说："你说真的我还是想着你是说真的，别人我就要想一想了。"我也笑了说："没想到你对我这么高的评价啊。"他说："看了这么多年，还看不懂一个人吗？"又说："一个人他老说是真的，那说真的他真的难得有出头之日。"我说："谢谢教导。"又说："我报个名也是想积累一点同情分，报个五年八年，让别人觉得再不轮到，也不太好了吧。"他说："你不错，你这几年还发了几篇像样的文章，我都不知道哪里去发，也不想出那么多钱付版面费。项目和评奖就更不敢想了。要我去求人，我不屑于。我现在成为学术贫民了。"我想解释是师兄帮了忙，不是钱买来的，又怕他找我推荐文章，就含糊说："我也没那么多钱。"他说："我就不报了，没那个心情。我现在焦虑的是儿子的事，据说高考要改革了，除了语数外，其他科目放到学校考，成绩带入高考总分。儿子还有两年高考，成绩怎么办？以前有家长委员会，专门负责跟老师沟通，后来不让搞了。现在又活动起来，要我也加入一个，地下运作，大家凑钱去跟各科老师沟通，说是要为子女争一个公平。这些事别人做了，你敢说你不屑于做吗？我想做个好人啊，可是我做不成这个好人啊！儿女的事，谁敢去赌？"我说："这是谁坐在云中想出的办法？真的是云计算啊！"他说："我这一阵子想着这件事，职称没心情报了。你吧，今年要争取评上呢，不评上可能永远都评不上了，国家项目，你搞得到吗？"

申报国家社科项目，也是件令我心痛的事。我已经连续申报了六年，有两年通过了通讯评审，都在终评会上被打下来了。前年社科处郝处长告诉我，我的申报材料上会了，要我去找评委拜托拜托，把评委的名单都告诉了我，嘱咐我说，名单是通过内部关系搞来的，可不能外传。我把名单放在书桌上，看着发呆。名字都认识，可没有一个有交情的，求得上吗？去求蒙天舒疏通疏通吧，也开不了那个口。再说，搭信求官，那求得到吗？可是机会实在难得，以后过不了通讯评审上不了会，那怎么办？

我给大师兄打了电话，看他能不能帮忙？大师兄说："我可以帮你去说说，但现在就可以告诉你，那基本上是没用的。每个评委夹袋里都是一大叠名单，那不是师兄弟，就是自己的学生，还有铁杆关系户。大家交换支持，名额分光了还不够，怎么可能轮到一个临时来打招呼的人？前几年还有几条撞上大运的漏网之鱼，现在这张网已经织得天衣无缝了。"我说："照你这意思，我硬是搞不成这件事了。"他说："基本上大概可以这么说。"又说："不过你的材料硬是让人眼睛一亮，观点的创新性硬是出类拔萃，那撞破这张网的可能性还是存在的。那你得有别人压都压不住的优势。"我说："那怎么可能呢，我？以前我多少还有点把学术当作精神寄托的心情，现在这心情真的有点灰心了。"他说："不是你一个人才有这样的心情。唉，环境对学术的发展有很大的影响。"又说："你也不要灰心，要向你那个姓蒙的同事学习学习，把各方面关系建立起来。早一天建立，就早一天学术脱贫，一辈子不建立，一辈子都难脱贫。"我说："我又没当官，手里没一点资源，我拿什么东西建立呢？"他说："你不建立关系，关键时刻他凭什么帮你说话呢？中国是个人情社会，没人说话那是不行的。你看各个单位的重点学科，一般都在校长、院长所在的那个专业。行政资源和学术资源是结合在一起的。"我说："我就希望他们凭学术呢，我的材料报五年了，千锤百炼了，前期成果也有那么多。"他说："凭学术，那你得有压倒性优势才行哦！再说一大堆材料，谁来得及认真看呢？还是得进人家的夹袋才行。唉，你不是我师弟，是别人我都不愿说这些话，说起来吧，这样的话不应该由我来讲。"

大师兄后来帮我说没说话，我不知道。没有评上是真的。我打算这么一直报下去，上会五次六次，也会有个同情分吧。唉，把希望寄托于别人的同情，是多么可怜啊！想一想申报材料，为什么一定要上会？通讯评审就是最终的结果，不行吗？分高者得，虽然也难说公平，总会有些人连通讯评委的名单都能搞到，不知道也在所属的学术圈子里广泛招呼，总会撞到几个，可那也比现在这样公平。

想到从明年起，评教授就要国家项目，我还是非常焦虑。国家项目又岂是我力所能及？那样就可能一辈子评不上了。这样想着我还是报了材料，报了之后知道历史学院今年有五个人报了，只有一个名额。五个人中有三个是历年积压下来的，除了我，另外两个，这几年都没什么成果了，也是来积累个同情分的意思。还有两个新报的就不一样了，一个是童校长的弟子肖忠祥，一个是龚院长的弟子孟子云，历史学院的少壮派，都是副教授评了五年，刚获得申报的资格。要说成果吧，我也不比谁弱，可能还强一点，可看这局面我不敢抱有希望，有点局外人看风景的意思。人事处搞资格审查，五个人都过了。开评的前几天，有消息传来，童校长由省里派到中央党校学习三个月，而评委抽签，龚院长抽上了。本来大家都认为，一定是童校长弟子评上，这一来又有了变数。

我把情况告诉赵平平。她说："是不是这样你就有点机会了。古人说，鹬蚌相争，渔翁得利。你说不定就是那个渔翁。"我说："没想过，不敢想。"她说："你今年不挣扎一下，到明年不是一盘死棋？"我说："怎么挣扎？我去求童校长？求龚院长？他们连自己的弟子也不一定罩得住！别的学院的人，我又不认识，认识也没有用，这是认识就能解决问题的问题吗？"她说："认识不解决问题，总有解决问题的办法，你不是有个熟人在人事处吗？

你把评委名单探到手了，多少个评委，你准备多少份材料，我准备多少个信封。这不叫折腰，这叫公关。行政管理学院还有个公关专业呢。"我笑了说："往脸上贴金你倒是很会贴的。"又说："这么大方就割肉了，这是你吗？"她说："事情来了，我什么时候怕痛舍不得下刀子？那要看什么事。"我说："搞不得，人家都是知识分子，那东西太扎眼了。"她说："审你的材料不辛苦吗？辛苦了不该有点辛苦费吗？你觉得信封扎眼，我们换成智能手机，苹果的。"我说："这个老婆对我真的就有那么好呢，血不是一滴滴出，一杯杯出。"她笑了说："我不是对你好，你别自作多情！我主要是为了安安，她爸爸当个教授，将来一定要拼爹，她勉强还有点东西拿出来拼，不然你叫她拿什么去跟别人拼？不拼吧，沦落街头她还不至于，在社会底层那是大局已定。想到这一点，我真的有做坏事的勇气了，心情是早就有了。你看现在，哪件好一点点的事，是孩子自己拼出来的？"我说："你说的话我也不反驳，但是我读博的时候，我导师说过一句话，十多年了我还记得，你比别人优秀一大截，你还怕不公平吗？别人他能压得住你？大师兄也说，只要出类拔萃，什么网你也能够撞破。安安我们好好培养她不就得了？"

赵平平冷笑一声："你是做爹的，不要对孩子这么残酷，要她去优秀一大截，为什么你不自己优秀一大截，你？她能不能优秀出这一大截我不敢说，就是能吧，我也不想逼她那么去做。她这么小，不要把她往死里逼，要逼你逼一下你自己。我想要安安做个平凡人，可是也得让她有个平凡的幸福。"我说："你那个平凡其实不平凡，你那个平凡的幸福其实在天上。你自己没个平凡的幸福？可还是天天觉得不幸。我们安安能够保证自己那一份平凡的幸福就可以了，优秀一大截，我也没想过。"她说："我安安保证她自己还不可以，难道还要她保证你这个当爹的？脚痒手搔得到，手痒脚搔得到吗？"又说："要优秀一大截你先优秀个榜样让我和安安看看，现在评教授就是个机会吧。说来说去，还是要你把材料备好了，登门拜访，一家一家。我陪你去，我把眼泪准备好了，我一个一个哭给他们看。我真的哭得出，泪水蓄在泪囊中都这么多年了，那眼泪不是假的，要多少，流多久，都有！不是假的。"她鼻子一抽，泪水就奔出来了。

我觉得有点对不起赵平平，也对不起女儿。我曾经承诺过要给她想要的生活，我没有做到。多少次她说，蒙天舒家的韩佳换宝马了，高娟娟去马尔代夫旅行了，还有单位同事的女儿进贵族学校了。她在手机上把这些微信点开了给我看，说："你看看马尔代夫的风景吧，看看韩佳开着宝马笑得有多甜吧，看看贵族学校的气派吧！人啊人，不去比还觉得自己蛮幸福，一比就掉进冰窖里了。"我看了没什么感觉，就像一个人有红烧肉吃已经很满足了，人家吃海鲜，也没觉得有什么了不起。那还有住别墅的呢，还有开宾利的呢，还有为儿女在美国买了房的呢，比得完吗？何必跟自己过不去？欲望无边无际，就意味着痛苦无边无际。苏东坡当年在京城当大学士，说贬就贬到黄州惠州海南岛去了，那是什么境地？他也没失去旷达，他老婆也没抱怨什么。赵平平抱怨多了，我发了几次脾气，告诉她抱怨了也没有用，改变不了什么。可这一次，也的确到了关键时刻，说生死攸关也不过分，我是不是要改变一次？就一次。

我想了几天，结论是算了。认识不认识，揣部苹果去拜访，实在是做不出。别人不接受，我难受；接受了，我更难受。那一张张的门，实在没勇气去敲啊。赵平平说："我的东西准备好了，你准备好没有？"我说："你要我准备什么？"她说："材料啊，还有心情，对你来说主要是心情。"我说："心情？我能准备好我十几二十年前就准备好了。"她叹口气："那我们家怎么办呢？"我说："我们家衣食住行不少一样，实在想买辆车，不说买宝马，买个普通点的车，也不是那么买不起，今年就买，行吧？房子换套大的也不是一定换不了，今年不买车，先换房，行吧？女人的心不能太大了。"她说："你别说衣食住行吧，都是衣食住行，那一样吗？一条牛仔裤，几十的有，几千的也有，那一样吗？宝马跟力帆，那一样吗？"我说："肯定不一样。为了那点不一样，把自己变个不一样的人，那有乐趣吗？"她摇摇头说："唉，算了。说起来我也不是不知道你是个什么人，也理解你。我自己吧，我的美好时光都那么过去了，现在反而过不去？

我自己只要有韩剧看，又在电脑上玩一下抢地主，再玩一下微信，就觉得日子也过得去了。我就是觉得安安太委屈了。"我说："看韩剧也成了人生寄托，你也是个脑残粉啊！"她说："人家愿意残，你怎么样？"我举起右手挥动着，说："我自豪，我骄傲，我是脑残粉！"又伸出两根指头比划着胜利的手势："吧！"

我没有觉得安安有那么委屈。比起自己小时候，她已经是太幸福了。这让我有了一种安心。真的像赵平平设想的那样，把所有的幸福堆在她身上，那不害了她才怪。我把这个道理讲给赵平平听，并举了前几天在网上看到的一个事例，一个儿子十八岁了还要父母帮他洗脸，结果成了一个废物。她说："世界上这么想的爹只有你一个，这么巧，让我安安撞上了。唉，我知道这事让你为难，那就算了。拜托阿弥陀佛，让你撞个好运吧！"

评审的那几天有很多传言，说是童校长本人虽然不在，他已经布置好了，有别的学院的评委力挺肖忠祥。可龚院长也不示弱，坚决要评孟子云。卢校长作为评委会主任，说出话来句句都在原则上，可就是没有个方向，这似乎证实了他跟童校长有裂痕的传言。龚院长毕竟在现场，又是本专业的，别人不好多说，卢校长的态度又难以捉摸，这使孟子云的行情看涨。最后又有传言，童校长从北京给几个评委打了电话，局面又有些僵持了。这些传言我甲耳朵进乙耳朵出，反正不关我的事。

投票那天我听说大家都在橙楼外面等结果，忍不住也去了，看见很多人站在门前，孟子云和肖忠祥都在。孟子云朝我点点头，我也点点头，都不说什么。这样最好。说别的事吧，显得矫情；说投票吧，又怎么说？肖忠祥说："聂教授也来了？"我忽然很惭愧，似乎自己不该抱有希望，更不该来。我说："我打酱油呢。"他笑了说："可不能这么说！"显得很有自信。

等到中午十二点，还没有消息。人群中有人说已经投票了，在计票，又有人说还在逐个讨论，文科只有七个名额，怎么也摆不平。等到一点钟，我饿得有点发晕，准备走了，忽然大门开了，龚院长第一个走出来。孟子云马上抢上去问结果，龚院长说："我不知道！"气冲冲走了。孟子云待在那里，傻了似的。肖忠祥脸上有了喜色，竭力忍着。这时耳边有人对我说："致远，你评上了！"我说："不要取笑！"觉得这话有点熟，不知在什么地方听到过。又说："别开玩笑！"他说："评谁都不好，不和谐，卢校长就推了你，说到底你的材料还是扎实一些。"我有点晕眩，觉得不可能，抬头望了望天，觉得更加晕眩了。这怎么可能？犹豫着我掏出手机给赵平平打电话，说："我可能评上了。"她说："评上什么了？"我说："还不是那个教授。"她说："真的？你没骗我吧？"我说："这样的事是开玩笑的事吗？"她在那头"哇"的一声哭了，哽咽着说："我飞天了！臭臭，我飞天了！"

我忽然听见有人嚎啕大哭，一看是孟子云。我想是不是要过去安慰他，正犹豫着，又有一堆人围到一处，有人告诉我是肖忠祥昏倒过去了。我从人丛中一看，果然是肖忠祥倒在地上。我马上掏出手机，打了120的急救电话。一会校医院的医生来了，120救护车也来了。我帮助医生把肖忠祥抬上救护车，准备上车护送他去三医院。忽然感到有人将我用力往下一拉，是肖忠祥的妻子，愤怒地望着我。我嚷着："我不是故意的！我不是故意的！"待在那里，看着救护车鸣笛远去。

50

评上了教授，对我是意外之喜。可因为这个意外之喜，有人痛哭，又有人昏倒，这让我感到不安。我告诉自己，我没有欠谁的。我的确也没欠谁的，可我还是感到不安。一件更让我不安的事，就是大家都认为我以一种奇特的方式与卢校长有了沟通。有天有个老师说自己有件要紧的事，想跟学校主要领导汇报一下，问我有没有沟通的渠道？主要领导是谁，非常含糊却又非常明确。他不说明，我也就不好点穿，只好说："我也没有跟什么特殊人物打过什么特殊的交道。"这是实话，可他不信。他也不说不信，只是笑眯眯望着你，嘴里"嘿嘿嘿嘿"地发出不明确的声音。我也不解释，由别人怎么去想。有一天跟蒙天舒说着话，他忽然说："致远想不到你还是通天的人呢！""通天"让我一下想到北京，那才是天，忽然明白了，说："卢校长我不敢说没见到过，没说过一句话是真的。"他"嘿嘿嘿嘿"地笑。我说："你都在职能部门搞这么久了，谁通天谁不通天你不知道？不知道你怎么混的？"他说："所以啰，所以啰，有朝一日。"我说："所以我想通也通不了的，你跷一跷脚指头想也想得出来。"他说："就是想不出，所以才……是吧。"我笑一笑，不再为自己洗刷，越刷越黑。

这天下楼出了学院大门，有个中年妇女走过来问我："您是聂教授吗？"我说："我姓聂。"她说："那么您就是聂致远教授了？"我说："我是聂致远。"她说："省里这次评职称，你是评委，想请你帮帮我呀！"我记起评了教授后填过一张什么表，进了一个什么评委库，自己都忘了。我说："我不是评委，我没接到通知，你的信息搞错了。"她怔了一下说："可能通知还没来吧。明天就开评了。"我要走开，她说："聂教授一定帮我说句话呀！"递给我一张纸条，写着她的名字，姓高，是华阳地区一个职业学院的老师。我把纸条塞进口袋说："好的，好的。"她跟在我后面走，说着自己的情况，副教授申报三次了，条件越来越高了，最后的机会了，一定要帮帮她们这样的弱势群体。我说："好的，好的。"加快了步伐。她说："能不能请聂教授吃个便饭呢？"我说："我不是评委，你真的找错人了。"她说："就吃个便饭吧！"我想起了"大便饭"还是"小便饭"的段子，就笑了一下，说："便饭……我真的不是评委，你相信我，饭真的是不能吃的。就算我真的是评委，这个饭我能去吃吗？"

她飞快地拿出一个信封塞到我手中。我本能地一下握住了，捏捏知道是一沓钱，估计是一万，说："你犯错误了。"她笑了说："现如今这叫什么错误？我就花这一点，人家还花好几万呢。"我说："这是一点？你们工资那么高？"她说："就是不高呢，高我就不急着评这个职称了。"我说："不高你还说这是一点？弱势群体？"我把信封递给她："拿回去吧！"

她不肯接，说："一点点，真的只有一点点，本来应该……"我笑了说："应该几万？你犯错误了，我不是评委。"她说："犯错误那也交个朋友。"我说："朋友是这样交的？你什么时候这样交到过朋友？朋友！你不要我就放地上了。"做了放地上的动作。她眼泪一下流了出来，说："聂教授，就帮了这个忙吧！"抽泣着，掏出手帕擦着眼睛。她哭着说："我求你发个善心收下吧，真的没有办法呢，不找几个人帮着说几句话，就被别人顶出来了，我已经被顶出来三次了，真的没办法呢，我求你啊！"泪水不停地流出来。我说："信封拿去，你相信世界上有好人吧！"她说："那你也相信世界上有好人，评上评不上，我绝对不会拿这个说事！"我说："不是说事不说事的问题。你一定要相信世界上有好人。"她说："大家都说评这个职称要花六万块钱，我把它花出去了，我心里就安了。"我说："你多少钱一个月？"她说："那也还是有三千呢。"我说："三千一个月就肯花六万来评个职称？"她说："不评怎么办，不评永远是个中级。"苦着脸望着我说："我求求你了，求你了！实在没评上我不怪你。"我有点生气了说："你怎么这么不相信人？"她说："就是太相信人了，才三年了还没有评上呢。"我说："万一我去了，我说万一，我会帮你说句话，但你要把这个信封拿走，你不拿走我绝对不会帮你说半句话。"她说："真的啊，是真的吗？真的？"我说："说了你要相信这个世界上有好人。"

下午四点多钟，我真的接到了省教育厅的通知，让我第二天上午九点去京园宾馆报到，参加省里的职称评审。通知我的人说："这事不要到外面去说，这是纪律，也是为了保护你们的工作不受干扰。评委是刚刚抽签抽出来的，名单是保密的。"我笑一声说："你们的保密工作真的做得好啊！"

文史系列参加副教授评审的评委是五个人，组长是麓城大学文学院院长。地区来的评委只有一个，是平川学院的副校长。参评的是四十七个人，要淘汰二十一个。开始我还认真看材料，文章一篇篇翻开来读。读了几篇就麻木了，根本就不记得哪篇文章是谁写的，水平如何，脑袋就像一片草地被一群野马踩了一通，遍地都是乱七八糟的马蹄印，哪里还会知道哪个脚印是哪匹马的。我说："脑袋都糊涂了！怪不得大家向名刊投稿要找熟人，编辑他一天收几十篇稿件，脑袋都是晕的，哪里分得清谁好谁坏？有些好稿流失了，也不怪编辑。"组长说："早几年我也是你这样看，现在有经验了，看看文章是什么级别的刊物发的就差不多了。"我找到高老师的材料，觉得还是不错的，怎么几年都评不上？看了一天，总的感觉是水平普遍不行，根本就不能跟麓城师大和麓城大学那几个重点大学比。我说："谁要想评个职称混个日子，千万不要去什么重点大学，在这里能评个教授的，到我们那里恐怕副教授的毛都抓不到一根。"那副校长说："那欢迎聂教授来平川学院，房子一套分给你，科研启动经费二十万，安排家属。"我说："你们在麓城，我真的会去，别的都放在后面，安排家属真的让我心动。"

　　材料看了两天，对谁在哪家刊物发了什么文章，还是有了个印象，文章怎么样，那只有天知道。组长要每个人把自己觉得应该考虑的人提出来。那副校长说："不瞒各位兄弟，我是带了任务来的，我们学院这次报了五个，请各位兄弟高抬贵手，不然兄弟我回去怎么交代？"组长也说，自己有个当年的研究生这次也报了，如果不是太差，也请照顾一下。麓城师大文学院的章教授说："既然说到照顾，我也有三几个拜托了的，如果能照应一下，那请大家帮忙，不好交代呢。"组长说："人情社会，大家都有难处。我们在原则的范围内考虑一下。"我说："进入评审都是经过了人事部门资格审查的，都在原则范围之内。"组长说："就是呢，为难呢。聂教授有什么人选没有？"我说："我没有。可能是我第一次当评委，别人还没反应过来吧。"我想着既然有人给我送信封，会不会有人也给他们送呢？左看右看，也不太像。大家把非评不可的几个人的材料放一边，算是定了。又把水平太差的几个人材料放另一边，算是淘汰了。有个人被淘汰了，又被章教授把材料捞了回来，放在中间，说："她的材料还是可以的，暂时不判死刑，算个死缓吧。"

到最后还有几个定不下来，高老师也在其中。对她我也没有那么强的使命感，行就行，实在不行，那也没办法。还剩下七个，要淘汰三个。组长说："上面催交名单了，实在定不下我们投票。痛苦呢，痛苦呢。"他感到痛苦，真的算有良心。我们这里笔那么一转弯，就是别人一辈子的命运。我说："有什么那么痛苦，谁的材料硬点就评谁，反正也是韭菜地里拔麦子。"组长望了那副校长说："那我们就拔？实在不行就票决。"副校长说："我还有两个人在里面，我好不容易挤……好不容易进来当个评委还没搞定，兄弟我回去交代不了呢，各位弟兄帮帮忙。"章教授说："说到帮忙，各位也帮帮我，死缓的那个材料也不是那么过不去，就放一条生路给她。"

　　大家又把材料反复看。副校长要把高老师拿出去，我说："这个人的材料不是第一也是第二，把她拿出去太不人道了。"组长说："是不是你什么人？是就考虑一下。"我说："那就算是的吧，不过我真的跟她没有任何关系。"又淘汰两个，还要一个。副校长几次提出要淘汰高老师，章教授开始还犹豫，后来看看自己想保的那个有危险，也同意了。我说："这个人的材料你跟其他几个比比，怎么比怎么强。不行呢。"副校长又提出把材料最好的那个淘汰。组长说："这个人正经还在《扬州大学学报》发了篇文章，能保还是要尽量保。"又把五个人的材料拿来翻看，按标准非把副校长的熟人踢出去不可。他说："平川学院五个评上四个，那一个兄弟我怎么跟她说？痛苦呢。"再次提出把高老师踢出去。我说："你保了五个，我保一个还不行吗？"组长翻看着材料说："有办法了。"告诉我们说，《扬州大学学报》那篇论文不是正刊发表的，是增刊。大家看了那本刊物，在目录上方一个很不显眼的地方写了"增刊"两字。他说："那就解决了？"副校长说："解决了解决了！"章教授说："解决了！"我说："就算是增刊，那也还不算最差的。"组长说："说绝对公正，我们也没那个水平，"他转向副校长，"是吧？"副校长连连点头说："那是，谁也不是神仙。我们大家都是人，是吧！谁叫我们是人，是人就甩不脱那个人情。"组长说："就这样吧。明年我不来搞这个事了，痛苦呢，痛苦呢！"

51

一不小心，大学毕业就二十年了。看清了过去的二十年，就不难想象今后的二十年，那时候应该已经退休了。一辈子就是如此而已，不会有奇迹发生。

大学毕业已经二十年，这件事我自己没有想起，是许小花的电话提醒我的。她说，在国庆长假要组织全班大聚会，凌子豪认捐十万，蒙天舒负责组织，具体事情我和她经办。我觉得她倒是很会找人的，一个有钱，一个有权。我说："找蒙天舒人倒是找对了，如今他在学校也是一个人物了，不要说提供各种条件，童校长他都请得动，还有孟书记。"

四月底郝处长打电话来说，我今年申报国家社科基金项目又入围了，马上就要上会，还有童校长领衔申报的国家重大项目也上会了。他把有关评委的名单告诉我，要我想办法跟他们沟通。我看了评委的名单非常地泄气，名字都是知道的，没一个有什么关系，大师兄今年也不在其中。有些人为了建立关系，一年几次出去开会，没有经费，自己掏钱也去。去了就紧紧跟在大人物后面，哪怕拉不上实质性关系，那也混个脸熟，关键的事情来了，总还搭得上线。可这不是我的风格，我实在是不能那样勉强自己。我对郝处长说："这个我没办法沟通，搭不上线啊！"他说："搭不上线那也要想一切办法搭上线，能够上会，那是多么难得的机会，不要浪费了。评到一个项目，国家给十八万，学校按一比一配套，你说这是个什么概念？上会是多么难的一件事，不要浪费了。"我说："给别人也许就没浪费。"他说："你也要支持我的工作吧！我们这么大个学校，如果还赶不上下面的学校，脸往哪里放？校长的压力大，我的压力也大呢！"他告诉我，麓城大学已经派人去北京了，我们学校法学院的院长也准备去北京，机票都订好了。他要我去找蒙天舒，说："他会有办法的，他总是能够找到办法。"

我没有去找蒙天舒。要有人帮你在评审会上说话，这不是一件小事，托个人捎句话，这点情分是远远不够的。需要照应的人太多，早就做足了功夫的人也太多，不可能照应到我这里来。何况他们自己也报了重大项目，一个单位怎么可能在同一领域评上两个？赵平平知道了很不高兴，说："三十多万呢，你一年工资才几万，你？"我不想勉强自己，可我不能这么说。我说："正因为利益太大了，所以临时抱佛脚是抱不来的，这个道理你应该懂的。"她："这个道理你懂你平时怎么不烧香？"又说："你都评上教授了，我也懒得着急了。以前逼一下你，那是没有办法，现在，由你吧！"我抱拳说："拜谢开恩。"又说："这样体谅的老婆被我找到了，我没烧过香啊，怎么会有这样好的运气？"

唉，道理我是懂的，可一旦自己面对，我就没有办法了。这样说了，这样想了，我心里其实还是抱有一种侥幸，希望会上有人以选题和材料为依据，为我说几句话，毕竟我的申报材料是一锤子一锤子砸了几年砸出来的。没有这点希望我就不会报了，虽然我也知道，这希望是多么渺茫，多么渺茫。一个人他不抱幻想他就没有希望，他抱有幻想他就总是失望。

蒙天舒打电话来说："致远听说你也上会了？"我说："我上会那是假的，你们上会了那是真的。"他说："那不一定，也可能都是真的。"又说："准备马上去北京跑一趟，童老板不方便，把线索都理好了，要我出马，我想是不是带你跑一趟？正好你也上会了。"我说："现如今光着两只足跑那是空跑，你看这个跑吧，除了要足，还要有包包。"我说着，手指凌空写了个"跑"字。他说："这个你不用管，都有安排。"

第二天我们买了软卧票去北京。蒙天舒去洗手间，示意我看着他的提包。他去了我捏了捏提包，里面有内容，一叠一叠的，还很丰富。蒙天舒回来了，我说："是不是送点礼品好些，不要害人家犯错误，人家能当上评委也不容易。"他说："现在谁还要东西？最早的时候送麓山的橘子，送英雄牌铱金笔，约好到立交桥下去见面；后来送烟酒；再来送电脑、苹果手机；现在你送这些人家还是个负担。要与时俱进嘛。"又说："人家给你审材料不是很辛苦吗？辛苦了，收点辛苦费那是应该的，不要往腐败上面想。"我说："现如今当个学术权威比当官还好，当官收了东西那是腐败，是高风险职业。当权威收了，那是尊重知识。"

到了北京，蒙天舒给评委打电话，都是关机。打听了才知道，评委已经住进了京西宾馆，评审过程封闭式管理，评委的手机都收上去了。蒙天舒说："今年的动作怎么这么快？"我感到了欣慰，这至少把一部分动作慢的人挡在门外了。蒙天舒再打电话，居然有个评委的电话通了。蒙天舒说："张教授，我是麓城师大的小蒙呢，刚刚到了北京，童校长嘱咐我，一定要特地来看看您，身体还安康吧！在外地？那我在北京专门等您吧，您这一两天就会回吧？四天？四天那我也等呀！哦，哦，哦，那就再见啊！"收了线他说："社科处的情报工作做得不行啊！张云华他今年不是评委。"我说："你要再见那也慢点再见，再见那么快，太那个什么了点，还要不要下回？"他说："他今年就到年龄了，他自己说的。"我说："张教授是老实人，要是我，先来个含糊其辞，把你的内容收了再说。"他说："人家是教授呢，讲诚信呢，知识分子呢。"他给童校长打电话，打完电话说："老板说还是挨家去拜访，把材料送过去。"我说："人都进宾馆了，材料送去谁看呢？"他说："你送到他手上他就会看吗？能那么翻一下算是最负责任的。"我说："是这么回事呢。"材料是只竹筏，想要到对岸去，不得有桨？信封就是那两支桨。他说："评委的手机被收上去了，这年头谁没有两部手机？没两部手机就没办法跟外面联系，不可能几天不跟外面联系吧？东西送到家里就等于送给本人了。"我们把材料整理了一下，把有内容的小信封塞到了文件袋里。

到第一个评委家我陪蒙天舒进去了。没说几句话，把装材料的文件袋丢在沙发上就出来了。评委的夫人不接材料，望都不望一眼，似乎没看见，嘴里说："好的，我想办法跟我们家里的联系。"本来我还想把自己的材料也丢一份在旁边，见蒙天舒一句不提，就想着自己还想往里面挤，非常勉强，就没拿出来。出来蒙天舒说："怎么你把自己的事忘记了？"我说："你们的事是大事，我的事就不来打岔了。"他说："那也是大事。"

我说："里面没内容,丢在那里也没有用。"到第二家我说："我就不上去了。"蒙天舒说："那你的事……要不你把材料给我带上去?"我说："本来就是搭信求官的事,还能求到两个官吗?人家老婆在电话里都讲不清。"蒙天舒说："那……那就争取明年,重点突击。"我心里好笑想:谁会把我当重点去突击?口里说:"突击就不突击了,看哪年能碰个运气!"

事情两天就做完了。材料都送了出去,也有几家当场看了,打架一样,把小信封退了回来。看得出评委出去之前交代了的。这让蒙天舒很不安心,说："老板会说我不会做事呢。"我说："还不知道其他人看到了会不会退呢。"他说："我们这么诚心,应该会给个面子吧?都是老板的朋友呢。"预定的回程火车票还要等两天。蒙天舒说："闲着也是闲着,下雨天打孩子,那也得打,是吧?我去拜访几个人。"我说："你的时间总是有效时间,我就待在宾馆看看球赛算了。"他去了我想:他的时间果然从来就是有效益的。没效益的事,比如学生辩论赛当评委等等,那是我这种人的事,他从不沾边。

在宾馆待着快到中午,我看电视看得憋闷,就下楼去走走,想顺便在哪里吃碗饺子。我在春天的阳光下慢慢地走,穿过天安门,看见国旗在广场上空飘。来到王府井大街,想了想,没发现自己想买什么东西,就去看汽车站的路牌,想着是不是到哪个景点去玩一下。我忽然在一块去西山的车的路牌上看见了"门头村"三个字,觉得有点眼熟,马上就恍然大悟。等公交车开过来,我马上跳了上去,车上人不多,还有座位。我坐在那里,看着窗外的街景纷纷攘攘,一晃而过,一晃而过。几十年的往事都涌上心头,纷纷攘攘,一晃而过,一晃而过。我忽然一阵心酸,眼泪都涌出来了,又感到没有什么伤心的理由,就闭了眼用力把眼泪压回去。

在门头村我下了车,掏出手机看看是两点钟。这已经不是我记忆中的门头村了,眼前是成片的房子,已经有了城市的意味。我拦住一个路人问门头村在哪里,他跺一跺脚说:"这就是啊。"房子很多,路人很少,不知是都去城里上班了呢,还是根本没有住人。我沿着一条小街往里面走，想找回当年的记忆，已经找不回了。那棵老槐树当年生长在哪里？根本就没法说清楚。我问了一个卖烟酒的店家，前个十几年，这附近是不是有棵老槐树？他用奇怪的眼神望着我，根本不理解我问什么。我出了小街往回走，回到大路上，往前走了一段，再向右拐，向西山走去。走了不远是一片平整好了的土地，上面倒有一些垃圾。越过空地是一片桃林，小桃子泛着青色。一位大娘在桃树下锄草，抬起头询问地望我一眼，对我的出现似乎有些意外。我想起门头村当年是正黄旗的地方，属健锐营右翼，就问："大娘，这里是正黄旗吗？"她指着那片房子说："上佳锦苑。"又说："桃子还没有熟呢。"我笑了说："我不会摘桃子呢，我就想知道这里是不是正黄旗？"她说："说了是上佳锦苑。"

回到大路上我往西山走去。来了一辆公交车，我上了车，就到了西山的门口。我没坐旅游车，随意地拐上一条小路往上走，走了半个多小时，不知到了哪里，四周空无一人。我找到一块岩石坐下，往山下望去，远处的城市看不清楚，近处的景物历历在目。我竭力想辨认出哪一片是门头村，却无法确定。不管怎么样，曹雪芹当年生活在我的视野之中，这是肯定的；《红楼梦》就出自眼前这片土地，这也是肯定的。敦诚赠给曹雪芹的诗中有"日望西山餐暮霞"一句，多么诗意，可曹雪芹的人生又是多么凄凉。千百年的历史，在教科书中被一页一页轻轻翻过，只有回到时间细微的褶皱之中，才能体验到他人生的寸寸血泪。还有多少同道者被岁月无情地湮没了啊！而且，那些坚守者也没能改变世界，时势比人强。这是放弃的理由，又不是放弃的理由。如果是理由就没有伟大和高洁了。也许，凡俗就是这一代人的宿命。我不是文化英雄。我景仰他们，可我没有力量走近他们。我只是不愿在活着的名义之下，把他们指为虚幻，而是在他们的感召之下，坚守那条做人的底线。就这么一点点坚守，又是多么地艰难啊！当经验向我们这样来展示生活的真理，我们能够那样去生活吗？时空浩渺无涯，自我渺若微尘，在无限时空的背景之下，一个人还有必要去表达对世界的意义吗？好好活着，活在当下，一切与此无关的问题都不是问题，不必上心。这是生活给我们的启示。而我，作为一个凡俗的人，又怎么能够像圣人那样超越生活经验而活着？也许，知识分子应该与众不同，他那一肚子的学问不是拿来教导别人怎么生活的。毕竟，在自我的活着之上，还有着先行者用自己的血泪人生昭示的价值和意义。否定了这种意义，一个人就成为了弃儿，再也找不到心灵的家园。这是没有悲剧感的悲剧。曹雪芹们，这是真实而强大的存在，无论有什么理由，我都不能说他是他，我是我，更不能把他们指为虚幻。

想一想曹雪芹当年是怎么想的吧！他没有获得现世的回报，使自己从极度的贫窘潦倒中得到解脱；也不去追求身后的名声，在时间之中刻意地隐匿了自己的身世。对一个中国文人来说，淡泊名声比淡泊富贵更难，可曹雪芹他就是这样做了。一生行迹的埋藏，是他生前做过充分思考的安排。牺牲精神是伟大的，但牺牲者希望得到世人的理解和见证，这是人之常情，无损于牺牲者的伟大。可曹雪芹他做出了既不为现世功利，也不为千古流芳的牺牲，无人见证，也无需见证。也许，认为他受了天大的委屈，那是我用一双俗眼去看他，完全不合他的心意。高山仰止。曹雪芹最有资格接受这种景仰，虽然他自己对此毫不在意。

起风了，我感到了一丝凉意。肚子"咕咕"地响了几声，我想起自己还没有吃中饭呢。我从岩石上爬起来，向山下走去。阳光在我头顶，被树林遮挡。那些从树叶的缝隙中穿过来的阳光，在我眼前形成了一束一束的光柱，似乎伸手就能握住。春天的树林中浮着泛绿的空气，闻得见那绿色的气息。我听见风在树丛的上空发出沉闷的声响，我辨不清方向，不知道这到底是南风还是北风。忽然，我听见一种奇异的声音，停下来侧耳细听，那是风裹着风，在沉闷的风的中心，传来了一丝尖厉的、凄凉的锐响，像时间深处传来的召唤。

图书在版编目（CIP）数据

活着之上 / 阎真著. —长沙：湖南文艺出版社，2014.12
ISBN 978-7-5404-7037-1

Ⅰ.①活… Ⅱ.①阎… Ⅲ.①长篇小说—中国—当代 Ⅳ.①I247.5

中国版本图书馆CIP数据核字（2014）第274650号

活着之上

阎真　著

出　版　人：刘清华
选题策划：龚煌景（龚湘海）
责任编辑：龚煌景（龚湘海）　　苏日娜　刘雪琳
书籍设计：萧睿子
版式设计：周基东工作室
湖南文艺出版社出版、发行
（湖南省长沙市东二环一段508号　　邮编：410014）
网址：www.hnwy.net
湖南省新华书店经销
湖南天闻新华印务邵阳有限公司印刷

2014年12月第1版第1次印刷
开本：970 mm×670 mm　　1/16
印张：19.5
字数：260,000
印数：1-100,000
书号：ISBN 978-7-5404-7037-1
定价：34.00元

本社邮购电话：0731-85983015
若有质量问题，请直接与本社出版科联系调换